비파괴검사문제집 **3**

침투(PT)탐상검사

– 한국산업인력공단

기사 · 기능사 · 산업기사

문제수록 및 요점정리 –

김만순 · 박재원 共著

NODE MEDIA
노드미디어

 **머리말**

이 책을 내면서 이런 말이 생각납니다.

「천리길도 한 걸음 부터다.」

아무리 힘든 것이라도 천천히 차근차근 하다보면 끝이 보이고 결과는 그것이 이루어진다는 것이지요.

이 문제집은 **과년도에 출제되었던 국가기술자격 시험의 문제가 총 망라되어 있으며** 또한 각 과목에 대한 **요점정리**가 잘 되어 있는 것이 특징이고, 수험생들이 여러 개의 학습서를 공부할 필요가 없이 이 문제지로 공부를 한다면 자격증을 쉽게 취득하리라 생각 됩니다.

자격증 시험은 많은 문제를 다루어 봄으로서 문제의 유형이라든가 특징을 알면 실제의 시험 문제를 쉽게 풀 수 있고 또한 시험문제를 쉽게 풀 수 있으리라 봅니다.

아무튼 이 문제지를 보는 모든 수험생들께서는 합격의 영광을 누리시길 바랍니다.

끝으로 이 책을 만드는데 항공 비파괴과 교수님들이 노력하셨습니다.
또한 이 책을 편찬하기 위해 많은 노력을 해주신 골드 출판사의 박승합 사장님께 깊은 감사를 드립니다.

2007.
저자 씀.

CONTENTS

C O N T E N T S

CONTENTS

1

침투(PT) 탐상검사 이론

I. 액체침투탐상검사의 기초

1. 모세관현상

물은 고체면에 접하면 산소를 포함하고 대부분의 고체는 물 속의 수소분자와 결합하게 되므로 서로 부착하려는 성질을 갖게 된다. 부착력의 크기는 온도, 고체면의 종류 상태에 따라 변한다. 만약 부착력이 응집력 보다 크면 물은 고체면을 퍼지면서 적시게 되나, 응집력이 더 크게 되면 물방울과 같은 곡면을 형성하게 된다.

아래 그림과 같이 물위에 가는 관을 세우게 되면 부착력이 모세관 내의 물의 중량보다 크게 되어 그 만큼 모세관 내의 수위를 상승시키게 되는데 이러한 현상을 모세관현상 (capillary phenomenon)이라 한다.

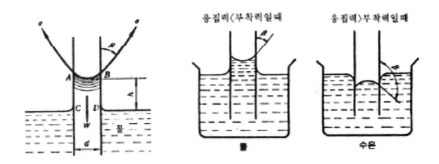

모세관 현상은 물과 고체사이의 부착력과 물분자간의 응집력의 상대적 크기에 영향을 받는다. 그림에서 부착력이 응집력 보다 큰 물의 경우에는 모세관 위로 올라가고, 수은 의 경우처럼 응집력이 더 크면 반대로 내려간다.

그림에서 β는 접촉각이며 아래 [표]와 같다.

액체	β		수은	130~150°
에칠알콜	0°		에텔	16°
물	0~9°		벤졸	0°

물의 모세관 상승높이는 관의 재료·관의 직경 등에 의하여 결정된다.

관의 직경이 두 배가 되면 끌어올리는 힘도 두 배가 된다. 그러나 물의 무게는 직경의 제곱에 비례하므로 결국 모세관상승 높이는 관의 지름에 반비례한다.

$$\text{모세관의 상승높이 } h = 4\sigma\cos\beta/\gamma d$$

여기서

    σ : 표면장력(kg/m)

    β : 접촉각

    γ : 단위체적당비중량(kg/ℓ) 물의 경우 1

    d : 모세관 직경(m)

모세관 현상이라는 특질이 있기 때문에 식물이 영양분을 흡수하고, 체내 혈액이 순환할 수 있다. 이 능력의 비밀은 물 분자의 성질 속에 감춰져 있다. 물은 모든 방향으로부터 서로 결합하는데 또 다른 물질, 예를 들면 유리·점토나 흙 따위와도 결합한다. 실제로 산소를 포함하고 있는 대부분의 고체는 물 속의 수소와 결합한다. 그림에서 보는 바와 같이 유리관 가장자리에 있는 물의 분자는 바로 위에 있는 유리의 분자에 다다르려고 하며, 달라붙으면 그 뒤에 있는 물분자는 바싹 끌어당기려고 한다. 이렇게 하여 생긴 물 표면은 차례차례로 전체의 물을 유리관 표면에 붙어 올라간다. 이 현상은 상승력보다 끌어내리는 중력이 더 커질 때까지 계속되며 평형을 이룰 때 정지한다.

2. 적심과 침투

(1) 적심성(Wettability)

적심의 정도를 나타내는 용어이다.

보통 적심은 침투와 같이 사용되지만 작용, 기구는 같아도 이 두 가지를 직접적으로 연결시키기는 어렵다. 그러나 서로 중대한 영향을 미치는 것은 사실이다.

적심성이 큰 재료는 표면에 다소의 오염이 있어도 잘 퍼지고 적심성이 작은 것은 굳어 버린다. 접촉각 $\theta = 0°$이면 이상적인 적심성을 가지며, $\theta = 180°$일 때에는 적심성이 없다고 본다. 적심에는 확장 적심(spreading wetting), 부착 적심(adhesional wetting), 침지 적심(Immersional wetting)이 있다.

(2) 침투능(Permeability)

침투탐상검사에서 침투액이 시험 표면을 적셔 결함 안으로 침투하는 정도를 나타내는 용어. 침투성을 간단히 정의하기는 곤란하나 적심성은 침투액과 고체 표면 사이의 접촉각이 작을수록 좋고, 점성계수가 작은 침투액일수록 침투 속도도 빨라진다.

3. 침투탐상검사의 원리

(1) 침투제의 침투력에 영향을 주는 요인

① 시험체 표면의 청정도
② 개구부(불연속)의 형태
③ 개구부(불연속)의 청정도
④ 개구부(불연속)의 표면에 열려진 크기
⑤ 침투제의 표면장력
⑥ 침투제의 적심성
⑦ 침투제의 접촉각

(2) 표면장력(Surface tension)

액체의 침투력이 좋은가 나쁜가를 결정하는 성질중의 하나이며 일반적으로 표면장력이 큰 것이 바람직하다.

(3) 적심성(Wetting ability)

접촉각으로 측정되며 고체/기체계면을 고체/액체 계면으로 바꾸어 주는 것을 말한다. 즉, 액체가 고체표면에 접촉되는 성질이며 접촉각이 작을수록 적심성은 증가한다.

(4) 점성(Viscocity)

실제 침투력에는 영향을 미치지 않지만 침투제가 결함 안에 침투하는 속도(침투율 :

rate of penetration)에는 중요한 변수가 된다.

점성이 큰 침투제에는 유동성이 큰 것보다 천천히 이동하며 침투제는 결함 속으로 빨아들이는 힘에 대한 저항력이 크다. 결국 점성은 작을수록 침투율이 크다.

(5) 밀도(Density)

액체의 침투성에는 직접적인 영향을 주지 않는다. 대부분의 침투제는 비중이 1보다 작다.

(6) 휘발성(Volatility)

침투제는 비휘발성 이어야 한다.

(7) 인화점(Flash point)

바람직한 침투제는 높은 인화점을 갖추어야 한다.

(8) 침투능

침투력이 좋아야 한다. 실제로 침투제의 침투력은 침투제의 표면장력과 적심에 따라 크게 좌우된다.

① 정적침투인자

$$SPP = \gamma \cdot \cos\theta$$

② 동적침투인자

$$KPP = \gamma \cdot \cos\theta / \eta$$

II. 액체침투탐상검사장치, 기기 및 자재

1. 고정형검사장치

(1) 전처리 장비

전처리 과정은 시험할 부품의 표면에 존재하는 그리이스, 페이트, 녹, 스케일 등을 제거하는 것으로 각각의 경우에 따라 적절한 장비를 선택하여야 하며, 이러한 장비들은 또한 경제적으로 활용할 수 있어야 한다.

전처리에 사용되는 장비로는 증기탈지기. 샌드 브라스터(sand blaster), 수세장치, 용제 및 화학물탱크 또는 분사장치, 증기분사장비 등이 있다.

전처리 장비는 보통 침투탐상검사시설과는 분리되거나, 떨어져 있는 장소에 설치되는 경우도 있다.

그러나 시험품의 취급 및 운반의 최소화를 위해서는 검사장소와 가능한 가깝도록 하는 것이 이상적이며, 검사원은 적절한 전처리가 수행되었는가를 침투처리 전에 반드시 확인하여야 한다. 전처리 장소는 시험품의 운반 시 깨끗하고 건조하도록 하여야 하며 만약 용제를 사용 시 가열이 요구되면 반드시 모든 용제는 균열이나 기타 다른 표면 개구부로부터 제거되어야 한다. 특히, 세척액과 함께 물이 사용될 때는 가열의 필요성이 요구되고 세척제와 함께 사용된 물은 상당한 침투력이 있기 때문에 세척 중 균열이나 기타 결함 속에 침투될 수도 있으므로 침투된 세척수가 남아있는 것을 방지토록 가열하여 제거됨을 확인하여야 한다.

(2) 침투처리 장비

침투처리과정에 사용되는 장비는 침투제를 시험편 전체 또는 부분적으로 도포하도록 하는 것이며, 소형부품 또는 대형부품에 따라 준비되어야 한다.

이때 추가해서 고려할 것은 과잉의 침투제를 제거시킬 수 있는 배액처리시설(draining racks)도 준비하여야 하는 것이다.

소형부품은 일반적으로 침적법을 사용하므로 침적탱크가 요구되며 침적탱크는 보통 스테인레스 스틸로 만들어진다.

대형부품은 일반적으로 분무법 또는 흘려 붓는 법을 적용하므로 분무기(호스, 스프레이 노즐 포함)가 사용되며, 무거운 제품을 취급시에는 콘베이어 장치가 요구되기도 한다.

(3) 유화처리 장비

후유화성 침투탐상시험을 실시할 경우에 필요한 장비 또는 습식 침투처리장비(침투액조)와 동일하며, 분산장치는 필요하지 않다.

(4) 세척장비

소형의 제품은 수세척이 주로 사용되어 세척탱크에서 분무법을 적용하며, 수세척의 경우에 사용되는 장치로는 시험품을 위치시킬 고정 또는 회전 작업대, 세척용 노즐, 세척 정도를 확인할 자외선 조사장치로 구성되고 필요에 따라 수압과 수온을 조정할 수 있는 장치가 부설되기도 한다.

수세척 처리 장비에서는 스프레이 노즐의 양부가 세척효과에 크게 영향을 주므로 노즐의 선택에 특히 주의해야 할 필요가 있다.

(5) 건조처리 장비

세척처리 후 또는 습식현상처리 후에 시험면을 건조하기 위한 장비로는 일반적으로 건조하기 위한 장비로는 일반적으로 건조온도가 90℃ 이하로 제어되는 열풍순환식이 많이 사용된다. 이 장치는 히터(heater), 송풍기(fan), 자동온도조정기(thermostat)로 되어 있고 경우에 따라서는 헤어드라이어를 활용할 수도 있다.

(6) 현상처리 장비

① 습식현상처리 장비

침적법을 적용시 시험품을 침적할 현상액 탱크, 배액대 등이 필요하며 현상액을 균일하게 현탁시키기 위한 기기가 포함되어야 한다.

분무법에 의한 습식 현상처리시는 특별한 장비가 요구되지 않으나 분무기 또는 에어졸 타입의 장비와 필요에 따라 자외선 조사장치가 필요한 경우가 있다.

② 건식 현상처리 장비

일반적으로 시험품을 넣기 위한 현상제 탱크 또는 공기 중에 현상제 미분말을 분산시키기 위한 분무장비 등이 요구된다. 필요에 따라서는 과잉의 현상제를 공기로 제거하기 위한 작업대가 부설될 경우도 있다. 건식 현상제는 미분말체가 비산하는 것을 막기 위한 대책이 필요하며 집진장치를 설치하고 있는 것도 있다.

(7) 검사실

자외선조사장치, 백색 등, 환풍기, 검사대 등을 설치한 암실 등이 형광침투탐상검사의 경우에 필요한 장비들이다.

검사실에 설치된 자외선 조사장치는 정치식 또는 휴대식이 사용된다.

2. 휴대용 검사시트

가장 손쉽게 검사에 적용할 수 있고 가장 널리 사용되는 방법으로 거의 모든 재료의 표면결함을 신속하고 정확하게 검출하며 선명하고 명료한 지시를 얻을 수 있다.

(1) 특징

① 모든 시험 물에 대하여 부식성이 없음.
② 육안으로 발견되지 않는 시험물 표면의 미세한 결함 검출이 빠르고 정확함.
③ 시험물의 표면의 검사결과는 닦아내지 않는 한 보존됨.
④ Aerosol 제품은 취급이 간단하여 미숙련자도 용이하게 사용할 수 있음.

3. 대비시험편

침투재료들의 감도를 비교하기에 편리한 방법이다.

신규 자재 또는 입고자재와 재고자재들을 비교하여 균일성을 확인한다.

ASME Boiler and Pressure Vessel Code, Section, Article6, Secton T-662의 교격만족

《A형 비교시험편(14755 Aluminum Test Block)》

목적 : 침투제, 유화제 등의 성능비교와 작업조건에 따른 결함 검출력 비교 등에 사용된다.

*표준시험편은 재현성을 가질 수 있도록 관리되어야 한다.

(1) KS-A형 비교시험편

KS D 6701에서 규정한 알루미늄 2024합금 판재 표면에 균열을 발생시킨 것이다. 시편의 한쪽 면 중앙부를 가스버너를 이용하여 520℃~530℃ 로 가열한 후 냉각수로 급냉하여 터짐을 발생시킨 것이다. 반대쪽 면에 대해서도 동일한 방법으로 터짐을 발생시킨 후 그 중앙부에 홈을 가공한다.

침투제 성능을 비교하기 위해 시험 침투제를 시험편의 한 면(A)에 도포하고 표준 침투제를 다른 면(B)에 도포한다. 이때 제작한 홈은 두면을 구분하는 역할을 한다. 절차에 따라 침투시간이 경과한 후 세척하고 현상하여 결함의 형태, 결함의 선명도, 색상, 가시성 등을 비교 확인한다.

① 16℃ 이하에서 사용하는 검사시스템을 인증하고자 하는 경우

B블록으로 16℃ 이하에서 시험편을 검사한 결함지시 결과와 A블록으로 기 승인된 침투탐상검사 시스템으로 16~52℃에서 수행한 침투탐상검사 결과가 동일하면 이 검사 시스템은 합격이다.

② 52℃이상으로 사용하는 검사시스템을 인증하고자 하는 경우

B 블록으로 인증 대상 침투탐상검사 시스템에서 검사한다. A블록으로는 기 승인된 16~52℃의 온도범위에서 운영하는 침투탐상검사 시스템에서 검사한다. 이때 B블록이 A블록과 동일한 결과를 나타내면 52℃ 이상에서 사용이 가능하도록 인증하려면 최대-최소 온도 구간을 결정하여 그 구간에서 시험하여 규정을 통과하여야 한다.

(2) B형 대비시험편

Al(A형) 비교시험편과 기능적으로 유사하나 보다 정밀한 규별을 위해 미세하게 조정된 크랙 넓이를 가진다. 시험편 짝은 처리변화의 효과를 조사할 수 있게 해주고, 크랙의 폭은 50, 30, 20, 10미크론이 있다.

- 10미크론 시험편(matched Pair)
- 20미크론 시험편(matched pair)
- 30미크론 시험편(matched pair)
- 50미크론 시험편(matched pair)

*NiCr 비교시험편(NiCr Penetrant Test Panels) - 위의 사이즈 4종목 모두 모은 세트

(3) TAM Panels

TAM시험편은 침투처리 과정 전체의 적정성과 감도를 검사함.4"×6"의 스텐레스강 시험편은 세척법의 완전여부를 검사하기 위한 거친 표면과 거친 것부터 아주 미세한 것까지의 5개의 별 모양 결함이 만들어져 있는 크롬 부위가 있다. 발견된 결함의 등급에 의해서 침투제의 감도와 처리제어의 적정성을 알 수 있다.

4. 자외선 조사 등

(1) 형광현상

형광침투탐상검사에서는 눈에 보이지 않는 짧은 파장(3000-4000Å) 블랙라이트를 흡수하여 긴 파장에 가시광선을 보내는 성질을 가진 염료를 사용한다. 일반적으로 PT에 사용되는 염료는 연녹색을 띈다. 동일 자외선 강도 하에서 고감도 침투제는 저감도 침투제보다 더 많은 가시광선을 내보낸다. 침투제에서 방출된 빛의 양은 침투제 내의 염료의 양과 비례한다.

(2) 자외선

가시광선의 보라색 파장보다 짧은 2000-4000Å 정도의 파장크기를 갖는 방사선이다. 방사선의 파장이 짧을수록 에너지가 커지고 침투력이 커지므로 2500Å의 파장대는 생명체에 해를 끼침 강한 에너지는 박테리아를 죽이고 피부에 화상을 입히거나 눈에 화상을 입힐 수 있다.

(3) 블랙라이트

3000-4000Å 범위의 스펙트럼 이 파장대는 어떤 광물질과 염료에서 형광현상을 일으키게 하는 성질을 가지고 있다. 이 파장구간을 눈에 보이지 않는다하여 블랙라이트 자외선이 형광침투제의 안료에 조사되면 안료는 형광을 발하게 된다. 자외선 등을 필터로 부착하여 사용하고 눈으로 직접 쳐다보지 말아야 한다.

자외선 조사장치에 사용하는 필터는 일반적으로 적자색 유리를 사용한다.

(4) 필터의 역할

① 대부분의 가시광선을 차단

② 인체에 유해한 파장인 3000Å 이하의 자외선을 여과시킨다.

(5) 자외선 등의 사용

자외선도 일반적인 빛과 같이 시험면으로부터 멀어질수록 거리의 제곱에 반비례하여 강도가 약해짐 대략 800~1000μW/㎠정도가 적절하다.

자외선 조사장치 등에 전원을 넣은 후 수은등이 예열될 때까지는 약 5분 정도가 소요된다. 만약, 사용 중에 전원이 단락이 되면 전구는 즉시 작동하지 않고 램프가 어느 정도 냉각된 후 작동하기 때문에 이와 같은 경우는 10분정도의 시간이 필요하다.

일반적으로 램프를 한 번 점멸시 약 30분정도의 유효수명이 단축

문제

유효수명이란?

[풀이] 램프의 초기광량이 25%정도까지 감소되었을 때까지의 소요시간을 말한다.

---

(6) 자외선 강도의 변화요인

지시의 관찰시 자외선의 강도는 주기적으로 점검해야 한다.

① 전구에 따른 변화

② 전압에 따른 변화

③ 전구사용에 따른 출력변화

④ 전구 또는 필터의 오염

(7) 안전관리

블랙라이트를 직접 쳐다보면 시각방해를 일으키기 때문에 자외선을 직접 쳐다보지 말아야 함은 물론 시험체 면에서 반사한 빛도 직접 눈으로 들어오지 않도록 자외선 등의 방향을 적절하게 조절하고 검사원은 황색 유리 안경을 착용하고 관찰하는 것이 바람직하다.

(8) 검사제에 따른 탐상감도

① 명암도(Contrast) : 결함지시와 주변 배경 사이에서 반사되거나 방사된 빛의 상대적인 양을 명암도 비(Contrast ratio)라 하고 특수한 장비를 이용하여 이를 측정한다.

② 가시도(Seeability) : 결함지시에서 반사되거나 방사된 빛의 실제적인 양을 가시도라 하며 이는 지시의 색상, 주위의 밝기 및 명암도 등의 영향을 받는다.

③ 명암도비(Contrast Ratio) : 백색광이 광택이 없는 흰색 면에 입사했을 때 반사하는 빛의 최대광량은 입사광량의 98%정도이며, 광택이 없는 검정색 면에 입사했을 때 반사하는 빛의 최소광량은 3%정도이다. 이는 검사제 색상에 의해 형성될 수 있는 최대 명암도 비는 33:1정도가 된다.

형광을 사용하였을 경우는 색상의 종류에 따르는 것이 아니고 밝고 어두움으로 인해 나타나기 때문에 어두운 곳에서 작은 백색광의 감도는 300:1정도에 이르게 되고 이론적으로는 무한대가 될 수도 있다.

④ 가시도(Seeability) : 침투탐상시 실제적인 가시도는 지시의 밝기와 관찰시설인 검사원의 눈과 관련되어 나타난다. 매우 강한 백색광 하에서는 색상의 변화와 명암도의 차이는 쉽게 구분할 수 있으나 빛의 감도가 약간 변화하는 것을 육안으로는 쉽게 감지할 수 없다. 그러나 조명이 어두운 곳에서는 전혀 다른 양상이 나타난다. 어두운 곳에서는 색상의 변화와 명암도를 구분하기는 어렵지만 어두운 곳에 작은 불빛만 비춰도 이 불빛은 매우 쉽게 감지할 수 있다.

⑤ 암순응 : 사람의 눈은 밝은 곳에서 어두운 곳으로 갑자기 이동한 상태에서는 물체의구분 등이 어렵게 되지만 시간이 경과하면 이를 감지할 수 있게 된다.

암순응이 일어나기 위해서는 5분~20분정도 소요되는데, 비록 밝은 곳에서는 거의 감지할 수 없는 정도의 미세한 섬광일지라도 눈이 어두운 곳에 익숙해져 있을 때 이 섬광은 상대적으로 매우 밝게 빛나는 것으로 느껴져 관찰이 용이해진다.

5. 탐상제

(1) 침투제(Penetrant)

① 형광침투제 : Ⅰ형으로 분류 색상은 주로 녹색. 자외선 등 하에서 밝은 형광을 발한다.
　　㉠ 감도에 따른 분류

ⓐ Level 1/2 : 매우 낮음.

ⓑ Level 1 : 낮음

ⓒ Level 2 : 중간

ⓓ Level 3 : 높음

ⓔ Level 4 : 매우 높음.

ⓛ 과잉침투제를 제거하는 방법에 따른 분류

ⓐ 수세성침투제(A형) : 침투제+유화제 혼합

ⓑ 후유화성침투제(B형) : 침투제에 유화제가 혼합되지 않음.

ⓒ 용제제거성침투제(C형)

② 염색침투제 : Ⅱ형으로 분류 색상은 주로 적색 감도는 레벨1 정도로 분류

③ 침투제의 특성

㉠ 화학적으로 안정해야 하고 물리학적인 농도가 균일해야 한다.

㉡ 인화점이 95℃ 이상이어야 한다.

㉢ 적심성이 좋아야 한다.

㉣ 점도가 낮아야 한다.

㉤ 침투력이 좋아야 한다.

㉥ 색상이 밝고 선명해야 한다.

㉦ 시험체와 화학적 반응을 일으키지 않아야 한다.

㉧ 인체에 해가 없어야 한다.

㉨ 건조속도가 늦어야 한다.

㉩ 제거하기 쉬워야 한다.

㉪ 좋지 못한 냄새가 없어야 한다.

㉫ 가격이 저렴해야 한다.

㉬ 자외선이나 열에 대한 저항이 있어야 한다.

(2) 현상제의 종류 및 특성

① 건식 현상제

주로 산화규소의 초미립분말이 사용되며 이 분말은 대단히 비중이 가볍고 공기, 침지, 뿌림에 의해 현상처리를 시행한다. 건식 현상제는 형광 침투제를 사용하는 경우에 널리 적용되나 염색침투제를 사용하는 경우에는 명암도가 좋아지도록 시험체 표

면에 도포하기 어려우므로 잘 사용하지 않는다.

② 속건식 현상제

산화마그네슘, 산화칼슘, 산화티탄 등의 백색 미분말을 알콜류에 현탁하고 분산제 등을 첨가한 것이다. 휘발성 용제에 현탁하였으므로 현상제를 시험품에 적용하면 즉시 건조하고 현상도막을 형성한다. 개방형장치에서는 사용이 곤란하고 주로 에어 졸 용기에 의해 사용한다.

③ 습식 현상제

주로 벤토나이트, 활성백토 등에 습윤제, 수용성 계면활성제를 혼합한 분말제로 적당 량을 물에 현탁하여 사용한다.

　㉠ 수용성 습식 현상제 : 물에 건식 분말을 용해하여 사용하는데 농도 0.12~0.25kg/ 1(1~2lb/gal)가 적정하며 비중은 액체비중계 등을 이용하여 측정한다. 대부분의 수용성 재료는 좋은 현상제를 만들지 못한다.

　㉡ 수현탁용 현상제 : 물에 현탁하는 분말의 양은 물 1ℓ 에 대해 분말 60g 의 비율로 배합한다. 소형에서 중형크기의 시험품을 형광탐상에 의한 다량검사에 적용된다. 특히 침투 및 세척과정을 거친 소형이며, 형상이 불규칙한 제품을 현탁액 속에서 한 번에 신속하게 담그어 현상제를 골고루 적용시킬 수 있는 이점이 있다.

④ 용제 현탁용 현상제

백색분말을 알콜류와 현탁한 현상제이다.

용제법은 표면에 스므스한 도막을 갖게 하는 매우 효과적인 방법이며 신속하게 건조 되어 수직표면에도 흐름이 거의 없이 도포할 수 있고 균일한 도막을 얻기에 편리하다.

⑤ 현상제의 선택

　㉠ 매우 매끄러운 표면에는 건식보다 습식현상제를 사용한다.

　㉡ 매우 거친 표면에는 건식현상제를 사용한다.

　㉢ 소형의 고속작업의 검사품에는 습식현상제가 신속하고 편리하다.

　㉣ 용제 현상제는 균열에 이상적이며 폭이 넓고 얕은 결함을 찾는데는 부적당하다.

　㉤ 습식이나 용제 현상제를 사용했던 거친 표면의 재검사는 어렵다.

⑥ 요구되는 현상제의 특성

　㉠ 매우 미세한 입자 모양을 가져야 한다.

　㉡ 빨아들이는 작용이 최대가 보장되는 흡수력이 있는 재료이어야 한다.

　㉢ 주위색깔과 구별될 수 있는 색깔이어야 한다.

ⓔ 쉽고, 균등하게 적용시킬 수 있어야 한다.

ⓜ 표면에 균일한 얇은 피막을 형성시켜야 한다.

ⓗ 결함부위에서 침투제에 쉽게 젖어야 한다.

ⓢ 형광침투제를 사용할 경우, 현상제는 형광이 아니어야 한다.

ⓞ 시험 후 쉽게 완전 세척이 가능해야 한다.

ⓩ 시험할 부품에해를 가져와서는 안된다.

ⓒ 작업자에게 유독하거나 해를 끼쳐서는 안된다.

⑦ 유화제(Emulsifier)

㉠ 유화처리 : 유화제를 포함하지 않은 침투액을 시험면에 침투처리하고 소정의 침투 시간이 경과한 후 수세성을 주기 위해 유화제를 도포 처리하는 과정이다.

㉡ 특징 : 과세척이 되기 쉬운 얇은 결함 또는 폭이 넓은 결함 등을 정확하게 검출할 수 있는 특성이 있다.

㉢ 유화제의 점도 : 실제의 유화시간을 결정하는 중요한 역할을 한다. 점성이 높은 유화제(60-100cSt)는 침투제에 대한 확산속도가 느리므로 폭이 넓고 얕은 불연속 검출에 이용되며 점성이 낮은 유화제(30-50cSt)는 미세불연속을 검출하는데 이 용된다.

㉣ 유화제의 종류

ⓐ 친유성유화제(Lipophilic emulsifier) : 기름베이스에 유화성분이 포함되어 있으며 침적법으로 도포하는 것이 가장이상적이다. 분무법이나 붓칠은 적용하 지 않는 것이 좋다.

친유성유화제의 경우 특히 유화시간이 중요한 역할을 하며 유화시간이 부족하 면 과도한 배경지시가 형성하거나 의사지시가 발생되며 유화시간이 너무 길면 유화제가 불연속 내부에 존재하는 침투제를 확산시켜 결함 속의 침투액이 세척 되어 결함 검출을 불가능하게 한다. 적절한 유화시간은 대략 30~50초정도가 적당하다.

ⓑ 친수성 유화제(Hydrophilic emulsifier) : 비이온화 농축 계면 활성제가 물에 용해된 것으로 물과 친화력이 있다. 친유성 유화제에 비해 유화시간에 따른 민감도가 낮아 유화시간관리가 편리하다. 그래서 불연속 내부의 침투제는 유 화시키지 않고 시험체 표면의 침투제만을 유화시키는데 적합하며 결함검출능 이 유성에 비해 약간 우수한 경향이 있다.

적용방법은 침지 흘림 분무에 의하여 적용할 수 있으며 침적법으로 적용할 경우 용기내의 유화제에 대한 지속적인 교반이 필요하고 침투제에 의한 유화제의 오염을 줄이기 위해 예비헹굼을 한다. 유화시간은 2~3분정도를 유지한다. 침적법으로 유화제를 도포시 유화제 탱크의 물 농도는 67~95%로 유지한다. 유화제의 농도가 5%일 때 가장감도가 높게 되고 유화제의 농도가 33%일 때 유화제 탱크의 수명이 가장 길게 되고 분무법으로 적용시 0.05%-5%정도로 사용한다.

ⓜ 유화제의 특성 비교

친수성 유화제	친유성유화제
낮은점도(9cSt~12cSt)	높은 점도(30cSt~120cSt)
침투제허용한도 제한(3~5%)	침투제와 혼합가능
침적법 또는 분무법으로 도포	침적법으로 도포
물에 쉽게 용해됨	물에 쉽게 용해되지 않음

ⓗ 유화제의 공정관리 시험

ⓐ 물과 침투제에 의한 오염

ⓑ 감도 시험

ⓒ 형광 휘도 시험

ⓓ 수분 함유량 시험

⑧ 세척제

세척제는 검사방법에 따라 물세척과 용제세척이 있는데 수세성 침투제 또는 후유화성 침투제를 사용한 경우는 물로 세척하고, 용제제거성 침투제를 사용한 경우는 용제로 세척한다.

물로 세척할 때는 시험면에 물을 분사하여 과잉침투제를 제거하고 깨끗한 천으로 물기를 닦아 내어 과잉 침투제를 제거하지만, 용제세척시에는 휴지나 천으로 과잉침투제를 깨끗하게 닦아내야 하는데, 이때 용제를 직접 분사하면 불연속부의 침투제도 제거될 우려가 있으므로 직접 분사는 금해야 한다.

III. 액체침투탐상검사 방법

1. 액체침투탐상검사의 기본 순서

전처리 과정이란 시험체의 표면을 침투탐상 검사를 수행하기에 적합 하게 처리하기위한 과정으로 시험체재질 및 검사조건에 따라 적절한 방법을 선택하여 시험체 표면이 손상되지 않는 범위 내에서 침투제가 불연속부 속으로 침투하는 것을 방해하는 이물질 등을 제거해야한다

시험면에 침투제를 적용시켜서 표면에 열려있는 불연속부 속으로 침투제가 충분하게 침투 되도록 하는 과정을 말하며, 침투제 적용방법에는 침지법, 분무법, 붓칠법 등이 있다. 침투제를 적용한 후 과잉 침투 제를 제거하기 전까지 일정한 침투시간을 두는데, 이러한 침투시간은 검사규격에서 권고한 기준을 따라 적용한다.

침투시간이 경과한 후 불연속내에 침투되어 있는 침투제는 제거하지 않고 시험면에 남아 있는 과잉침투제를 제거하는 과정을 세척처리라 한다.

세척은 주로 물 또는 용제를 사용하여 수행하는데 침투제의 종류에 따라 세척방법이 달라진다.

세척처리가 끝난 후 불연속부 안에 남아있는 침투제를 시험체 표면으로 노출시켜 지시를 관찰하는 과정을 현상처리라 한다.

현상제의 적용은 불연속지시의 선명도 및 명암도가 높아지는 범위 내 에서 가능한 한 얇고 균일하게 도포해야 한다.

침투탐상검사에서 나타나는 지시는 시간이 경과함에 따라 지시의 형태가 변하고 크기가 점점 커져서 나타나는데, 이는 시험체의 합부판정 을 결정하는 중요한 과정이기 때문에 관찰 시점이 매우 중요하다.

관찰시 지시모양의 크기에 변화가 없을 때에는 그 이상 시간이 경과 한 후라도 무방하다. 지시가 나타났을 때는 관련 지시인지 무관련 지시 인지를 확인해야 하는데 명확하지 않은 경우는 재검사를 해야 한다.

(1) 검사방법별 시험의 절차

① 수세법 방법 A
　　㉠ 건식현상제 또는 비수성 습식 현상제를 적용하는 경우

　　　전처리 → 침투처리 → 세척처리 → 건조처리 → 현상처리 → 관찰 및 기록 → 후처리

　　㉡ 습식 현상제를 적용하는 경우

　　　전처리 → 침투처리 → 세척처리 → 현상처리 → 건조처리 → 관찰 및 기록 → 후처리

② 후유화제법
　　㉠ 리포필릭 유화제를 적용하는 경우(방법 B)
　　　- 건식현상제 또는 비수성습식현상제를 적용하는 경우

　　전처리 → 침투처리 → 유화처리 → 세척처리 → 건조처리 → 현상처리 → 관찰 및 기록 → 후처리

　　㉡ 습식현상제 적용 경우

　　전처리 → 침투처리 → 유화처리 → 세척처리 → 현상처리 → 건조처리 → 관찰 및 기록 → 후처리

　　㉢ 하이드로필릭 유화제를 적용하는 경우(방법 D)
　　　- 건식현상제 또는 비수성습식현상제를 적용하는 경우

　전처리 → 침투처리 → 예비헹굼 → 유화처리 → 세척 → 건조처리 → 현상처리 → 관찰 및 기록 → 후처리

　　㉣ 습식현상제 적용 경우

　전처리 → 침투처리 → 예비헹굼 → 유화처리 → 세척 → 현상처리 → 건조처리 → 관찰 및 기록 → 후처리

③ 용제법(방법 C)
　　㉠ 건식 현상제 또는 비수성습식현상제를 적용하는 경우

　　　전처리 → 침투처리 → 제거처리 → 현상처리 → 건조처리 → 관찰 및 기록 → 후처리

　　㉡ 습식 현상제 적용 경우

　　　전처리 → 침투처리 → 제거처리 → 현상처리 → 건조처리 → 관찰 및 기록 → 후처리

④ 무현상법

현상처리를 하지 않는 검사방법으로 검사방법에 관계없이 세척처리를 수행한 후 건조처리를 하고 관찰한다. 단, 용제세척을 하는 경우 제거처리 후 건조공정 없이 바로 관찰한다.

2. 전처리방법

작은 구멍에 침투제, 유화제, 현상제 등이 모이게 되면 일반적인 세척방법이나 압축공기 분사 법으로도 제거가 곤란하므로 전처리를 할 때 오일 구멍이나 작은 개구부는 적절한 방법으로 막아야 한다. 프라스틱 마개로 막는 플러깅(Plugging)법과 접착력이 좋은 테이프로 막는 마스킹(Masking)법이 있다.

① 화학적 세척방법

　㉠ 증기탈지

　　솔벤트 증기의 강력한 용제작용으로 유제를 제거하는 방법이다. 기계가공 오물, 기름, 그리이스 등의 제거에 사용된다. 티타늄은 할로겐화솔벤트와 화학적 반응을 일으키므로 할로겐화솔벤트를 이용한 증기탈지법으로 세척해서는 안 된다.

　㉡ 알카리세척

　　ⓐ 녹, 스케일, 기름, 그리이스, 연마제 등을 제거할 때 적용

　　ⓑ 손으로 세척하기 어려운 대형시험체 등에 적용

　　ⓒ 알루미늄 시험체의 거친 표면금속 등을 제거하는데 적용

　㉢ 산세척

　　ⓐ 두꺼운 스케일을 제거하기 위해서는 강산성 용액을 적용

　　ⓑ 얇은 스케일을 제거하기 위해서는 약산성 용액을 적용

　　ⓒ 시험체 표면에 묻어 있는 금속을 가볍게 제거하기 위해서는 아주 약한 산성용액을 적용

　㉣ 염기세척

　　ⓐ 두꺼운스케일,저합금강,니켈과코발트합금,스테인레스강 등의 산화물을 제거할 때 적용

② 기계적 처리방법

　㉠ Abrasive Tumbling

　　ⓐ 얇은 스케일, 용접플럭스, 먼지 등을 제거할 때 적용

　　ⓑ 알루미늄, 마그네슘, 티타늄과 같은 연강에는 적용할 수 없음.

      ⓛ 건식연마 그리트 브라스팅(Dry Abrasive Grit Blastig)

         ⓐ 얇거나 두꺼운 스케일, 플럭스, 녹, 주형, 탄화용착물 및 부스러지기 쉬운 용착물 등을 제거할 때 적용, 거치식이나 휴대용으로 사용

      ⓒ 철솔질(Wire Brushing)

         ⓐ 가볍게 용착된 스케일 등을 제거할 때 적용

      ⓔ 고압의 물 또는 스팀

         ⓐ 일반적으로 알카리 세척제 또는 청정제와 혼합하여 사용

         ⓑ 절단유, 광택제, 그리이스, 칩, 전기 방전가공 용착물 등과 같이 기계가공과정에서 발생되는 오물을 제거하는데 적용

         ⓒ 시험체 표면에 손상을 주어서는 안되는 경우에 적용

      ⓜ 초음파 세척

         ⓐ 일반적으로 청정제와 물 또는 용제와 혼합하여 사용

         ⓑ 주로 소형 다량 부품에 붙어 있는 오물을 제거하는데 사용

   ③ 용제세척법(Solvent Wiping)

      ⓐ 용제를 깨끗한 천 등에 묻혀 시험면을 닦아내는 방법

      ⓑ 손으로 세척하는 것을 제외하면 증기세척과 동일

      ⓒ 염소성분이 혼합되지 않은 용제를 사용할 수 있다.

      ⓓ 크기가 작은 시험체의 부분세척에 적합

3. 각종 침투액의 적용과 특징

   ① 침투제의 감도에 따른 분류

      ㉠ Level 1/2 : 매우 낮음   ㉡ Level 1 : 낮음

      ㉢ Level 2 : 중간   ㉣ Level 3 : 높음

      ㉤ Level 4 : 매우 높음

   과도한 감도는 잔류배경을 만들어 불연속부의 지시를 흐리게 하는 요인이 되며 낮은 감도의 경우 불연속부의 지시가 나타나지 않게 된다.

   또한 감도가 높을 수록 고가이므로 적정 감도수준의 침투제를 선정하는 것이 바람직하며 일반적으로 결함을 검출할 수 있는 가장 낮은 감도의 침투제를 사용한다.

② 침투제의 오염

　㉠ 물에 의한 오염

　　유화제를 함유하고 있는 수세성 침투제는 물에 의한 오염에 가장 심각한 영향을 받는다. 수세성 침투제의 수분허용한도는 규제되어 있으며 물에 의한 오염은 침투력을 약하게 만들고 수세능을 저하시킨다. 후유화성 침투제의 물에 의한 오염은 수세성 침투제에 비해 덜 심각하다. 일반적으로 물이 후유화성 침투제에 용해되지 않기 때문에 수분함량 시험을 실시하지 않는다.

　㉡ 기타 원인에 의한 오염

　　세척용제, 유지류, 산, 크롬산화물 등에 의한 영향이 있다.

유기오염물에 의한 오염

그리이스, 오일, 방청제, 페인트, 전 공정의 잔유물 등과 같은 유기오염물질은 침투제의 침투를 방해하고 균열 등의 불연속부위를 메우기 때문에 시험체 표면으로부터 제거하지 않으면 검사에 심각한 문제를 야기할 수도 있다.

유기오염물이 미치는 영향으로는 침투제의 염료농도를 약화시키고 침투제 지시감도를 저하시킨다. 오염이 심해지면 침투제의 점도가 증가되어 검사의 효율이 떨어진다.

산, 부식제, 크롬산에 의한 오염

산과부식물은 침투제의 침투능력에 역효과를 미치고 형광침투제의 형광성을 저하시킨다. 이러한 오염물은 후유화성 침투제에는 용해되지 않기 때문에 수세성 침투제에 비해 다소 영향이 적다. 크롬산잔여물이 불연속부위에 들어있을 경우 크롬이온이 자외선을 흡수하게 되고 침투제의 형광휘도가 저하된다.

③ 침투제 적용방법

　㉠ 침지법

　【장점】

　　ⓐ 시험면에 동시에 침투제를 적용할 수 있다.

　　ⓑ 소형 다량 부품검사에 적합하다.

　　ⓒ 형태가 복잡한 시험체에 적용하기 편리하다.

【단점】

ⓐ 침투액조가 필요하다.

ⓑ 대형 시험체 검사에는 부적합하다.

ⓒ 많은 침투제가 소요된다.

ⓛ 붓칠법

【장점】

도포의 정도를 조절하기 쉽다.

ⓐ 분무법과 같이 침투제가 공기 중으로 날리는 것이 없고 침지법에서와 같이 많은 침투제를 도포하지 않는다.

ⓑ 환기가 어려운 장소에서의 사용이 효과적이다.

【단점】

ⓐ 다량 및 대형 시험체에는 부적당하다.

ⓑ 침투제 적용시간이 침지법에 비해 오래 걸린다.

ⓒ 분무법

【장점】

ⓐ 모든 침투제 적용에 사용할 수 있다.

ⓑ 대형 시험체의 국부검사에 적합하다.

【단점】

ⓐ 침투제가 공기에 비산되므로 적절한 환기를 해주어야 한다.

ⓑ 대형 다량 부품검사에는 부적합하다.

ⓒ 침투제 적용시간이 침지법에 비해 오래 걸린다.

ⓓ 흘림법

ⓐ 대형시험체에 많이 적용한다.

ⓑ 많은 양의 침투제가 소요되므로 비경제적일 수 있다.

④ 침투탐상검사법의 특징

㉠ 수세성 형광침투탐상검사

【장점】

ⓐ 시험품 표면 조도가 70S 정도의 거칠기를 갖는 비교적 표면 조도가 거칠은 것에 사용할 수 있다.

ⓑ Key 또는 나사부와 같은 형상이 복잡한 시험품 탐상이 가능하다.

ⓒ 넓은 면적의 시험품을 1회의 작업으로 탐상할 수 있음

ⓓ 다른 방법과 비교해서 대량 생산 부품의 탐상에 적합하다.

ⓔ 비교적 높은 검사감도를 유지하면서도 경제적인 검사방법이다.

【단점】

ⓐ 침투제에 수분이 혼입되면 감도가 현저하게 낮아진다.

ⓑ 아주 미세한 결함의 탐상이 곤란하다.

ⓒ 표면에 얇고 넓게 열려 있는 결함탐상에는 탐상감도가 낮다.

ⓓ 세척시 물의 압력과 세척시간에 따라 과수세 가능성이 있다.

ⓔ 전원, 물 및 검사장소를 어둡게 설비함과 동시에 자외선조사등이 필요함

㉡ 후유화성 형광침투탐상검사

【장점】

ⓐ 탐상감도가 매우 우수하다

ⓑ 지나친 세척의 폐단을 방지하며, 미세한 결함 또는 비교적 폭이 적은 결함의 탐상이 가능함

ⓒ 일반적으로 다른 방법에 비해 침투시간을 단축할 수 있다.

ⓓ 침투액은 수분의 혼입 또는 온도의 영향에 의한 성능의 저하가 적다.

ⓔ 어느 정도 소형의 다량부품의 검사에 적용되며 이 경우 개방형의 탐상장치를 사용하는 것이 효과적이다.

【단점】

ⓐ 시험품의 표면 조도가 거칠은 물건에 적용되지 못한다.
6S정도 이상의 연마면의 시험품에 적용된다.

ⓑ 유화처리를 필요로 하기 때문에 탐상절차가 복잡하여 숙련이 요구된다.

ⓒ Key 또는 나사부와 같은 형상이 복잡한 시험품의 탐상에는 적합하지 않다.

ⓓ 시험체의 수량이 많은 경우와 시험면이 넓은 경우의 검사에는 부적합하다.

ⓔ 전원, 물 및 검사장소를 어둡게 설비하고 자외선조사등이 필요하다.

ⓕ 이 탐상검사에 사용되는 유화제는 수분, 침투액의 혼입에 따라 성능이 변화하므로 관리가 복잡하다. 특히 유화시간의 조정이 어렵다.

㉢ 용제제거성 형광침투탐상검사

【장점】

ⓐ 장비가 비교적 간단하여 원거리 검사나 야외검사에 적합하다.

ⓑ 형광침투수세법보다 감도가 우수하다.

ⓒ 일반적으로 다른 방법에 비해 침투시간을 단축할 수 있다.

ⓓ 대형부품, 구조물의 부분탐상에 적합하다.

ⓔ 수도시설이 불필요하다.

【단점】

ⓐ 시험품의 표면 조도가 거칠은 것에 적용이 곤란하다.

대개 50S 정도의 연마면까지 가능하다.

ⓑ 세척처리가 곤란하고, 작업이 잘못되면 검출감도가 저하되므로 숙련이 요구된다.

ⓒ 검사장소를 어둡게 해야 하고 자외선조사등이 필요하다.

ⓓ 대형 시험체 및 다량의 부품검사에는 부적합하다.

㉣ 수세성 염색침투탐상검사

【장점】

ⓐ 시험품 표면 조도가 거칠은 것에 적합하다.

ⓑ 세척처리가 비교적 쉽다.

ⓒ 검사장소를 어둡게 하거나 자외선조사등이 필요하지 않다.

ⓓ 검사가 가장 빠르고 간단하다.

【단점】

ⓐ 넓고 얕은 결함 탐상에는 감도가 가장 낮다.

㉤ 후유화성 염색침투탐상검사

【장점】

ⓐ 과세척의 폐단이 적고, 비교적 미세한 결함, 폭이 좁은 결함의 탐상도 가능하다.

ⓑ 일반적으로 다른 방법에 비해 침투시간을 단축할 수 있다.

ⓒ 침투액은 수분의 혼입 또는 온도의 영향에 따라 성능의 저하가 적다.

ⓓ 어느 정도 소형이고 다량 부품의 시험에 적용된다. 이 경우 개방형의 탐상장치를 이용한다.

ⓔ 검사장소를 어둡게 하거나 자외선조사등이 필요하지 않다.

【단점】

ⓐ 시험품의 표면조도가 6S정도이상의 정밀주조품, 연마면의 시험품에 적용된다.

ⓑ 유화처리를 필요로 하기 때문에 탐상절차가 복잡하여 숙련을 요한다.

ⓒ Key 또는 나사부형상의 복잡한 시험품의 탐상에 적용되지 않는다.

ⓓ 대형품의 탐상에 곤란하다.

ⓔ 이 탐상시험에 사용하는 유화제는 수분, 침투액의 혼입에 따라 성능이 변하므로 관리가 복잡하다. 특히 유화시간의 조정이 어렵다.

ⓗ 용제제거성 염색 침투탐상검사

【장점】

ⓐ 전원, 수도 및 장치가 불필요하고 가장 휴대성이 좋은 방법이다.

ⓑ 큰 부품, 구조물의 부분 탐상에 적당하다.

ⓒ 작업순서가 다른 방법에 비해 가장 간편하다.

【단점】

ⓐ 표면조도가 50S정도 이상의 면에 적용할 수 있으나 표면이 거칠은 시험편의 탐상에는 적합하지 않다.

ⓑ 개방형의 침투액조가 사용되지 않고, 다량부품의 탐상에는 적합하지 않다.

ⓒ 세척처리가 힘들다.

4. 각종 현상제의 적용과 특징

① 요구되는 현상제의 특징

㉠ 매우 미세한 입자 모양을 가져야 한다.

㉡ 빨아들이는 작용이 최대가 보장되는 흡수력이 있는 재료이어야 한다.

㉢ 주위색깔과 구별될 수 있는 색깔이어야 한다.

㉣ 쉽고, 균등하게 적용시킬 수 있어야 한다.

㉤ 표면에 균일한 얇은 피막을 형성시켜야 한다.

㉥ 결함부위에서 침투제에 쉽게 젖어야 한다.

㉦ 형광침투제를 사용할 경우, 현상제는 형광이 아니어야 한다.

㉧ 시험 후 쉽게 완전 세척이 가능해야 한다.

㉨ 시험할 부품에 해를 가져와서는 안 된다.

㉩ 작업자에게 유독하거나 해를 끼쳐서는 안 된다.

② 현상제의 선택

    ㉠ 매우 매끄러운 표면에는 건식보도 습식현상제를 사용한다.

    ㉡ 매우 거친 표면에는 건식현상제를 사용한다.

    ㉢ 소형의 고속작업의 검사품에는 습식현상제가 신속하고 편리하다.

    ㉣ 용제 현상제는 균열에 이상적이며 폭이 넓고 얕은 결함을 찾는데는 부적당하다.

    ㉤ 습식이나 용제 현상제를 사용했던 거친 표면의 재검사는 어렵다.

5. 후처리

검사를 한 후 시험품을 폐기할 경우를 제외하고 시험에 합격한 시험품 또는 수리가 가능한 시험품의 경우는 필요에 따라 시험품 표면의 현상제 및 다른 부분에 부착되어있는 현상제, 침투액 등을 제거하고 적당한 표면처리를 하여야한다. 이러한 절차를 후처리라 하고 다음과 같은 경우에 실시한다.

① 침투탐상검사를 실시하면 시험품 표면의 유지류가 제거 되지만 흡수성이 강한 현상제기 부착되기 때문에, 시험 후 그대로 방치해 놓으면 녹이 쓰는 재료의 경우는 표면에 현상제 등을 완전히 제거해서 방청처리를 실시할 필요가 있다

② 시험 후 시험품 가공 또는 사용할 때에 표면에 부착되어 남아있는 현상제 침투액 등이 유해한 경우에 그것을 완전히 제거할 필요가 있다. 처리방법은 전처리와 같은 용제세척 및 기타 방법이 있다. 현상제만을 제거하는 경우는 flushing,공기로 불어내는 법, 수세척 등의 간단한 방법으로도 효과적으로 세척할 수 있지만 녹이 발생될 염려가 있는 재료의 경우는 세척처리 방법에 따라 방청처리를 할 필요가 있다.

6. 탐상제의 성능점검

① 침투제성능시험

    ㉠ 형광밝기시험

        형광밝기시험은 여과지와 형광측정 촬영기(Photofluorometer)를 사용하여 침투제의 형광밝기를 비교 측정한다.

        시험할 침투제 5㎖와 대비표준침투제 5㎖를 각각 두 개의 유리실린더에 넣고 염화

메틸렌으로 희석하여 50㎖가 되게 한 후 뚜껑이 없는 유리그릇에 옮겨놓는다. 적당한 크기로 자른 여과지 6장을 시험할 침투제와 대비표준 침투제에 각각 하나씩 담구었다가 빼내는 것을 반복하고 여과지를 꺼내어 과잉의 침투제를 배액시킨 후 깨끗한 금속판에 잘 펴 놓아 5분간 공기 중에서 말린 뒤 건조기에서 225℉ 정도에서 5분간 다시 건조시킨다.

여과지가 건조된 후 즉시 형광측정 촬영기를 사용하여 침투제의 형광 밝기로 측정한다.

ⓛ 형광의 안정성 시험

침투제의 형광은 자외선 등에 오랜 시간 노출되었을 때와 시험체의 표면온도가 높을 때 형광 특성이 낮아질 수 있으므로 두 가지로 시험을 해야 형광의 안정성을 정확하게 시험할 수 있다.

자외선등 하에서의 형광 안정성

앞의 형광밝기 시험에서와 같이 여과지 2 장씩을 시험할 침투제와 대비표준침투제에 담구었다가 빼내어 사각통의 면에 1장씩 수직이 되게 붙인 후 자외선 등에 12인치 거리에서 15분간 한 면씩 노출시킨 후 자외선에 노출된 면과 자외선을 조사하지 않은 면을 형광측정 촬영기로 측정하여 차이값을 최소값의 백분율로 나타내어 형광의 안정성을 시험한다.

ⓐ 고온 금속판에서의 형광 안정성

4×4인치 크기의 스텐레스철판에 100메시(Mesh)정도 되는 모래를 사용하여 60파운드의 공기압으로 샌드브라스트(Sandblast)하여 표면을 처리한 시험편을 사용한다. 준비된 시험편에 시험할 침투제와 대비표준침투제를 0.05㎖씩 2인치 이상 떨어진 곳에 적용한 후 건조기에 넣어 200℉에서 5분간 가열한다. 자외선등 하에서 시험편에 표시한 형광의 밝기를 눈으로 검사하고 가열하지 않은 경우와 비교하여 형광의 밝기에 변화가 없어야 한다.

ⓒ 형광 얼룩반점 시험

침투제의 형광 얼룩반점 시험은 침투제의 감도를 측정하는 방법의 하나로 적용되고 있다. 형광 얼룩 반점 시험은 커다란 볼록렌즈를 이용하여 침투제 필름(Film)에 렌즈가 접촉되는 부분에서 침투제의 두께가 거의 0에 가까워질 때 침투제가 형광을 발하게 된다. 검은 얼룩의 직경이 작아질수록 침투제의 형광성은 좋다고 간주할 수 있는데, 침투제의 형광성은 형광측정촬영기로 측정한 형광의 밝기에 비례하는 것이 아니고 다른 침투제와 비교 측정해야 한다.

ⓛ 침투제 감도시험

침투제의 감도시험은 여러 가지 종류의 시험편을 사용하여 수행할 수 있으나 표면에 균열을 발생시킨 알루미늄 합금판을 가장 널리 사용한다.

알루미늄 시험편은 판의 한쪽 면 중앙을 버너(Burner)로 가열한 후 급냉시켜 표면에 균열을 발생시킨 비교 시험편으로 한다. 알루미늄 비교시험편은 중앙부에 홈을 파서 양쪽으로 나누어져 있는 것으로서, 알루미늄 비교 시험편 반쪽에 시험할 침투제를, 나머지 반쪽에는 대비표준 침투제를 적용한 후 침투제 제조회사에서 권고한 침투시간 및 현상과정을 통해 시험표면에 있는 균열을 관찰하여 지시의 감도가 대비표준과 비교하여 낮으며 침투제를 폐기한다.

ⓜ 침투제의 수세성 시험

수세성 시험에는 주로 샌드브라스트한 스텐레스 시험편을 사용한다. 침투제의 수세성 시험방법은 침 투제의 종류에 따라 다르지만 수세성 형광 침투제의 시험방법을 기준하여 설명하면 다음과 같다.

샌드브라스트한 면의 모서리로부터 1인치 안쪽으로 두 점을 표시한다. 세척통에는 온도가 65℉±5℉정도 되는 물을 준비한다. 시험할 침투제와 대비표준 침투제 2~3㎖를 표시한 두 지점에 붓고 5분간 배액시킨다. 배액시키는 경우와 수세시키는 경우 시험편은 45°각도로 기울인다. 배액이 끝난 시험편은 세척통에 넣어 수세한 후 어두운 곳에서 자외선 등을 비추어가며 세척을 확인한다.

ⓝ 오염도 측정시험

수세성 침투제(유화제도 동일함)에 대한 물의 오염을 측정하는 방법을 설명한다. 100ml 실린더에 침 투제를 40㎖넣고 80℉±2℉정도의 온도를 유지시킨다. 뷰렛으로 0.5㎖의 물을 혼합시켜 잘 섞은 다 음 주의 깊게 관찰한다. 침투제에 변화가 생기지 않으면 계속해서 물을 0.5㎖씩 혼합시켜가며 침투제가 혼탁해지거나 분리되는 등의 변화가 생기는 시점에서 오염도를 계산한다. 오염도는 다음과 같은 계산식으로 구할 수 있다.

$$오염도(\%) = \frac{첨가한\ 물의\ 양 \times 100}{침투제의\ 양\ +\ 첨가한\ 물의\ 양}$$

ⓞ 온도에 따른 침투제의 안정성

침투탐상 검사는 일정한 온도범위에서 수행해야 한다. 따라서 규정된 온도 범위

내에서 침투제의 안정성을 측정하기 위해서는 저온 및 고온에서 변화하는 침투제의 안정성을 시험해야 한다.

*고온에서의 안정성 시험

　용량 250㎖ 비이커(Beaker)에 침투제 100㎖를 넣고 130°F에서 4시간 경과한 후 다시 65~85°F 정도의 상온에서 2시간이 지난 후 침투제에 불용물질의 침전이 발견되지 않아야 하며, 침투제를 다시 계량하여 중량의 변화가 없어야 침투제가 고온에서도 안전하게 사용할 수 있음을 증명하게 된다.

*저온에서의 안정성 시험

　4온스의 기름병에 침투제 100㎖를 넣고 0°F에서 4시간 경과한 후 다시 65°F~85°F정도의 상온에서 2시간이 지난 후 관찰할 때 침투제에 불용물질의 침전이나 침투제 성분이 분리되는 현상이 나타나지 않아야 한다.

② 현상제의 성능시험

　㉠ 습식현상제의 퍼짐성 시험

　　제조사의 지침에 따라 400㎖ 정도의 습식현상제를 만든 후 용량 1ℓ정도 되는 깨끗한 유리병에 넣어 3시간 동안 60cycle(1초 동안) 정도가 되게 하여 수평으로 진동시키고 난 후 유리병을 손으로 거꾸로 흔든 후 바로 세운다. 이와 같은 과정은 현상제에 앙금이 생기지 않을 때까지 반복하여 유리병을 거꾸로 흔드는데 반족하는 횟수를 표준시료와 비교하여 습식현상제의 퍼짐성을 시험한다.

　㉡ 습식현상제의 제거성 시험

　　크기가 4"×4"정도이고 열간압연한 강판을 사용하여 시험한다. 시험편을 아세톤 등으로 깨끗이 세척한 후 현상제와 대비펴준현상제 5㎖정도를 각각 시험편의 다른 곳에 떨어뜨린 후 시험편을 45°각도로 세 워 건조기에 넣어 225°F정도의 온도로 완전히 건조시킨다. 건조시킨 시험편을 65°F±5°F정도의 냉각 수 1ℓ를 부어 세척한 후 상온에서 건조시키고 관찰하여 대비표준과 비교하여 제거성을 시험한다.

　㉢ 습식현상제의 표면균일성 시험

　　크기가 4"×4"정도인 열간압연한 강판을 45°정도 기울인 후 습식현상제 25㎖ 정도를 시험편에 부어 5분정도 배액시킨 후 225°F 정도의 온도에서 건조시킨다. 건조된 시험편을 대비표준과 비교하여 비슷한 정도의 두께로 현상제가 도포되어 있어야 한다.

　㉣ 습식현상제의 부식시험

　　시험편 재질은 알루미늄 2024 -T3 합금이고 크기는 다소 작은 3/8"×3/4"×2"정도 되는 양면이 깨끗한 시험편을 사용하여 시험한다. 용량 150㎖정도 되는 비이커에 50㎖정도의 현상액을 채운 후 시험편 을 넣고 15분 정도 가열한 후(이때 현상액이 끓어서 튀면 온도를 낮추어 가열한다.)시험편을 꺼내어 냉수(Cold Water)로 세척한 후 시험체의 부식상태를 대비표준과 비교 관찰한다.

③ 탐상제의 물리적 특성시험

㉠ 비중시험

비중(Specific Gravity)시험은 침투제나 유화제의 균일성을 측정하기 위해 수행되며 ASTM D-287에 언급된 시험방법이 많이 적용되며 시험결과는 밀도 등으로도 표시할 수 있다.

㉡ 점도시험

침투제나 유화제의 점도는 탐상결과에 많은 영향을 미치므로 점도는 규정된 범위를 유지해야 한다. 일반적으로 Cannon-Fenske 등의 점도계를 사용하여 ASTM D-445에 따라 시험하는데 침투제를 100℉정도의 일정한 온도를 유지시키면서 점도계로 침투제의 점도를 측정한다.

이때 단위는 주로 Centistokes로 나타낸다.

㉢ 인화점시험

주로 침투제에 대한 인화점시험은 ASTM D-93에 따라 Close-Cup 검사장비를 사용하여 수행 하거나 Tag Closed Cup 측정기를 사용한다. 황동용기나 컵에 들었는 액체를 기체불꽃이나 전기적으로 일정 하게 가열한다. 컵의 덮개는 온도계와 연결되어 있는데 일정한 시간이 경과하면 덮개의 창문이 열리고 화염미 발생하는데 이때의 온도를 측정하여 인화점으로 한다.

㉣ 수분함량시험

수세성 침투제와 유화제에 대한 물의 오염은 탐상결과에 많은 영향을 미치므로 주기적으로 수분 함량시 험을 하여 규정된 범위를 유지해야 한다. 수분함량을 결정하는 시험은 ASTM D-95에 규정된 방법이 많이 적용된다. 가열플라스크(Boiling-Flask)에 100㎖의 시험제(침투제 또는 유화제)와 수분이 함유되지 않은 크실렌(Xylen)에 100ml를 넣고 응축기로 계량튜브(Grad-Uated Tube)와 연결하여 수분이 계량튜브에 모이도록 한다. 수분이 더 이상 계량 튜브에 모이지 않을 때까지 플라스크를 가열한 후(일반적으로 1시간 정도 가열) 냉각시켜 계량튜브에 모인 수분의 양을 부피(㎖)로 측정하면 시험제에 함유된 수분함량의 백분율(%)이 된다.

ⓜ 유황함량시험

유황은 니켈합금 등에 손상을 줄 우려가 있기 때문에 침투제, 유화제, 현상제에 함유될 수 있는 유황성 분의 최대 허용 값이 규정되어야 한다. 유황함량을 결정하는 시험은 ASTM D-1552에 규정된 방법이 많이 적용된다. 매우 고온으로 가열되어야하기 때문에 특정한 검사장비가 필요하다.

ⓗ 염소함량시험

염소성분도 몇몇 합금에 손상을 줄 우려가 있기 때문에 침투제, 유화제, 현상제에 함유될 수 있는 최대 허용 값이 규정되어야 한다. 염소함량을 결정하는 시험은 ASTM D-808에 규정된 방법이 많이 적용된다. 시험제를 산소로 연소시키고, 시험제의 염소성분은 염화물로 되어 화학분석방법으로 염소함량을 결정한다.

IV. 검사결과의 관찰과 평가

1. 지시모양의 관찰

(1) 불연속(Discontinuity)

재료의 조직적 연속성이 단절된 상태를 의미한다.
ex) 공구자국, 긁힘, 균열, 시임, 겹침, 기공 등이 전형적인 불연속

(2) 지시(Indication)

시험체 표면의 불연속 혹은 기하학적 요인 등에 의해서 침투제가 가시적 상을 띄는 것을
말한다.

(3) 판독(Interpretation)

불연속이 존재할 때 그 불연 속의 종류를 판단해야 한다. 이러한 일련의 과정을 판독이라
고 한다.

(4) 평가(Evaluation)

지시의 원인, 종류, 크기, 위치 등을 판단하여 합격기준에 만족하는지 여부를 결정하는
과정을 평가라 한다.

(5) 발생원인에 의한 지시의 분류

① 진지시

진지시로 판명되면 불연 속의 발생 원인과 종류를 판단하고, 해당 불연속이 사용
중 미칠영향 등에 대해 평가해야 한다. 일반적으로 불연속이 사용 기능상에 문제를
일으킬 소지가 있으면 불량으로 구분된다.

② 의사지시

불완전한 세척과 시편 및 침투제의 취급부주의 등으로 인해 나타나는 지시로서 불연속에 기인하는 지시와는 무관하다. 오염원으로 시험자의 손에 묻어 있는 침투제, 오염된 습식현상제 및 건식 현상제, 검사테이블 위에 존재하는 침투제 잔류물 등이 있다.

③ 무관련 지시

무관련 지시는 나사 및 키홈 등 제품의 기하학적 형상 변화가 심한 곳에서 나타날 수 있으며 부적절한 전처리에 의해서 발생될 수도 있다.

무 관련 지시는 Press fit, Spline, 리벳주위, 압접으로 조립된 부분 등에서 나타나는 것이 대부분이다.

(6) 불연 속의 종류

① 고유불연속

제강, 제련 등의 과정에서 용융금속이 응고될 때 발생하는 불연속을 고유 불연속이라고 한다.

ex) 파이프, 기공, 피팅, 비금속개재물, 편석, 내부균열 등

② 1차 제작 중 불연속

강괴를 주조, 단조, 압연, 압출, 인발 등에 의해 필요한 형태로 가공하는 과정에서 불연속이 생성될 수 있다.

㉠ 주조품에서 나타나는 불연속

ex) crack, inclusion, segregation, misrun, gas porosity, cold shut, nodule, dross

㉡ 단조, 압연, 압출 등에 의해 발생되는 불연속

ex) forging laps, stringer, flake, lamination, cupping, seam

③ 2차 제작 중 불연속

기계가공, 열처리, 용접, 연삭, 도금 등의 작업을 수행할 때 발생하는 불연속을 2차 제작 중 불연속이라고 한다.

㉠ 기계가공에 의해 발생되는 불연속

ex) shallow orange peel,

ⓒ 열처리에 의해 발생되는 불연속

ex) 열처리 균열, 담금질 균열,

ⓒ 용접에서 발생할 수 있는 불연속

ex) 용입부족, 용융부족, 언더컷, 열영향부 균열, 용락, 미스매치, 개재물, 기공

④ 사용 중 불연속

사용 중 불연속은 부품, 사용하는 중 구조물 등에 발생되는 불연속이다. 재료의 마모, 긁힘, 피로균열 등이 이에 속한다.

ex) 피로균열, 피로부식, 침식, 피팅, 마모, 부풀음

2. 결함지시모양의 평가

(1) 독립침투지시 모양

독립하여 존재하는 개개의 침투지시 모양은 다음의 3종류 분류한다.

① 갈라짐에 의한 침투지시 모양 : 갈라져 있는 것이 확인된 결함지시모양이다.

② 선상 침투지시 모양 : 갈라짐이 침투지시 모양 가운데 그 길이가 나비의 3배 이상인 것이다.

③ 원형상 침투지시 모양 : 갈라짐에 의하지 않는 침투지시 모양 가운데 선상 침투지시 모양 이외의 것이다.

(2) 연속 침투지시 모양

여러 개의 지시모양이 거의 동일 직선상에 나란히 존재하고 그 상호거리가 2㎜ 이하인 침투지시 모양. 침투지시 모양의 지시의 길이는 특별히 지정이 없는 경우 침투지시 모양의 개개의 길이 및 상호거리를 합친 값으로 한다.

(3) 분산 침투지시 모양

일정한 면적 내에 여러 개의 침투지시 모양이 분산하여 존재하는 침투지시 모양이다.

3. 검사결과의 기록

(1) 기록방법의 종류와 특징

① 사진의 의한 기록

이 방법은 가장 충실하게 결함지시모양을 기록할 수 있지만 지시모양은 적색 또는 황록색을 나타내므로 일반적인 사진으로는 충분한 명암도를 재현할 수 없고 올바른 기록을 위해서는 천연색필름에 의해 사진촬영을 해야 하는바, 기록 작성에 시간이 걸리며 적정한 노출조건으로 선명한 사진을 촬영하기까지는 숙련과 경험이 필요하고 비용도 많이 들기 때문에 실제생산품의 성적서에 첨부하는 기록으로는 부적당하며 시험연구용 기록으로 많이 사용된다.

② 접착테이프에 의한 전사

이 방법은 사진촬영에 비해 기록을 채취할 때 소요되는 시간, 비용, 전사의 실용성 등의 여러가지 점에서 유리한 방법이라고 말할 수 있지만 이 방법을 사용해서 비교적 잘 전사 할 수 있는 것은 염색침투액을 사용한 속건식현상제를 사용한 경우이며 그 이외의 방법을 사용할 경우에는 명료한 지시모양을 전사하는 것이 곤란하며 선명도 또는 결함지시모양 재현의 충실도는 사진촬영에 비해 저하된다.

그러나 최근 새로운 기술의 개발로, 현상제층을 고화 시킨 후 전사하는 방법 등이 사용되어 전사상도 개량되고 있다.

③ 스케치에 의한 기록

형상의 정확성에서는 상기 2가지 방법에 비해 다소 미비하지만 기록의 영구성, 작성 비용 등에 장점이 있고 주의를 기울여 스케치를 하면 정밀도 높은 결함지시 모양의 형상을 재현할 수도 있어 기록으로서 충분한 가치를 가질 수가 있다. 기록의 가치로서 중요한 것은 그 기록을 보고 즉시 지시모양의 원인이 된 결함의 위치가 확인되고 크기 형상은 알 수 가 있도록 해야 한다. 일반적으로 소형 부품의 경우에는 형상을 스케치하고 그 형상의 특징을 살려서 어느 부분에서 지시모양이 있는가를 그리면 좋지만, 대형구조물의 용접부의 경우에는 국부적인 위치를 명시하여 기록을 취하도록 하여야 하며 그 방법은 대상물에 따라 변화시켜 주어야한다.

(2) 시험기록

시험기록을 작성할 때에는 다음 사항을 기재한다.

① 시험년 월 일

② 시험체

    ㉠ 품명

    ㉡ 모양. 치수

    ㉢ 재질

    ㉣ 표면사항

③ 시험방법의 종류 : 침투액에 따른 분류, 잉여침투제의 제거방법에 따른 분류, 현상방법에 따른다.

④ 탐상제 : 침투액, 유화제, 세척액 및 현상제의 명칭. 점검을 했을 때는 그 방법과 결과를 기재한다.

⑤ 조작방법

    ㉠ 전처리의 방법

    ㉡침투액의 적용방법

    ㉢ 유화제의 적용방법

    ㉣ 세척방법 또는 제거방법 :스프레이 또는 닦아내기

    ㉤ 건조방법 :열풍, 자연건조 또는 닦아내기

    ㉥ 현상제의 적용방법

⑥ 조작조건

    ㉠ 시험시간의 온도 : 시험장소의 기온 및 침투액의 온도

    ㉡ 침투시간

    ㉢ 유화시간

    ㉣ 세척수의 온도와 수압

    ㉤ 건조온도 및 시간

    ㉥ 현상시간 및 관찰시간

⑦ 시험결과

    ㉠ 균열의 유무

    ㉡ 결함지시모양의 위치와 모양

    ㉢ 결함 지시모양의 등급분류

⑧ 시험기술자

    ㉠ 성명 및 취득한 자격

V. 안전과 위생

1. 휘발성 용제의 흡입과 건강

독성이 있는 휘발성 용제를 사용하게 되며 도장 전처리의 약품에는 위험물이 포함되어 분체도료, 연마, 먼지의 흡입 등으로 건강을 해치게 되는 안전위생상의 문제가 일어날 가능성이 많고 재해발생의 위험성도 크다.

(1) 용제의 독성

용제의 종류로서 그 위험성은 다르지만 흡입 혹은 피부에 접촉함으로 생기는 중독의 질상에는 급성과 만성이 있다. 위성중독의 병상은 두통, 기침, 혼수상태, 실명, 호흡기장해, 눈염증, 신경마비 등이 있고, 만성중독의 경우에는 빈혈증, 적혈구의 파괴, 피부염 등의 증상을 일으킬 경우가 많다. 이러한 유기용제의 증기로부터 예방하기 위해서 충분한 통풍이 필요하다.

도료 및 신나류 등 모든 유기용제는 제1종, 제2종, 제3종으로 분류된다. 벤젠, 이산화탄소 등은 제1종 이라하고 톨루엔, 키시렌, IPA, 초산에틸 등 36종류 유기용제를 5%이상 함유하고 하는 것으로 제1종에 속하지 않는 것을 제3종으로 구분하고 있다.

유해물의 허용량을 원한도라고 한다. 기체의 경우 그 농도단위로서는 ppm(parts per Milion)이 사용된다(즉, 공기 1cm2중 가스 1cc비율로 포함하여 있는 농도를 1ppm이라 한다).

공기 중에 있는 그 증기 100만분의 용량비로서 기체 이외 부유체로서는 mg/m^2을 사용한다. 즉, mg/l은 공기 중 가스의 증기 mg수로 표시) 유기용제의 구분을 작업자가 쉽게 알아볼 수 있도록 그 구분에 따라서 다음과 같이 색 표시를 한다.

제1종 유기용제에 대해서는 적 25ppm
제2종 유기용제에 대해서는 황 200ppm
제3종 유기용제에 대해서는 청 500ppm

등 보호구 사용에 대해서도 규정되어 있다. 건강진단에서도 제1종, 제2종 유기용제업무에 항상 종사자는 6개월에 1회 정기적으로 한다. 또 작업실내에 대해서는 3개월에 1회 정기적으로 농도측정해서 측정자명을 기록해서 3개년 간 보존해야 한다.

(2) 질병의 위험이 있는 용제

도장작업에서 사용되는 유기용제는 톨루엔, 크실렌, 엠이케이, 시클로헥산 등으로 이 유기용제는 주로 중추 및 말초 신경계질환을 일으킬 수 있으며 두통, 구토, 어지러움 등의 증상이 발생할 수 있다. 하지만 이러한 것은 일시적인 것이고 더 이상 노출되지 않으면 회복된다. 이러한 증상을 없애기 위해서는 작업장의 농도를 최소로 줄이고 보호구 착용을 잊지 말아야 한다. 유기용제 중 질병을 불러올 수 있는 대표적인 물질들에 대하여 살펴보자.

① 이소시아네이트(Isocynate=TDI, MDI)

　우레탄 도료를 사용할 때는 경화제를 사용하는데, 이 경화제에는 TDI(톨루엔이소시아네이트)가 함유되어 있다. TDI가 함유된 경화제 등을 사용하는 도장작업에서는 이로 인해 호흡기 질환과 기타 피부질환 등이 생길 수 있다. 이소시아네이트는 아주 강력한 천식 유발물질로 감수성이 있는 근로자는 조금만 노출되어도 천식이 발생할 수 있다. 천식의 초기 증상은 가슴답답함, 기침 등으로 진행되면 호흡곤란이 나타난다. 또한 과민성 폐장염 등에도 영향이 있다.

② 벤젠

　도료나 신너에는 불순물로 벤젠이 함유되어 있을 수 있다. 최근에는 제품의 순도가 좋아져서 벤젠이 함유되어 있는 경우가 적으나 과거에는 벤젠이 함유되어 이에 의한 백혈병이 발생한 사례도 있었다. 그 예로 94년도에 도장인에게 발생하였던 백혈병의 원인에 대한 법원의 판결을 게재하였다.

③ 톨루엔

　톨루엔에 의해 발생할 수 있는 질병은 신경계 특히 중추신경계 이상이다. 급성적으로 고 노출되는 경우 중추신경계 이상이 나타나는데 흔히 느끼는 증상은 술 취한 것 같은 기분, 정신이 몽롱한 기분 등이 나타나며 심하면 실신, 혼수상태에 이를 수도 있다. 만성적으로 노출되는 경우에는 기억력감퇴, 인지능력감퇴(판단력), 행동이 둔해짐 등이 나타날 수 있으며 심한 경우에는 뇌의 손상이 와서 탈수초성병변(뇌가 손상되어 마비증상이 오는 것) 등이 나타날 수 있다. 또한 전신성경화증, 심근전도장애 등이 나타나기도 한다.

④ 메칠 알콜

눈, 목, 기관지에 자극을 주고 흡입하면 두통, 구토, 간장 등에 장해를 일으킨다. 소량이라도 먹으면 시신경, 실명 등을 일으켜 사망한다.

⑤ 초산에틸

눈, 목, 코 등 점막을 자극한다. 마모성이 약간 있다. 다량흡입하면 간장에 장애를 일으킨다. 만성중독에는 빈혈증상 등이 일어난다.

⑥ 트리크롤에치렌

증기를 흡입하면 급성 또는 만성에 다음과 같은 증상이 일어난다. 두통, 피로, 구토, 신경혼란 등이 일어나서 소화기에 이상이 있고 신경계통 및 시력장애를 일으킨다. 또 식욕이 떨어지고 위장지자극 증상이 있고 무의식이 된다.

⑦ 휘발유, 기타

주로 증기에 의해서 급성중독이라고 생각되지만 두통, 눈병이 생기는 동시에 정신혼란을 일으켜서 보행이 관란함을 느낀다. 식욕부진, 소화관의 자극, 호흡곤란 등 다량으로서 마취작용이 일어난다. 유류, 정유, 경유, 테레핀유, 송유 등 피부에 장시간 접촉하면 피부염 등이 일어난다.

(3) 예방 대책

① 가능한 위험성 적은 도료 및 용제를 선택 사용해서 중독의 위험을 사전에 방지한다.
② 환기조건을 개선해서 통풍, 배기장치를 사용하고 용제, 증기의 축적을 방지한다.
③ 위험한 장소는 작업 전이나 작업 중에 정기적으로 농도를 측정해서 위험예방에 사전 예방한다.
④ 증기의 농도가 높고 위험이 예상되는 곳은 송풍마스크를 착용해서 작업을 한다.
⑤ 중독이 예상되는 작업에 대해서는 작업자를 사전 건강진단에 의해 부적격자를 제외한다.
⑥ 위험장소에서는 작업은 교대제 등을 활용하여 노동시간을 단축시킨다.
⑦ 도료 및 용제의 위험성을 작업자에 철저히 인식시키고 중독 시에 사용할 수 있는 구급처치법을 익혀둔다.

2. 인화성 물질의 취급

(1) 인화점, 발화점, 폭발 범위

용제의 인화점, 발화점, 폭발범위 등의 성질을 이해하고 취급법을 익혀서 사용해야 한다.

① 인화점(Flash Point)

가연성 용제는 가연성 증기를 발생시키고 주변의 공기와 혼합한다. 그 농도는 온도의 상승과 함께 높아지고, 일정한 온도에 도달하면 가연성 증기를 발생하여 작은 화기에도 인화되는데 보통 이 온도를 인화점이라 한다. 많은 용제는 인화점이 상당히 낮고 0℃이하의 것도 있다.

② 발화점(Ignition Point)

점화가 없어도 가연성 용제를 공기 중에서 가열하면 자연히 발화하여서 연소를 일으키는데 이 온도를 발화점이라 한다. 발화점은 인화점보다 약간 높은 온도이다.

휘발성 용제에 의한 폭발찹화재나 전기의 불씨 등 점화원에서 발생하는 것이 많지만 발화점이 낮은 것은 가열장치 전기열 등에 발화되는 것도 있다.

용제는 물론 도료에 함유된 건성유는 공기중의 산소와 화합하여 발열되기 때문에 열의 방산이 불충분한 열이 축적되어 발화점에 도달하면 자연발화되는 것도 있다.

③ 폭발범위

용제가스의 인화폭발은 용제에서 발생하는 가연성증기가 공기와 가스가 일정한 비율로 혼합하여 어떤 범위 내에 들어갈 때 폭발성 증기가 형성되어 그것이 착화하면 순식간에 혼합 기체 중으로 전달하여 폭발한다. 폭발이 일어날 수 있는 최고의 농도를 폭발상한, 최저의 농도를 폭발하한이라고 말한다. 이 상한과 하한의 사이를 폭발범위라 한다. 일반적으로 폭발범위가 넓은 것과 폭발하한이 낮은 것은 위험이 크다.

(2) 안전취급요령

① 눈, 피부, 신체의 접촉을 피하라
② 보안경, 보호장갑, 보호의, 등 안전보호장구를 착용할 것
　㉠ 보관방법
　　ⓐ 물리적인 장애로부터 보호할 것
　　ⓑ 외부 및 격리 저장이 바람직함

ⓒ 내부저장은 표준인화성 액체 저장실이나 밀폐된 용기에 건조, 시원하고

ⓓ 환기가 잘되는 장소에 보관할 것

ⓔ 산화성 물질로부터 분리시켜 둘 것

ⓕ 혼합위험성이 있는 물질들과는 격리 시켜 둘 것

(3) 응급조치 요령

① 다량의 물이나 생리식염수로 화학물질이 남지 않을 때까지 눈을 씻을 것

② 즉시 의학적인 조치를 취할 것

    ㉠ 피부에 접촉 했을 때

      ⓐ 오염된 의복과 신은 즉시 벗길 것

      ⓑ 물이나 순한 세제 또는 다량의 물로 화학물질이 남지 않을 때까지 씻어낼 것

      ⓒ 즉시 의학적인 조치를 취할 것

    ㉡ 흡입했을 때

      ⓐ 노출지역으로부터 즉시 신선한 공기가 있는 곳으로 옮길 것

      ⓑ 호흡이 멈춘 경우에는 인공호흡을 실시 할 것

      ⓒ 환자를 따뜻하고 편안하게 할 것

      ⓓ 즉시 의학적인 조치를 취할 것

    ㉢ 섭취 했을 때

      ⓐ 흡인을 방지하기 위해 극도의 주의가 필요

      ⓑ 5분 이내에 더 이상의 흡인을 방지하기 위해 위세척을 실시하여야 함.

      ⓒ 구토를 유도 할 것.

      ⓓ 위세척은 유자격자에 의해 실시되어야 함.

      ⓔ 즉시 의학적인 조치를 취할 것

VI. 액체침투탐상검사의 적용과 특성

1. 액체침투탐상검사의 적용대상

침투탐상검사는 비파괴검사방법 중 가장 오래되고 널리 활용되고 있는 방법이다. 침투탐상검사는 용접품, 단조품, 주강품, 프라스틱 및 세라믹 등과 같은 금속 및 비금속의 여려가지 제품들에 적용되며 여려가지 다른 재료에 나타나는 표면 불연속부를 경제적으로 검사할 수 있기 때문에 품질보증 담당자들이 사용할 수 있는 가장 효과적인 방법 중의 하나이다.

2. 액체침투탐상검사의 장단점

(1) 침투탐상검사의 장점

① 시험방법이 가장 간단하다.
② 고도의 숙련이 요구되지 않는다.
③ 제품의 크기, 형상 등에 크게 구애를 받지 않는다.
④ 국부적 시험이 가능하다.
⑤ 미세한 균열의 탐상도 가능하다.
⑥ 판독이 비교적 쉽다.
⑦ 철, 비철, 프라스틱 및 세라믹 등 거의 모든 제품에 적용된다.

(2) 침투탐상검사의 단점

① 시험할 표면이 개구부이어야 한다.
② 시험표면이 너무 거칠거나 기공이 많으면 허위지시모양을 만든다.

③ 시험표면이 침투제등과 반응하여 손상을 입은 제품은 검사할 수 없다.

④ 주변 환경 특히 온도에 민감하여 제약을 받는다.

⑤ 후처리가 종종 요구된다.

⑥ 침투제가 오염되기 쉽다.

3. 침투제의 침투력(침투능)에 영향을 주는 요인

① 시험체 표면의 청정도

② 개구부의 형태, 청정도, 표면에 열려진 크기

③ 침투제의 표면장력(표면장력↑ 침투력↑)

④ 침투제의 적심성(=침윤성)(적심성↑ 침투력↑)

4. 침투제의 침투율에 영향을 주는 요인

점성 : (점성↓ 침투율↑. 일반적으로 온도↓ 점성↑ 침투율↓)

5. KPP(kinetic penetrant parameter)
SPP(static penetrant parameter)

$KPP = \gamma \cdot Cos\theta / \eta$

$SPP = \gamma \cdot Cos\theta$

(점성↑ 침투율↓)

(접촉각↓ 표면장력↑ 침투력 ↑)

6. 침투제 특징

① 대부분의 침투제는 비중이 1보다 작다

② 건조속도가 너무 빠르지 않아야 한다(비휘발성) 인화점은 95℃이상이어야 한다.

③ 시험체와 화학적 반응을 일으키지 않아야한다.

④ 제거하기(세척성) 쉬워야 한다.

⑤ 침투성이 좋아야 한다.

⑥ 중성으로 부식성이 없어야 한다.

⑦ 온도 안정성, 자외선 안정성이 있어야 한다.

⑧ 인체에 해가 없어야 한다.

7. 유화제특징

① 세척성이 좋아야 한다.

② 후유화성 침투액과 서로 잘 녹아야 한다.

③ 침투액의 혼입에 의한 유화제의 성능저하가 적어야 한다.

④ 침투성이 낮아야 한다.

⑤ 중성으로 부식성이 없어야 하며 독성이 적고 인화점이 높으며 온도 안정성이 좋아야
  하며 침투액과 서로 다른 색채를 가져야 한다.

8. 세척제의 특징

① 세척성이 좋아야 한다.

② 휘발성이 적당해야 한다.

③ 중성으로 부식성이 없어야 한다.

④ 독성이 없어야 한다.

⑤ 냄새가 적고 인화점이 높아야 한다.

9. 현상제의 특징

① 흡출, 분산, 명암도가 높아야 한다.

② 시험표면에 대한 부착성이 좋고 현상막을 제거하기 쉬워야 한다.

③ 현상피막이 균일하게 형성되어야 한다.

④ 건식 현상제는 투명도가 있는 것이어야 한다.

⑤ 형광 침투액을 사용할 때는 자외선에 의해 형광을 발하지 않아야 한다.

⑥ 화학적으로 안정되며 부식성이 없고 독성이 적어야 한다.

⑦ 염색 침투액에 사용할 때에는 백색도가 높아야 한다.

10. 침투탐상검사의 장점

① 시험체의 재질에 크게 제한을 받지 않는다.

② 시험체의 형상과 크기에 관계없이 검사할 수 있고 소형제품도 검사할 수 있다.

③ 대형 시험체의 국부적인 검사가 가능하고 다량의 소형부품을 동시에 검사할 수 있다.

④ 1회의 검사로 검사면적 전체를 탐상할 수 있다.

⑤ 불연속의 평가(지시의 관찰)가 비교적 쉽다.

⑥ 검사 속도가 빠르고 경제적이다.

11. 침투탐상검사의 단점

① 다공성 재료나 흡수성 재료, 표면이 너무 거친 경우에는 검사가 어려워진다.

② 표면이 열려 있는 결함이어야만 검출 가능하다.

③ 시험체의 표면온도에 따라 검사감도가 달라진다.

④ 판독자의 숙련이 필요하다.

⑤ 탐상제가 오염되기 쉽다.

12. 자외선 조사장치(Black light)

① 구성 : 고압수은등, 안정기, 필터

② 입사파장 : 320~400nm, 방출파장:475~575nm

③ 강도 : 자외선 등 필터에서 15인치(38cm)떨어진 위치에서 800μW/cm²이상의 강도를 요구

④ 유효수명 : 램프의 초기광량이 25%정도 감소되었을 때까지의 소요시간을 말한다.

⑤ 예열 : 자외선 등의 예열은 스위치를 ON시키고 최소 5분 이상 유지한 후 탐상을 실시한다.

13. 검사제에 따른 탐상감도

(1) 명암도비

염색(결함지시)에서 반사된 빛이 양에 비교하여 주위배경에서 반사된 빛의 양

(2) 가시도

결함지시에서 반사되거나 방사된 빛의 실제적인 양

(3) 침투제의 오염

① 수세성 침투제의 물에 의한 오염은(침투력을 저하시킴) 1개월마다 측정(5%이하)
② 유기오염물에 의한 오염(그리이스, 오일, 페인트 등) - 지시감도를 저하시킴
③ 산, 부식제 크롬산에 의해 침투제의 형광휘도가 저하

(4) 침투제의 공정관리시험

① 감도시험
② 형광휘도시험
③ 물에 의한 오염도시험

14. 유화제

과잉 침투제를 물로 세척 가능하도록 변환시키기 위해 사용되는 액체

(1) 특징

과세척이 되기 쉬운 얕은 결함, 폭이 넓은 결함을 검출가능

(2) 종류

① 친유성유화제
　　㉠ 분무법이나 붓칠은 적용하지 않는다.
　　㉡ 형광3분 이내, 염색30초

② 친수성유화제

  ㉠ 감도가 친유성에 비해 높다.

  ㉡ 침투제에 의한 유화제의 오염을 줄이기 위해 예비 헹굼 실시한다.

  ㉢ 형광2분, 염색2분

  ㉣ 유화제의 농도가 5% 때 가장 감도가 높다.

  ㉤ 붓칠은 적용하지 않는다(유화제와 침투액이 섞여 유화시간조정이 어렵기 때문에 붓칠은 제한한다).

15. 현상제

① 형광 침투제를 사용하는 경우, 현상제는 형광이 아니어야 한다.

② 건식현상제,수용성습식현상제,무현상법은 염색에 사용하지 않는다(명암도가 좋아지도록 적절한 백그라운드 형성되지 않으므로).

③ 속건식현상제는 휘발성 용제에 현탁하였으므로 에어졸 용기에 담아 휴대용으로 많이 사용하며 균일한 도막을 얻기에 편리하고 감도가 높다.

④ 습식현상제는 브러쉬법으로 적용하지 않는다.

⑤ 수용성습식현상제는 물에 0.12-0.24kg/ℓ 정도로 용해되어 있으며 염색에는 사용하지 않음

⑥ 수현탁성현상제는 물 1ℓ당 60g으로 배합. 소형이며 불규칙한 제품을 신속하게 검사가능

⑦ 감도순서 - 속건식 〉 습식 〉 건식

⑧ 분해능 순서 - 플라스틱 필름 현상제 〉 건식 〉 습식 〉 속건식

⑨ 매끄러운 표면에 습식현상제, 거친표면에 건식현상제, 소형의 고속작업에는 습식 대형부품, 구조물의 부분탐상에는 속건식, 미세균열에는 속건식, 인접결함에는 건식

16. 침투탐상검사의 특징

(1) 수세성

① 비교적 거친 시험편에 적용

② 검사 속도가 가장 빠르고 간단

③ 복잡한 형상에 적합

(2) 후유화성

① 침투력이 수세성에 비해 높다.
- 침투시간의 단축이 가능
② 표면이 거칠은 물건에 적용이 어렵다.
③ 형상이 복잡한 탐상에는 적합하지 않다.

(3) 용제 제거성

① 침투시간의 단축이 가능
② 대형부품, 구조물의 부분탐상에 적합
③ 거칠은 면에 적용이 곤란

(4) 감도순서

후유화성 〉 용제 제거성 〉 수세성

(5) 거칠기에 따른 적용순서:

수세성 〉 용제 제거성 〉 후유화성

(6) 현장 검사시 가장 적절하게 사용 - VC - S

(7) 미세결함검출에 효과적 - FD -S 〉 FB -S

17. 전처리

① 기름류 등을 제거하는 방법 - 증기탈지, 증기세척, 솔벤트, 세제
② 녹 등 고형화된 오염물 - 와이어 브러쉬, 샌드 블라스팅, 그리트 블라스팅
③ 먼지, 이물질 등 - 고압용수

④ 기계가공, 열처리가공후 불연속을 막아버릴 우려가 있을 때 – 부식(에칭)

⑤ 용제세척은 유기물 제거에 효과적이며 무기물 오염 제거에는 적합하지 않다.

⑥ 초음파세척은 세척효율을 증가시키고 세척시간을 줄이기 위해 용제 또는 세제세척에 초음파교반을 추가

⑦ 산용액 에칭의 결과로 수소취성의 가능성이 있으면 부품은 공정을 시행하기 전에 수소를 제거하기 위해 적당한 시간동안 적절한 온도에서 가열한다.

⑧ 화학적인 방법을 사용했다면 처리 후 중화시켜야 한다.

⑨ 표면에 잔류된 수분은 충분히 건조시킨다.

18. 지시의 분류

① 의사지시 : 불완전한 세척과 시편 및 침투제의 취급부주의
② 무관련지시 : 나사 및 키 홈 등의 제품의 기하학적 형상변화가 심한 곳에서 나타남
(press fit, spline, rivet 주위)

2

침투(PT) 탐상검사 문제

침투(PT)탐상검사 문제 – 2005년 기사

1_ **수세성 침투액을 사용할 때 결함 탐상이 안되는 것을 피하기 위해 가장 주의해야 할 점은?**

가. 과잉 침투액의 세척이 되었는지 확인한다.
나. 침투시간이 너무 길지 않았는지 확인한다.
다. 유화제의 과량 사용을 피한다.
라. 시험품에의 침투후 과도한 세척을 피한다.

[해설] 수세성침투액을 세척시 과세척이 되지 않도록 주의하여야 한다.

2_ **침투탐상시험을 실시할 때 침투액 사용전, 부품을 어느 정도 가열하면 어떤 효과가 나타나는가?**

가. 침투액의 안정도가 증가한다.
나. 탐상감도가 감소한다.
다. 탐상감도가 증가한다.
라. 탐상감도가 변하지 않는다.

3_ **다음 재질중 일반적으로 침투탐상시험이 어려운 것은?**

가. 다공성의 세라믹   나. 티타늄
다. 고합금강   라. 주철재료

[해설] 대부분의 시험재료에 적용이 가능하나 다공성 재료나 흡수성 재료에는 적용하기 어렵다.

해답   1. 라 2. 다 3. 가

4_ 부품의 양끝을 베어링이 지지하고 있는 회전체에서 베어링의 손상 여부를 기기를 정지시키지 않고 가동 중에 계속 감시하기에 적합한 비파괴검사법은?

가. 방사선투과검사
나. 초음파탐상시험
다. 와전류탐상시험
라. 음향방출시험

5_ 침투탐상시험의 유화제 적용에 관한 설명으로 가장 알맞은 것은?

가. 유성유화제 적용시 미리 1차 수세를 하여야 한다.
나. 수성유화제는 유성유화제보다 반응이 빠르기 때문에 세척을 빠르게 수행해야 한다.
다. 수성유화제를 침지법으로 적용하는 경우 5~30% 정도로 희석 농축하여 사용하는 것이 바람직하다.
라. 유성유화제를 분무법으로 적용하는 경우 0.05~5% 정도로 희석 농축하여 사용하는 것이 바람직하다.

[해설] 친수성유화제(물베이스 유화제)를 사용하는 경우 예비헹굼이 실시된다.

6_ 0℃ 저온에서 침투탐상시험을 실시코자 할 경우, 어떠한 조치가 필요한가?

가. 온도는 침투처리에 영향이 없어 조치가 필요치 않다.
나. 검사체를 적정 온도로 가열하고 침투액을 적용한다.
다. 검사체를 저온 그대로 하고 침투액을 적정 온도로 가열하여 적용한다.
라. 0℃ 저온에서는 침투탐상검사 실시를 모두 중단 시킨다.

7_ 매우 지저분하고 표면에 기름이 묻어 있는 부품의 표면처리에는 물을 주원료로 제작된 화학약품의 세척제로 세척한다. 세척후의 후속 조치로서 올바른 것은?

가. 용제 세척제로 다시 한 번 세척해야 한다.
나. 표면에는 어떠한 잔류물도 남아있지 않게끔 다시 완전히 세척해야 한다.
다. 표면 개구부에 강한 열을 직접 가하여 잔류물이 남지 않도록 모두 제거시킨다.
라. 휘발성 용제 세척제로 다시 한 번 세척한다.

해답 4. 라 5. 다 6. 나 7. 나

8_ 유성유화제를 만드는 물의 특성으로 가장 적당한 것은?

가. 점성이 높을 것   나. 점성이 낮을것
다. 활성도가 낮을 것   라. 유화제를 혼탁하게 할 것

9_ 침투탐상시험시 가장 효과적인 전처리 방법을 선정하기 위해 고려되어야 하는 것은?

가. 시험체의 재질   나. 시험면의 밝기
다. 현상방법   라. 침투방법

[해설] 부착물의 종류와 정도 및 시험체의 재질을 고려하여 용제에 의한 세척, 증기세척,도막박리제, 알칼리세제,산세척 등
의 방법으로 한다.

10_ 와전류의 특성에 대한 잘못된 설명은?

가. 와전류는 전도체 안에서만 존재한다.
나. 와전류는 항상 연속적인 회로로 흐른다.
다. 와전류는 코일의 가장 가까운 표면에서 가장 강하다.
라. 와전류의 침투깊이는 시험주파수와 비례관계를 갖는다.

11_ 자분탐상시험과 비교할 때 침투탐상시험을 우선적으로 적용할 수 있는 근본적인 이유는?

가. 시험체의 재질에 대한 제한이 적으므로
나. 미세한 균열의 검출감도가 우수하기 때문에
다. 최종 검사 단계에서 신뢰성이 높기 때문에
라. 표면 전처리와 지시모양의 평가가 쉽기 때문에

12_ 침투탐상시험은 검사대상물의 표면상태에 따라 영향을 받는다. 다음 중 시험에 해로운 영향을 주는 표면 상태가 아닌 것은?

가. 거친 용접부 표면   나. 젖은 표면
다. 기름기가 있는 표면   라. 기계 가공한 표면

해답   8. 나 9. 가 10. 라 11. 가 12. 라

13_속건식 현상제를 상온에서 분무할 경우, 스프레이 노즐은 시험면과 어느 정도의 거리가 적당한가?

가. 10~20cm

나. 25~30cm

다. 40~45cm

라. 50~60cm

[해설] 현상제를 적용시 스프레이 노즐과 시험면과의 거리는 30cm정도에서 45~70°의 분무각도로 적용한다.

14_타 침투탐상시험과 비교하여 후유화성 염색침투탐상시험의 단점은?

가. 자연광에서 사용이 가능하다.

나. 나사부 등 복잡한 부품의 시험에 적용되지 않는다.

다. 다른 방법에 비해 침투시간을 단축할 수 있다.

라. 휴대가 편리하다

15_다음 중 두 장의 판재를 접합한 재료의 접합 경계면의 상태를 판단하는데 유효한 검사법은?

가. 누설램파법

나. 레이저-초음파법

다. 스파클법

라. 방치법

16_다음 중 침투액의 침투성능이 우수한가를 결정하는 2가지 대표적인 특성은?

가. 표면장력 및 점성

나. 점성 및 접촉각

다. 접촉각 및 밀도

라. 표면장력 및 접촉각

[해설] 침투제의 침투력을 결정하는 요인으로는 적심성, 접촉각, 표면장력이 있다.

17_침투탐상검사시 일반적으로 허용되는 검사체의 표면온도범위는?

가. −40°F~450°F

나. 32°F~212°F

다. 60°F~125°F

라. 80°F~200°F

[해설] 침투탐상시험시 표준온도 범위는 15~50℃이다

해답 13. 나 14. 다 15. 가 16. 라 17. 다

18_ 다음 침투탐상시험 중 자외선 조사장치를 사용 하지 않아도 되는 경우는?

　가. 수세성 형광침투탐상시험
　나. 수세성 염색침투탐상시험
　다. 용제제거성 형광침투탐상시험
　라. 후유화성 형광침투탐상시험

[해설] 형광침투제를 사용하는 경우 검사조건이 어두어야 하며 자외선 등이 필요하다.

19_ 표면에 오염 물질이 존재함에도 불구하고 침투제 막이 균일하고 일정하게 전 표면에 걸쳐 도포되도록 해줄 수 있는 침투제의 기능을 설명한 것은?

　가. 표면장력이 낮다.　　　　　　나. 점성이 높다.
　다. 적심능력이 크다.　　　　　　라. 증발효과가 적다

20_ 고장력 강용접부의 경우 용접완료 후 24~48시간 경과 후에 비파괴검사를 실시한다. 그 이 유로서 가장 타당한 것은?

　가. 자연 균열의 발생
　나. 피로 균열의 발생
　다. 고온 균열의 발생
　라. 응력부식 균열의 발생

21_ 후유화제법으로 침투탐상시험을 할 때 유화시간이 길어짐에 따라 발생되는 주 내용은?

　가. 얕은 불연속의 지시는 잘 나타나지 않는다.
　나. 아주 많은 비관련성 지시가 탐상표면에 나타난다.
　다. 유화제가 경화되어 불연속의 침투제를 현상제가 빨아내지 못하게 한다.
　라. 과잉 침투제를 제거한 후에도 침투제가 표면에 남아 있을 우려가 있다.

[해설] 유화시간이 너무 짧으면 지나친 배경지시가 형성되거나 의사지시가 형성되며 유화시간이 너무 길어지면 결함 검출이 안될 수 있으므로 유화시간 결정이 중요한 요인에 해당된다.

[해답]　**18.** 나　**19.** 다　**20.** 가　**21.** 가

22_ 다음 중 침투탐상시험에서 흔히 나타나는 거짓지시의 원인으로 가장 비중이 큰 것은?

　　가. 과잉 세척
　　나. 부적절한 세척
　　다. 시험품의 온도가 낮을 때
　　라. 제조회사가 다른 침투제와 현상제를 적용할 때

23_ 형광침투탐상시험에서 자외선등은 어떤 목적 때문에 사용하는가?

　　가. 침투제가 형광을 발하게 하기 위해서
　　나. 침투제의 모세관현상을 도와주기 위해서
　　다. 표면의 과잉침투제를 중화시키기 위해서
　　라. 탐상부분의 표면장력을 줄이기 위해서

[해설] 320~400nm의 자외선을 형광염료로 도포된 시험체 표면에 비추면 475~575nm의 가시광선파장대의 형광을 발하게 된다.

24_ 다음 중 가느다란 표면터짐을 찾는데 가장 예민한 침투탐상액은?

　　가. 수세성 염색　　　　　　　나. 후유화성 염색
　　다. 수세성 형광　　　　　　　라. 후유화성 형광

[해설] 형광 〉 염색
　　• 제거방법에 따른 감도비교 : 휴유화성 〉 용제제거성 〉 수세성

25_ 미세한 흠을 발견하기에 가장 적합한 침투탐상시험은?

　　가. 후유화성 형광침투탐상시험
　　나. 용제 제거성 형광침투탐상시험
　　다. 수세성 염색침투탐상시험
　　라. 후유화성 염색침투탐상시험

[해설] 감도순서 : 후유화성 형광 〉 용제제거성형광 〉 수세성형광 〉 후유화성염색 〉 용제제거성염색 〉 수세성염색

[해답] **22.** 나 **23.** 가 **24.** 라 **25.** 가

26_ 침투탐상시험에 사용하는 현상제의 특성으로 틀린 것은?

가. 형광 침투제의 사용시에는 형광물질이어야 한다.

나. 검사원에게 유해하거나 독성이 있어서는 안된다.

다. 흡수력이 있어야 한다.

라. 전면에 걸쳐 얇고 균일한 피막을 형성할 수 있어야 한다.

[해설] 현상제가 갖추어야 할 요건
① 침투액의 흡출 능력이 강한 미분말로 되어 있을 것
② 분산성이 좋을 것
③ 중성으로 검사체에 대해 부식성이 없을 것
④ 검사면 또는 결함부에 부착성이 좋고 동시에 현상제 도막이 제거하기 쉬울 것
⑤ 자외선에 의해 형광을 발하지 말 것
⑥ 화학적으로 안정할 것
⑦ 독성이 적을 것
⑧ 속건식, 습식의 경우는 현탁성이 좋을 것

27_ 일반적으로 침투탐상 시험방법의 선택시 고려사항이 아닌 것은?

가. 부품의 수량

나. 시험할 장비 및 설비

다. 시험품에서 예측되는 결함의 종류와 크기

라. 부품의 온도

28_ 아래 절차에 따라 시험하는 침투탐상 시험방법은?

절차 : 전처리 → 침투처리 → 유화처리 → 세척처리 → 건조처리 → 관찰 → 후처리

가. 후유화성 형광침투액(기름베이스 유화제)-습식현상법

나. 후유화성 이원성 형광침투액(기름베이스 유화제)-습식현상법

다. 후유화성 형광침투액(기름베이스 유화제)-속건신현상법

라. 후유화성 이원성 형광침투액(기름베이스 유화제)-무현상법

[해설] • 기름베이스 유화제(친유성유화제) : 전처리-침투처리-유화처리-세척처리
• 물베이스 유화제(친수성유화제) : 전처리-침투처리-예비헹굼-유화처리-세척처리
현상처리 전 시험편 표면이 건조되어야 하는 경우는 속건식 현상법(S)이나 건식현상법(D)이 있으며, 현상처리 후 건조처리를 행하는 방법으로는 수용성습식현상법(A)과 수현탁성습식현상법(W)이 있다.

해답 　26. 가　27. 라　28. 라

29_ 침투탐상시험에서 수용성 습식현상의 장점으로 가장 적합한 것은?

가. 물에 완전히 용해되기 때문에 많이 흔들어줄 필요가 없다.
나. 침투액을 최대로 빨아올리기 위한 흡출작용이 가장 강하다.
다. 형광침투액 사용시 가장 감도가 높은 현상제이다.
라. 수세성 침투액 사용기 가장 적절하게 적용할 수 있는 현상제이다.

[해설] 수용성 습식현상제는 물에 완전히 용해되어 있는 현상제 이므로 교반이 거의 불필요하지만, 수현탁성습식현상제는 물과 현탁이 되어 있으므로 사용시 충분한 교반이 필요하다.

30_ 침투탐상시험에서 전처리시 사용되는 세척용 솔벤트에 대한 설명으로 틀린 것은?

가. 표면의 기름 및 그리이스를 용해시킬 수 있어야 한다.
나. 비가연성이어야 한다.
다. 오염을 시키지 말아야 한다.
라. 표면에 최소한의 잔류물을 남겨야 한다.

31_ 국방규격에 따라 침투탐상시험시 담금법으로 시험체에 침투액을 침투시킬 때 담근 후 몇 분 이상을 방치하지 않도록 규정하고 있는가?

가. 10분
나. 20분
다. 30분
라. 40분

[해설] 침투액의 체류시간은 최소 10분 동안으로 하여야 한다. 체류시간 중 필요하면 침투액이 국부적으로 괴지 않도록 구성부품을 회전시키거나 하여 움직이게 한다. 체류시간이 2시간을 초과할 때는 건조되지 않도록 필요에 따라 침투액을 재적용하여야 한다. 침투액을 침지법으로 적용할 경우에는 구성 부품의 침지시간은 총 체류시간의 1/2 이하이어야 한다.

32_ 침투탐상제의 물리적 특성시험에 해당되는 것은?

가. 형광 밝기 시험
나. 침투제의 수세성 시험
다. 수분 함량 시험
라. 온도에 따른 안정성 시험

해답   **29.** 가 **30.** 나 **31.** 나 **32.** 다

33_ 물에 의해 가장 오염되기 쉬운 침투제는?

가. 형광침투 유화제법   나. 형광침투 용제법

다. 염색침투 수세법   라. 혐색침투 용제법

[해설] 수세성 침투제에 대해서는 1개월에 1번씩 수분함유량 측정을 한다.

34_ 침투탐상시험에서 침투제가 시험부에 부착하므로 생기는 침투제의 지출을 또는 손실을 뜻하는 것은?

가. Dragout   나. Bleedout

다. Dip rinse   라. Blotting

35_ 눈에 관찰될 수 있는 지시의 분별정도는 색채대비 비율의 값으로 표시할 수 있는데 이 비율은 어느 것을 근거로 한 것인가?

가. 염색에서 반사된 빛의 양에 비교하여 주위 배경에서 흡수된 인공광의 양

나. 염색이 흡수한 빛의 양에 비교하여 주위 배경에서 반사된 빛의 양

다. 염색이 흡수한 빛의 양에 비교하여 주위 배경에서 흡수한 빛의 양

라. 염색에서 반사된 빛의 양에 비교하여 주위 배경에서 반사된 빛의 양

[해설] • 명암도 : 결함주변에서 반사된 빛의 양과 결함에서 반사된 빛의 양의 차이
       • 가시도 : 결함에서 반사된 빛의 양

36_ 다음 중 시험체의 표면에 적용된 과잉의 수세식 침투제를 제거하는데 가장 널리 이용하는 방법은?

가. 물에 젖은 헝겊을 사용하여 제거한다.

나. 호스와 특수 노즐을 사용하여 제거한다.

다. 흐르는 물에 직접 부품을 세척한다.

라. 물에 부분품을 침적시켜 제거한다.

해답 33. 다 34. 가 35. 라 36. 나

37_ 침투탐상시험에 사용되는 침투액의 적심성은 다음 줄 무엇을 측정함으로써 알 수 있는가?

가. 비중
나. 표면장력
다. 점성
라. 접촉각

[해설] 침투액의 적심성은 접촉각으로 측정하며 접촉각이 작을수록 적심성이 좋아지며 침투력이 좋아진다.

38_ 침투제의 침투 성능이 우수한가를 결정하는 두 가지 대표적인 특성은?

가. 표면장력 및 비중
나. 접촉각 및 밀도
다. 비열 및 접촉각
라. 적심 및 접촉각

[해설] 침투제의 침투력(침투능)을 결정하는 요인으로는 표면장력, 적심성, 접촉각 등이 있고 침투제의 침투율(침투속도)을 결정하는 요인으로는 점성이 있다.

39_ 유화제의 기능을 기술한 것으로 다음 중 옳은 것은?

가. 불연속 부위로 침투액이 빨리 들어갈 수 있게 한다.
나. 침투액과 현상제 간의 시각과 배경을 조성한다.
다. 과잉침투액을 수세할 수 있게 비누와 같은 작용을 한다.
라. 침투액에 함유된 형광염료의 가시성을 촉진시킨다.

[해설] 유화제를 사용하는 이유는 물세척 가능하도록 하기 위함이다.

40_ 후유화성 염색침투탐상시험에 습식 현상제를 적용하는 일반적인 방법은?

가. 솔질법
나. 침지법
다. 분무법
라. 문지름법

해답   **37.** 라 **38.** 라 **39.** 다 **40.** 다

41_배액처리장치, 분무나 담금법이 적용되는 탐상장치는?

가. 전처리장치   나. 침투처리장치
다. 유화처리장치   라. 현상처리 장치

42_침투탐상검사에서는 침투액이 금속표면으로 번져 적시는 적심성이 침투액의 침투에 영향을 미치는 중요한 원인이 된다. 적심성에 대한 올바른 설명은?

가. 접촉각이 클수록 좋다.
나. 접촉각이 작을수록 좋다.
다. 침투액의 표면장력이 커야 좋다.
라. 침투액의 침투성에 직접적인 영향을 미치지는 않는다.

[해설] 적심성은 접촉각으로 측정되며 접촉각이 작을수록 침투력이 좋다.

43_유화제를 침투액과 구별하기 위해 가장 널리 사용되는 착색은?

가. 흑색 또는 황색   나. 오렌지색 또는 핑크색
다. 녹색 또는 백색   라. 적색 또는 백색

[해설] 물베이스 유화제의 색은 옅은 분홍색을 띤다.

44_물로 세척처리를 하는 경우, 현상처리를 효과적으로 하기 위한 건조처리의 적용 시기를 설명한 것으로 옳은 것은?

가. 습식 현상법에서는 세척처리 후에 한다.
나. 건식 현상법에서는 현상처리 후에 한다.
다. 무현상법에서는 건조처리를 하지 않는다.
라. 속건식 현상법에서는 세척처리 후에 한다.

해답   **41.** 나   **42.** 나   **43.** 나   **44.** 라

45_ 일반적으로 다음 중 어느 형태의 결함이 가장 긴 침투시간을 필요로 하는가?

가. 단조 랩 (lap)
나. 플라스틱에서의 피로균열
다. 열처리 균열
라. 그라인딩(grinding)균열

46_ 시험체 표면에 남아있는 과잉 침투액을 제거한 후 관찰하는 방법으로 고감도 형광침투액과 함께 사용되는 현상법은?

가. 습식현상법
나. 건식현상법
다. 속건식현상법
라. 무현상법

47_ 침투탐상검사로 검출이 가능한 결함에 대한 설명으로 올바른 것은?

가. 표면 결함은 모두 탐상이 가능하다.
나. 표면으로 열려 있는 균열 뿐 아니라 모든 결함을 탐상 될수 있다.
다. 표면 결함도 침투탐상검사로 탐상되지 않는 경우도 있다.
라. 표면 및 표면 직하의 결함 탐상이 가능하다.

[해설] 표면에 열려져 있는 대부분의 결함이 탐상된다.

48_ 다음 중 올바른 침투처리방법에 해당되지 않는 것은 ?

가. 에어졸에 의한 스프레이 분사시 검사면 이외에 과잉 분사되지 않게 도포한다.
나. 붓칠의 도포를 활용한다.
다. 형광침투액은 백색등 아래에서 도포한다.
라. 침투액이 건조되지 않도록 한다.

49_ 부피가 큰 시험체를 침투탐상 검사 할 때 비교적 탐상감도가 좋게 나타나도록 하는 현상제는?

가. 분말 현상제
나. 플라스틱 필름 현상제
다. 수 현탁성 현상제
라. 휘발성 용제 현상제

해답 45. 다 46. 라 47. 다 48. 가 49. 다

50_ 침투액에 필요한 일반적인 특성이 아닌 것은?

가. 색채대비나 형광휘도는 낮아야 한다.
나. 인화점이 높아야 한다.
다. 중성으로 부식성이 없어야 한다.
라. 온도 안정성이 있어야 한다.

[해설] 색채대비나 형광휘도가 높아야 한다

51_ 전처리 과정에서 너무 심한 기계적인 세척(cleaning)으로 발생될 수 있는 현상은?

가. 표면으로 노출된 균열이나 기공의 입구를 막아 침투지시가 나타나지 않을 수
있다.
나. 표면에 부착된 오염물질이나 제거되어야 할 물질들이 완전히 제거되지 않을 수
있다.
다. 시험체 표면의 과잉 세척으로 침투지시를 만들 수 있다.
라. 침투탐상검사는 표면의 기계적 세척과는 무관하기 때문에 아무런 변화가 없다.

[해설] 연질의 재료에 기계적인 전처리를 실시하는 경우 표면의 불연속부가 메워져 버릴 염려가 있다.

52_ 침투액 및 현상제의 잔류물을 제거하는 후처리 과정은 이재료가 부품의 다른 재료들과 반응할 경우에 대비하여 꼭 필요한데 이때의 반응에 의한 결과는 어떻게 되겠는가?

가. 불연속 지시   나. 부식현상
다. 적절한 표면 장력   라. 주위 조건과의 색채 대비

53_ 침투액이 결함속으로 침투하는 속도는 온도의 영향을 받기 쉽다. 침투속도에 직접적인 영향을 미치지 않는 것은 ?

가. 표면장력   나. 접촉각
다. 밀도, 점성   라. 주위 조건과의 색채 대비

해답   50. 다 51. 가 52. 나 53. 라

54_ 대비시험편을 사용하여 세척처리의 적합여부를 조사하는 시험에서 올바른 방법은?

가. 한 쌍의 대비시험편에 각각 다른 탐상제를 적용하고 그 결함지시모양을 비교한다.
나. 한 쌍의 대비시험편에 사용중인 탐상제를 동일 조건으로 적용하고 세척처리만 달리하여 각각 비교한다.
다. 결함의 크기가 다른 두 개의 대비시험편을 한쌍으로 조사해야 한다.
라. 한 쌍의 대비시험편에 각각 기준 탐상제를 적용하고 그 결함지시모양을 비교한다.

55_ 침투탐상시험용 B형 대비시험편을 설명한 것 중 틀린 것은?

가. 시험편 표면에 도금균열을 만들어 사용한다.
나. 시험편은 원칙적으로 2개의 1편을 1조로 사용한다.
다. 시험편의 도금층 두께는 30㎛인 것도 있다.
라. 시험편의 재질은 알류미늄판이다.

[해설] B형 대비시험편은 구리판에 니켈과 크롬으로 도금을 한 후 도금층을 갈라지게 만든 시험편이다.

56_ 침투탐상시험에서 미지의 균열이 나타 원일을 분석해 본 결과 연마(grinding)를 지나치게 한 것이었다. 이 균열의 형태는?

가. 파도모양
나. 길고 폭이 넓은 모양
다. 격자 무늬 모양
라. 별 모양

57_ 액상 필름시험(Solution film test)에 의해 아주 미세한 누설 부분이 검출되지 않았다. 다음 중 올바른 이유는?

가. 관찰 시간이 너무 짧았다.
나. 차적용에 의한 상태에서 누설용액을 관찰하지 않았다.
다. 압력차를 유지하지 않았다.
라. 너무 많은 누설 용액을 사용했다.

해답   **54.** 나 **55.** 라 **56.** 다 **57.** 가

58_ 다음 중 침투탐상검사를 다른 비파괴검사법과 비교하여 장점이 아닌 것은?

가. 장비가 저렴하고 간단하다.
나. 작업자의 고도의 숙련을 요구하지 않는다.
다. 강자성체에도 적용 가능하다.
라. 검사시 관찰되는 지시모양이 실제 결함 크기이다.

[해설] 침투탐상검사는 실제결함의 크기보다 침투지시모양의 크기가 더 크게 나타난다.

59_ 침투탐상검사는 표면 결함을 검출하는 검사법으로서 자분 탐상검사와 유사하다. 그 특징은?

가. 결함내부의 형상, 크기를 파악할 수 있다.
나. 인접결함 또는 근접결함을 분리된 지시모양으로 확연히 구분할 수 있다.
다. 다공질 및 비다공질 재료의 결함유무, 위치를 개략적으로 파악할 수 있다.
라. 결함폭의 확대율이 높으므로 실제결함 형상과 같은 지시를 얻는다.

60_ 다음 중 침투탐상시험으로 검출할 수 있는 일반적인 불연속은?

가. 적층(Lamination)
나. 핫티어(Hot Tear)
다. 비금속 개재물
라. 융합불량(Lack of Fusion)

61_ 피로균열, 연삭균열, 등 폭이 대단히 좁은 균열을 검출하기 위해 일반적으로 적용하는 침투탐상검사법이 아닌 것은?

가. 수세성 형광침투탐상검사
나. 후유화성 형광침투탐상검사
다. 용제제거성 형광침투탐상검사
라. 용제제거성 염색침투탐상검사

[해설] 감도가 높은 시험을 실시하여야 하며 형광을 이용하는 경우 감도가 높다.

정답 **58.** 라 **59.** 다 **60.** 나 **61.** 가

62_ 침투탐상시험 침투시간은 시험체의 재질 및 형태에 따라 다르다 다음 중 KS규격을 기준으로 침투시간을 가장 길게 해야 하는 시험체는?

가. 강의 용접부　　　　　　　　　나. 세라믹

다. 강의 단조품　　　　　　　　　라. 카바이드 팁붙이 공구

[해설] 알루미늄, 마그네슘, 동, 티탄, 강의 압출, 단조, 압연품에 대해서 최소 침투시간을 10분으로 하고, 주조품, 용접부, 카바이드 팁붙이 공구, 플라스틱, 유리, 세락믹과 같은 모든 형태의 결함에 대하여 최소 5분으로 한다.

63_ 용제제거성 염색침투탐상시험의 장점에 대한 설명인 것은?

가. 휴대하기에 용이하다.

나. 10도 이하의 온도에서도 쉽게 사용된다.

다. 다른 방법에 비하여 감도가 아주 우수하다.

라. 자외선등을 사용하면 미세한 결함을 찾기 용이하다.

64_ 형광침투액에 비해서 염색침투액의 장점은?

가. 작은 지시를 더 잘 볼 수 있다.

나. 거친 표면에서 대조색이 적다.

다. 크롬산 표면과 전해에 사용 가능하다

라. 특별한 조명이 불필요하다.

[해설] 염색침투액은 형광에 비하여 감도는 떨어지지만 블랙라이트와 같은 특별한 조명이 불필요하다.

65_ 유성유화제를 사용하는 경우 올바른 유화시간은?

가. 1~10초　　　　　　　　　　나. 10초~2분

다. 5분~10분　　　　　　　　　라. 10분~20분

[해설] 유화시간은 기름베이스 유화제를 사용하는 시험에서는 형광침투액을 사용할 때는 3분 이내, 염색침투액을 사용할 때는 30초 이내 물베이스 유화제를 사용하는 시험에서는 형광침투액 및 염색침투액인 경우는 2분 이내로 한다.

해답　62. 다　63. 가　64. 라　65. 나

66_ 다음 중 침투탐상검사를 올바르게 설명한 것은?

가. 금속 및 비금속재료가 모두에 침투탐상검사가 가능하다.

나. 금속재료만 침투탐상검사가 가능하다.

다. 검사될 시험체 재료에 따라서 염색침투탐상시험 또는 형광침투탐상시험이 적용된다.

라. 침투침투탐상에서 시험방법은 시험체의 형상에 따라 결정된다.

해설 [장점]
① 철강 및 비철금속, 플라스틱, 세라믹과 같은 비금속 등 대부분의 고체 재료에 적용할 수 있다.
② 시험체의 형상과 크기에 관계없이 검사할 수 있고 소형제품도 검사할 수 있다.
③ 시험체의 자성에 관계없이 적용할 수 있다.
④ 대형시험체의 국부적인 검사가 가능하고 다량의 소형부품을 동시에 검사할 수 있다.
⑤ 1회의 검사로 검사면적 전체를 탐상할 수 있다.
⑥ 불연속의 평가가 비교적 쉽다.
[단점]
① 다공성 재료나 흡수성 재료에는 적용할 수 없다.
② 표면조건에 영향을 많이 받으므로 표면이 거친 검사체에는 적용할 수 없거나 평가가 곤란하다.

67_ 다음 결함 중 침투탐상검사로 검출할 수 없는 것은?

가. 균열

나. 표면겹침

다. 내부단조 파열

라. 표면적층

해설 침투탐상검사는 표면결함을 검출할 수 있다.

68_ 다음 중 올바른 제거처리 방법은?

가. 제거처리의 기본은 단순한 곳부터 제거를 실시하여 복잡한 곳은 나중에 한다.

나. 제거처리가 시작되면 처음에는 깨끗한 종이나 천에 세정제를 적셔서 깨끗이 닦아낸다.

다. 천 또는 종이에 묻힌 세정제의 양은 가능한 소량으로 하고 검사면에 있는 세정제가 빠르게 건조되는 정도로 한다.

라. 염색침투액과 형광침투액 모두 침투액의 색이 옅은 정도에서 제거처리를 멈춘다.

해설 제거처리시 복잡한 곳부터 제거를 실시하며 보푸라기가 일어나지 않는 깨끗한 헝겊 또는 종이수건을 이용하여 먼저 닦아내고 그다음 세척액이 스며든 헝겊이나 종이수건을 사용하여 닦아낸다. 시험체를 세척액에 침지하거나 세척액을 다량으로 적용해서는 안된다.

해답   66. 가   67. 다   68. 다

69_용접부를 침투탐상검사 할 때 직경 2mm정도 되는 동그란 원형지시가 나타났다. 검출된 지시의 예상되는 불연속의 종류는?

가. 표면기공
나. 개재물
다. 터짐
라. 언더컷

70_자외선조사장치의 고압 수은 등의 광량이 점등 초기에 비례 10% 정도 감소될 때까지의 소요시간은 대략 어느 정도 인가?

가. 1000시간
나. 2000시간
다. 3000시간
라. 4000시간

[해설] 일반적으로 휴대용으로 사용되는 블랙라이트의 램프수명은 1200~1500시간 정도에 해당된다.

71_동일한 탐상조건에서 가장 미세한 균열을 검출할 수 있는 방법은?

가. 수세성 염색침투탐상검사
나. 용제제거성 형광침투탐상검사
다. 후유화성 염색침투탐상검사
라. 후유화성 형광침투탐상검사

[해설] 후유화성 형광 〉 용제제거성 형광 〉 수세성형광 〉 후유화성 염색 〉 용제제거성 염색 〉 수세성염색

72_침투탐상검사 시 사용되는 전처리용액 중 인화점이 가장 높은 것은?

가. 나프타
나. 메탄올
다. 벤젠
라. 케로신

73_대형부품에 현상제를 적용 시 일반적인 방법 중 가장 편리한 것은?

가. 담그는 것
나. 걸레질
다. 솔질
라. 분무

[해답] **69.** 가 **70.** 가 **71.** 라 **72.** 라 **73.** 라

74_ 불연속에 의하지 않는 의사지시모양이 생기는 원인으로 가장 부적절한 것은?

가. 제거처리 부적당

나. 전처리 부적당

다. 현상처리의 부적당

라. 외부 원인에 의한 오염

[해설] 현상처리시가 부적당한 경우 결함이 나타나지 않을 수 있다.

75_ 플라스틱제품에 적용할 침투제의 선정 시 제일 먼저 고려할 사항은?

가. 시험체 전처리 상태

나. 침투제의 반응성 점검

다. 고감도 후유화성 침투제 선정

라. 고분해능 염색 침투제 선정

76_ 다음 침투탐상검사법중 침투제에 수분이 혼합되면 감도가 가장 현저하게 낮아지는 검사 방법은?

가. 형광침투탐상(수세법)

나. 형광침투탐상(유화제법-친유성)

다. 형광침투탐상(유화제법-친수성)

라. 형광침투탐상(용제제거법)

77_ 형광침투탐상검사에 사용되는 자외선들에 어느 정도의 파장을 가진 자외선이 가장 많이 방사되도록 설계되어 있는가?

가. $265 \pm 10nm$

나. $365 \pm 10nm$

다. $465 \pm 10nm$

라. $565 \pm 10nm$

78_ 자외선등은 충분히 가열되기까지는 필요한 기능을 발휘하지 못한다. 필요한 방전온도에 이르기까지 최소한 몇 분의 가열시간이 요구되는가?

가. 1분

나. 5분

다. 30분

라. 1시간

[해설] 자외선등을 예열하는데는 5분 정도의 소용시간이 필요하고 전원이 단락되거나 하여 재점등을 하는 경우는 2배 이상의 시간이 소요된다.

해답 **74.** 다 **75.** 나 **76.** 가 **77.** 나 **78.** 나

79_ 다음 중 사용 중에 발생되는 결함은 어느 것인가?

가. 피로 균열   나. 기공
다. 랩   라. 용입부족

80_ 침투액의 특징 중에 휘발성이 낮아야 하는 가장 중요한 이유는?

가. 화재방지
나. 결함에 침투된 침투액의 건조 방지
다. 과잉침투액의 물세척 시 반응을 한다.
라. 모세관 현상에 방해를 준다.

제3과목   침투탐상관련규격및 컴퓨터 활용

81_ KS B 0816(04년판)에 의한 침투탐상시험시 A형 대비시험편에 관한 내용중 틀린 것은?

가. 크기는 50mm×75mm, 판두께는 8~10mm
나. 재료는 KS D 6701에 규정한 A2024P
다. 제작은 분젠버너로 중앙부를 520~530℃로 가열, 급냉한다.
라. 흠의 깊이는 2.5mm로 중앙부에 가공한다.

[해설] 홈의 깊이와 폭은 1.5mm이다.

82_ KS B 0816(04년판)에서 규정한 시험방법에 대한 분류로서 잘못된 것은?

가. 용제제거성 염색침투탐상-VC
나. 후유화성 형광침투탐상-FB
다. 수세성 염색침투탐상-VA
라. 용제제거성 형광침투탐상-FD

[해설] FD는 후유화성형광침투탐상(물베이스유화제)

| 해답 | 79. 가 80. 나 81. 라 82. 라 |

83_ ASME Sec.V는 A형 비교시험편의 제작에 관한 설명 중 틀린 것은?

가. 재질은 알루미늄으로 한다.

나. 시험편의 두께는 3/8인치이다.

다. 제작당시 크기는 2×3인치이나 나중에 2×1.5인치로 분할한다.

라. 인공결함을 만들기 위한 가열 온도는 약 300℉이다.

[해설] KS의 A형대비시험편의 제작방법과 거의 동일하다.

84_ KS B 0816(04년판)에 따른 침투탐상시험에서 사용 중인 물베이스 유화제의 농도를 굴추계 등으로 측정하여 규정농도에서의 차이가 몇 % 이상일 때 폐기하거나 농도를 다시 조정하는가?

가. 0.5%

나. 1%

다. 2%

라. 3%

85_ ASME SeC.V Art.6 침투탐상시험에서 침투시간은 특정 적용시간에 대한 입증시험을 통해 인정된 경우를 제외하고 최소 적용시간은 재료, 재료의 형태, 결함의 종류별로 제시하고 있는데 다음 보기중 침투시간이 가장 긴 것은?

가. 강용접부의 균열

나. 프라스틱의 균열

다. 알루미늄 단조품의 랩

라. 세라믹의 기공

[해설] 단조, 압연, 압출품의 경우 침투시간을 최소 10분 이상으로 한다.

86_ KS W 0914 항공우주용기기의 침투탐상검사 방법 중 건조에 대한 설명이다. 틀린 것은?

가. 건식현상제 또는 비수성현상제를 적용할 때는 현상 전에 피검사체를 건조시켜야 한다.

나. 수용성현상제 또는 수현탁성 현상제를 적용하는 경우 현상전에 피검사체를 건조시켜도 무방하다.

다. 건조로에 의한 건조의 경우 건조로의 온도는 70° 이하이어야 한다.

라. 피검사체에 국부적으로 물이 괴어 있거나 수용액 또는 현탁액이 괴어 있는 상태에서는 건조로에 의한 건조만 요구된다.

[해답] 83. 라 84. 라 85. 다 86. 라

87_ ASTM E 165에 따라 원자력 부품에 형광침투탐상을 적용할 때 시험체 표면에서 자외선 등의 밝기는 어느 값 이상이 되어야 하는가?

가. $300\mu W/cm^2$

나. $500\mu W/cm^2$

다. $700\mu W/cm^2$

라. $800\mu W/cm^2$

88_ KS B 0816(04년판)에서 A형 대비시험편의 제조 방법에 관한 내용 중 틀린 것은?

가. 판의 중앙부를 분젠버너로 520~530℃로 가열한다.

나. 가열면에 냉수를 부어 급냉한다.

다. 중앙부에 깊이 1.5mm로 홈을 가공한다.

라. 판 두께는 10~15mm로 한다.

[해설] A형시험편의 사이즈는 75×50mm에 판 두께는 8~10mm로 한다.

89_ ASME Sec.V Art.6 침투탐상시험의 불순물관리에 관한 설명으로 틀린것은?

가. 황함유량 분석을 위하여 가열할 경우 발생된 증기는 특별히 제거할 필요는 없다.

나. 티타늄에 사용되는 모든 탐상제는 불순물 함유량에 대한 증명서를 확보해야 한다.

다. 니켈합금을 시험할 경우 모든 탐상제는 황함유량 분석을 실시해야 한다.

라. 불순물 관리에 필요한 증명서에는 제조자의 제조번호를 포함하여야 한다.

[해설] 고온에서 취성이나 부식을 일으킬 염려가 있기 때문에 티탄합금은 불소, 오스테나이트 스테인레스는 염소, 니켈합금은 황에 대하여 불순물을 제한한다.

90_ MIL I 규격에서 group I은 어느 것을 뜻하는가?

가. 용제 제거성 염색침투탐상시험법

나. 후유화성 염색색침투탐상시험법

다. 수세성 염색침투탐상시험

라. 용제 제거성 형광침투탐상시험법

[해설] • Group I – 용제제거성염색침투탐상시험   • Group II– 후유화성염색침투탐상시험
• Group III – 수세성염색침투탐상시험   • Group IV – 수세성형광침투탐상시험

해답   **87.** 라 **88.** 라 **89.** 가 **90.** 가

91__ KS W 0914에서 규정하고 있는 유화제의 제거성 점검주기와 관련규정이 올바른 것은?

가. 주 1회, ASTM 095
나. 월 1회, ASTM 095
다. 주 1회, MIL-I-25135
라. 월 1회, MIL-I-25135

92__ ASME Sec. V Art.6에 따라 용접부위에 대해 침투탐상시험을 할 때 전처리 과정에서 용접부위와 이접 경계면은 적어도 몇 cm 이내에 있는 오물, 구리스, 녹 등을 제거하도록 규정하고 있는가?

가. 1.27cm
나. 2.54cm
다 3.81cm
라. 5.08cm

93__ KS B 0816(04년판)에 따른 침투지시모양의 분류를 적용하면 라미네이션(Lamination)은 어느 침투지시모양에 속하겠는가?

가. 면상 침투지시모양
나. 선상 침투지시모양
다. 분산 침투지시모양
라. 원형상 침투지시모양

94__ ASME Sec. VIII Div.1 의 침투탐상시험 중 합격기준에 대한 설명이다. 틀린 것은?

가. 선형관련지시는 길이에 관계없이 불합격이다.
나. 3/16inch 이상인 원형관련 지시는 불합격이다.
다. 이웃불연속 모서리 사이의 간격이 1/16inch 이하로 분리되어 일직선상에 3개 또는 그이상으로 배열되어 있는 원형판결 지시는 불합격이다.
라. 관련지시 모양은 실제의 불연속보다 크게 나타날 수도 있으나, 합격 여부의 판정은 지시모양의 크기를 근거로 탄다.

[해설] 합격기준
① 관련선형지시
② 관련원형지시로서 3/16인치(4.8mm)를 초과하는 것
③ 지시의 끝과 끝 사이의 간격이 1/16인치(1.6mm) 이하로 덜어져 있는 일직선상에 있는 4개 이상의 관련원형지시
④ 불연속의 지시는 실제의 불연속보다 크게 나타날 수도 있으나 합격여부의 판정은 지시의 크기를 근거로 한다.

해답 91. 다 92. 나 93. 나 94. 다

95__ ASME Sec.V에서 수세성 염색침투탐상시험에 습식현상제를 사용할 때의 시험절차를 바르게 열거한 것은?

가. 전처리 → 침투제적용 → 수세 → 현상제적용 → 건조 → 관찰
나. 전처리 → 침투제적용 → 유화제적용 → 수세 → 현상제적용 → 건조 → 관찰
다. 전처리 → 침투제적용 → 수세 → 건조 → 현상제적용 → 관찰
라. 전처리 → 침투제적용 → 유화제적용 → 수세 → 건조 → 현상제적용 → 관찰

96__ 컴퓨터 바이러스에 감염되었을 때의 증상이 아닌 것은?

가. 파일의 크기가 커진다.
나. 엉뚱한 에러 메시지가 나온다.
다. 프로그램의 실행이 되지 않는다.
라. 컴퓨터의 속도가 빨라진다.

97__ 다음 중 정보의 형태와 정보통신, 서비스가 잘못 연결된 것은?

가. 영상 : TV방송
나. 데이터 : 전자 우편
다. 화상 : 파일 전송
라. 음성 : 음성원격 회의

98__ 디스켓을 포맷할 때 포맷형식을 [시스템파일만 복사]로 선택하였을 때 복사되는 파일명은? (단, 숨겨진 파일 포함)

가. COMMAND.COM
나. MSDOS.SYS, IO.SYS
다. MSDOS.SYS, IO.SYS, COMMAND.COM
라. COMMAND.COM, AUTOE×EC.BAT, CONFIG.SYS

99__ 다음 중 인터넷 검색엔진의 종류가 아닌 것은?

가. YAHOO
나. Gala×y
다. 심마니
라. MIME

해답 95. 가 96. 라 97. 다 98. 다 99. 라

100_ ROM에 상주하는 마이크로컴퓨터 운영체제내의 작은 프로그램이며, 시스템이 시동될 때 실행되어 주깅덕장치를 검사하며, 시스템 디스크에 있는 부트(boot)라고 하는 운영 체제의 일부분을 RAM에 적재하게 하는 것은?

가. 모니터(monitor) 프로그램
나. 부트스트랩(bootstrap)
다. 마이크로 프로그램(micro program)
라. 부트 프로그램(boot program)

101_ ASME Sec. V, Art.24 SE165에 의하면 다음 결함 중 침투탐상시험으로 검출할 수 없는 결함은?

가. 단조겹침   나. 크레이터균열
다. 그라인딩균열   라. 비금속 내부 개재물

[해설] 침투탐상검사는 표면결함을 검출할 수 있다.

102_ ASME Sec. V 에 따라 원자력발전 부품에 형광침투탐상시험을 적용 시 검사체의 표면 온도가 30℉일 때 다음 중 맞는 내용은?

가. 현상제를 30℉로 맞춘 후 시험한다.
나. 부품을 50℉~125° 범위로 맞춘 후 시험한다.
다. 침투탐상제를 30℉로 맞춘 후 시험한다.
라. 방사선투과검사법을 적용해야 한다.

[해설] ASME에서 표준온도 범위는 50~125℉이다.

103_ KS B 0816에 따라 형광침투액의 제거 확인에 필요한 시험면에서의 최소 자외선 강도는?

가. $800\mu W/cm^2$ 나. $1500\mu W/cm^2$
다. $2000\mu W/cm^2$ 라. $2500\mu W/cm^2$

[해설] 관찰시 자외선의 강도 : • KS B 0816 : $800\mu W/cm^2$ 이상
• KS W 0914 : $1200\mu W/cm^2$ 이상   • ASME sec v art 6 : $1000\mu W/cm^2$ 이상

해답   100. 가 101. 라 102. 나 103. 가

104_ KS B 0816에서 선상 침투지시모양이란? (단, 갈라짐에 의한 침투지시모양)

가. 길이가 나비의 3배 이상인 지시
나. 길이가 나비의 3배 이하인 지시
다. 길이가 나비의 5배 미만인 지시
라. 결함이 선상 여러 개 존재하는 지시

105_ KS B 0816에 따른 침투탐상시험에서 현상처리 전에 건조처리가 요구되는 시험법은?

가. 용제제거성 형광 침투액, 무현상법
나. 용제제거성 형광 침투액, 습식현상법
다. 후유화성 형광 침투액, 속건식현상법
라. 후유화성 염색 침투액, 습식현상법

[해설] 현상처리전 시험면이 건조되어야 하는 현상방법은 건식현상법, 속건식 현상법이 있다.

106_ KS B 0816에 의한 침투지시모양이 분류 시 독립침투지시 모양의 분류에 해당되지 않는 것은?

가. 분산 침투지시모양
나. 선상 침투지시모양
다. 원형상 침투지시모양
라. 갈라짐에 의한 침투지시모양

[해설] 독립침투지시모양에는 선상침투지시모양, 원형상침투지시모양, 갈라짐에 의한 침투지시모양으로 분류한다.

107_ API 650 강제유류 저장탱크 용접부 침투탐상시험의 판정기준에 대한 설명이다 틀린 것은?

가. 모든 관련 선형지시는 불합격이다.
나. 3/16인치 이상 되는 관련 원형지시는 불합격이다.
다. 이웃 불연속 모서리사이의 간격이 1/16인치이하로 분리되어 일직선상에 4개 이상으로 배열되어 있는 원형지시는 불합격이다.
라. 지시는 실제 불연속의 크기보다 크게 나타날 수 있지만 판정시에는 실제 불연속의 크기로 판정기준에 따라 평가해야 한다.

[해답] **104.** 가 **105.** 다 **106.** 가 **107.** 라

108_ KS B 0816에 의한 강용접부의 침투탐상시험시 침투시간은 시험면의 온도가 15~50°C 의 범위에서 최소 몇 분으로 하는가?

가. 5분　　　　　　　　　　나. 7분

다. 10분　　　　　　　　　　라. 15분

109_ KS B 0816에서는 결함지시 모양이 거의 동일선상에 연속하여 존재하고 그 상호간의 거리가 일정거리 이하이면 상호간의 거리를 포함하여 연속된 하나의 지시모양으로 간 주한다. 이 규격에서 정한 일정거리는?

가. 1mm 이하　　　　　　　　나. 2mm 이하

다. 3mm 이하　　　　　　　　라. 4mm 이하

[해설] 동일 직선상에 존재하는 결함과 결함과의 간격이 2mm이하인 경우 연속결함으로 분류하고 결함길이는 결함의 개개의 길이 및 상호거리를 합친값으로 한다.

110_ 소형 자동차 부품을 수세성 염색침투탐상시험 할 때 ASTM E 165에서 권고하는 건조로 의 최대 허용 온도는?

가. 80°F　　　　　　　　　　나. 125°F

다. 160°F　　　　　　　　　　라. 200°F

111_ KS B 0816에 규정된 사용하는 침투액에 따른 분류가 잘못된 것은?

가. V : 염색침투액　　　　　　나. F : 형광침투액

다. DV : 이원성 염색침투액　　라. DF : 특수침투액

112_ KS W 0914에서 규정하는 유화제의 제거성을 점검하는데 사용하는 규격은?

가. ASTM D 95　　　　　　　나. MIL STD 45662

다. MIL STD 792　　　　　　라. MIL I 25135

해답　108. 가　109. 나　110. 나　111. 라　112. 라

113_ KS W 0914에 의한 침투탐상시험 시 건식현상제의 최대 허용체류시간은?

가. 1시간
나. 2시간
다. 3시간
라. 4시간

해설 [체류시간]
- 건식현상제 : 최소 10분-최대 4시간
- 무현상법 : 최소 10분 - 최대 2시간
- 비수성현상제 : 최소 10분 - 최대 1시간
- 습식현상법 : 최소 10분 - 최대 2시간

114_ ASME Sec V ART.6에서 규정한 과잉침투제 제거용 물의 온도로 다음 중 적합한 것은?

가. 100℉
나. 120℉
다. 140℉
라. 160℉

115_ ASTM E 165에서 규정한 침투액 제거용 물의 적정 온도범위는?

가. 10~38˚C
나. 18~50˚C
다. 30~50˚C
라. 22~55˚C

116_ 인터넷에 대한 설명으로 거리가 먼 것은?

가. 전세계의 컴퓨터를 하나의 거미줄과 같이 만들어 놓은 컴퓨터 네트워크 통신망이다.
나. 인터넷에 연결되어 있는 컴퓨터의 수는 InterNIC에서 매일 정확히 집계된다.
다. TCP/IP라는 통신 규약을 이용해 전세계의 컴퓨터를 연결하고 있다.
라. 인터넷을 "정보의 바다"라고도 표현한다.

117_ 다음 중 통신에서 데이터 신호 속도를 나타내는 단위는?

가. mps
나. bit
다. bps
라. word

해답 113. 라 114. 가 115. 가 116. 나 117. 다

118_ 다음 중 ( ) 안에 적절한 용어로 짝지어진 것은?

"인터넷은 정보를 제공하는 (ⓐ) 컴퓨터와 정보를 접근하는 (ⓑ) 컴퓨터 사이에 고유한 (ⓒ)을(를) 사용하여 통신을 주고 받는다."

가. ⓐ 클라이언트, ⓑ 서버, ⓒ 프로토콜
나. ⓐ 서버, ⓑ 클라이언트, ⓒ 프로토콜
다. ⓐ 프로토콜, ⓑ 서버, ⓒ 클라이언트
라. ⓐ 클라이언트, ⓑ 프로토콜, ⓒ 서버

119_ 프로그램을 실행파일로 만들기 위하여 에러를 검출하고 그 위치를 알아내어 고치는 것을 의미하는 것은?

가. 목적모듈   나. 번역
다. 디버깅   라. 문서화

120_ 인터넷에서 어떤 사이트를 연결하면 연결한 사이트에 대한 데이터를 하드 디스크에 저장하게 된다. 인터넷 익스플러의 경우 이 데이터를 저장하는 폴더의 이름은?

가. WORK   나. My Documents
다. TEMP   라. Temporary Internet Files

해답   118. 나   119. 다   120. 라

침투(PT)탐상검사 문제 - 2006년 기사

1__ 균열 검출에 사용되는 두 종류의 침투제에서 그들의 감도를 비교하는 방법으로 올바른 것은?

가. 비중을 측정하기 위해 비중계를 사용한다.
나. 균열이 존재하는 알루미늄 시편을 사용한다.
다. 접촉각을 측정한다.
라. 표면 장력을 측정한다.

[해설] 탐상제의 성능점검은 대비시험편을 이용한다.

2__ 어떤 하중 하에서 결함의 위치나 동적인 결함의 성장을 탐지할 수 있는 비피괴 시험방법으로 다음 중 맞는 것은?

가. 방사선투과시험   나. 초음파탐상시험
다. 레이저 홀로그라피   라. 음향방출시험

3__ 다음 중 자외선의 파장 3,650Å과 동일한 것은?

가. 350nm   나. 3650nm
다. 36.5nm   라. 3.65nm

[해설] $1Å = 10^{-10}m = 10^{-9} \cdot 10^{-1}m = 0.1nm$

해답   1. 나 2. 라 3. 가

4_ 염색 침투탐상검사의 탐상원리에 속하지 않는 것은?

가. 작은 불연속일 경우에는 침투시간이 길어진다.

나. 지시는 자외선등에 조사되었을 때 빛을 발산한다.

다. 침투제가 불연속에서 씻겨나갈 경우에는 지시가 나타나지 않는다.

라. 침투제는 지시를 나타내기 위해 불연속에 침투한다.

[해설] 염색침투탐상검사시 지시의 관찰은 가시광선하에서 한다.

5_ 침투탐상검사 시험편의 사용 목적은?

가. 검사체의 온도를 비교, 점검하기 위해 사용한다.

나. 침투제의 성능을 비교, 점검하기 위해 사용한다.

다. 관련지시와 비관련지시를 비교, 점검하기 위해 사용한다.

라. 표면조건을 비교, 점검하기 위해 사용한다.

6_ 담음 중 침투 시간에 가장 영향을 많이 주는 날씨의 인자는?

가. 온도   나. 습도

다. 풍속   라. 날씨에 영향 받지 않는다.

[해설] 침투제의 침투속도에 영향을 주는 요인으로는 점성이 있는데 점성이 높으면 침투속도가 느려지므로 침투시간을 길게 주어야 한다. 또한 점성은 온도에 따른 변수이므로 같은 물질도 온도가 낮아지면 점성이 높아지고 온도가 높아지면 점성이 낮아진다.

7_ 침투제의 물리, 화학적 특성을 설명한 것으로 다음 중 옳은 것은?

가. 침투제는 매우 빨리 건조되어야 한다.

나. 침투제는 쉽게 제거되어서는 안된다.

다. 침투제는 점성이 높아야 한다.

라. 침투제는 침윤력이 우수해야 한다.

해답   4. 나 5. 나 6. 가 7. 라

8_ 다음 중 용제제거성 염색침투탐상시험으로 결함을 검출하는데 가장 부적합한 경우는?

가. 아주 미세한 균열의 탐상　　　나. 대형품이나 구조물의 부분적 탐상
다. 수도나 전기시설이 없는 경우　　라. 시험장소를 어둡게 하기 곤란한 경우

[해설] VC의 장점은 수도나 전기시설이 필요없이 가시광선하에서 관찰이 용이한 점은 있으나 미세한 결함을 검출하기에
는 감도가 높지 않다.

9_ LOX(액체산소)사용 시험품을 후처리 방법 중 알맞은 것은?

가. 증기세척　　　　　　　　　　나. 세제세척
다. 알콜세척　　　　　　　　　　라. 주문주의 시방서에 따라

10_ 후유화성 형광침투탐상법의 장점이 아닌 것은?

가. 불연속 지시의 밝기가 높다.
나. 수세성 방법에 비하여 산이나 크롬의 영향이 크다.
다. 침투 시간이 비교적 짧다.
라. 수세성으로는 발견할 수 없는 넓고 얕은 결함을 잘 검출할 수 있다.

[해설] 결함의 검출감도가 높기 때문에 불연속지시의 가시도가 뛰어나며 유화제가 포함되어 있지 않으므로 침투시간을
단축시킬 수 있으며 넓고 얕은 불연속 검출에 용이하다.

11_ 침투액의 적심성(Wetting Ability)을 옳게 나타낸 것은?

가. 침투액이 검사표면을 적시는 능력　나. 침투액의 침투 조건
다. 침투액의 침투 속도　　　　　　　라. 침투액의 증발 능력

[해설] 침투제의 침투력을 결정하는 요인으로는 표면장력, 적심성, 접촉각이 있다.

12_ 다음 중 모세관 현상을 결정하는 요인이 아닌 것?

가. 응집력　　　　　　　　　　　나. 점착력
다. 분무성　　　　　　　　　　　라. 표면장력

해답　8. 가　9. 라　10. 나　11. 가　12. 다

13_침투탐상시험에서 침투율을 조절할 수 있는 물리적 특성으로 다른 특성보다 침투력에 가장 큰 영향을 미치는 것들의 조합은?

가. 침투제의 표면장력과 점성
나. 침투제의 점성과 휘발성
다. 침투제의 휘발성과 인화성
라. 침투제의 적심성과 휘발성

14_표면에 있는 과잉 침투제 제거 시 바람직한 세척 방법은?

가. 결함내에 있는 침투제는 약간 제거되어도 되고 이외의 표면에 있는 침투제는 최소가 되도록 한다.
나. 결함내에 있는 침투제는 약간 제거되어도 되고 이외의 표면에 있는 침투제는 완전히 제거가 되어야 한다.
다. 결함내에 있는 침투제는 제거가 되어서는 안되고 이외의 표면에 있는 침투제는 최소가 되도록 한다.
라. 결함내에 있는 침투제는 제거가 되어서는 안되고 이외의 표면에 있는 침투제는 완전히 제거가 되어야 한다.

[해설] 결함부위의 침투제는 제거되어서는 안되며 결함이외의 백그라운드는 침투제가 남아있지 않아야 한다.

15_다음 중 수세성 침투액의 제거방법으로 가장 적당한 것은?

가. 3.5kgf/㎠ 이하의 저압으로 물을 분사시켜 세척한다.
나. 3.5kgf/㎠ 이상의 고압으로 물을 분사시켜 깨끗하게 세척한다.
다. 거즈에 물을 묻혀 깨끗하게 닦아낸다.
라. 수조에 담그어 깨끗하게 세척한다.

[해설] 과세척시 얕거나 폭이 넓은 결함이 나타나지 않을 수 있다.
• KS B 0816-275kpa 이하의 압력으로 세척
• ASME sec V-345kpa 이하의 압력으로 세척

[해답] **13.** 가 **14.** 라 **15.** 가

16_침투탐상시험에 사용하는 이상적인 침투제의 조건으로 틀린 것은?

가. 매우 미세한 개구부에도 쉽게 침투되어야 한다.
나. 증발이나 건조가 너무 빠르지 말 것
다. 얕거나 벌어져 있는 개구부에서도 쉽게 세척되어야 한다.
라. 얇은 도포막을 형성하여야 한다.

[해설] 결함부위의 침투제는 제거되어서는 안된다.

17_침투탐상시험에서 침투액과 용제(solvent)에 함유된 황이나 염소의 함량은 제한한다. 다음 중 특히 사용상 제한을 하는 재질은?

가. 알루미늄 합금
나. 니켈 합금
다. 마그네슘 합금
라. 동 합금

[해설] 고온에서 취성이나 부식을 일으킬 염려가 있기 때문에 티탄합금은 불소, 오스테나이트 스테인레스는 염소, 니켈합금은 황에 대하여 불순물을 제한한다.

18_침투제의 적용에 앞서서 시행하는 부품의 세척 방법에는 여러 가지가 있는데 이 중 현실적으로 권고되고 있는 방법은?

가. 샌드 또는 그리트(grit)브라스팅
나. 용제 또는 화학물질이 들어있는 탱크
다. 증기세척
라. 물과 청정제가 혼합된 미체를 이용한 기계처리

[해설] 연질의 재료에서 기계적 전처리 방법을 사용하게 되면 불연속부를 메워 버릴 우려가 있다.

19_실물 및 모델에서 측정 가능하며, 실물의 전체적 스트레인 분포를 조사하는데 널리 이용되고, 정량화가 곤란한 응력 변형률 측정법은?

가. 격자법
나. 응력도료막법
다. 홀로그라피법
라. X선 응력측정법

해답 **16.** 다 **17.** 나 **18.** 다 **19.** 나

20_ 주조품에서 수축균열이 발생하는 부위는 주로 어느 곳인가?

가. 합금원소의 분포가 균일하지 못한 곳
나. 얇은 곳
다. 두꺼운 곳
라. 두께변화가 심한 곳

21_ 다음 중 침투탐상시험법의 장점이 아닌 것은?

가. 원리가 간단하고, 검사가 용이하다.
나. 검사의 적용이 비교적 간단하다.
다. 적용에 있어서 시편 크기나 모양에 거의 무관하다.
라. 비파괴검사에서 구할 수 있는 모든 종류의 결함검출이 가능하다.

[해설] [장점]
① 철강 및 비철금속, 플라스틱, 세라믹과 같은 비금속 등 대부분의 고체 재료에 적용할 수 있다.
② 시험체의 형상과 크기에 관계없이 검사할 수 있고 소형제품도 검사할 수 있다.
③ 시험체의 자성에 관계없이 적용할 수 있다.
④ 대형시험체의 국부적인 검사가 가능하고 다량의 소형부품을 동시에 검사할 수 있다.
⑤ 1회의 검사로 검사면적 전체를 탐상할 수 있다.
⑥ 불연속의 평가가 비교적 쉽다.
[단점]
① 다공성 재료나 흡수성 재료에는 적용할 수 없다.
② 표면조건에 영향을 많이 받으므로 표면이 거친 검사체에는 적용할 수 없거나 평가가 곤란하다.

22_ 침투탐상시험에서 결함지시모양을 기록하는 방법이 아닌 것은?

가. 사진에 의한 기록
나. 접착 테이프에 의한 전사
다. 각인에 의한 기록
라. 스케치에 의한 기록

[해설] 기록방법에는 사진, 전사, 스케치

23_ 다음 중 단조품을 후유화제법으로 침투탐상시험할 때 침투시간을 가장 많이 주어야 하는 재질은? (단, 온도 범위는 18~32℃이며, 기타 조건은 같다고 가정한다.)

가. 알루미늄
나. 마그네슘
다. 스테인리스 스틸
라. 티타늄

해답   20. 라 21. 라 22. 다 23. 다

24_ 속건식 현상제에 사용되는 백색 분말의 재료로 사용되지 않는 것은?

가. 산화마그네슘(MgO)
나. 산화칼슘(CaO)
다. 산화티탄(TiO_2)
라. 산화알루미늄(Al_2O_3)

25_ 침투탐상시험시 용접 크레이터(Crater) 균열은 통상적으로 어떤 모양의 지시로 나타나는가?

가. 방사형 지시
나. 미세한 선형지시
다. 작고 가는 균열
라. 단속적인 거짓지시

[해설] 용접을 종료하거나 시작하는 부위에서 수축에 의해 발생하는 분화구 모양 및 원형지시모양의 균열이다.

26_ 침투탐상시험시 세라믹의 기공에 의한 불연속지시는 금속의 기공에 의한 불연속 지시와 비교하여 어떻게 나타나겠는가? (단, 다른 검사 조건은 모두 동일)

가. 금속의 기공에 의한 지시보다 더욱 선명하게 나타난다.
나. 재료에 무관하게 금속의 기공에 의한 지시와 거의 동일하게 나타난다.
다. 금속의 기공에 의한 지시보다 훨씬 흐리게 나타난다.
라. 균열의 지시모양처럼 선형으로 예리하게 나타난다.

27_ 방사선투과시험(RT)과 초음파탐상시험(UT)를 비교 설명한 것이다. 틀린 것은?

가. 일반적으로 RT는 투과법을, UT는 펄스 반사법을 이용한다.
나. RT는 건전부과 결함부위의 투과선량이 같고, UT는 건전부에서는 반사파가 생기지 않지만 결함 부위에서는 반사파가 생긴다.
다. RT는 방사선의 진행 방향에 평행한 방향의 결함검출이 쉽고, UT는 초음파의 진행 방향에 수직인방향의 결함검출이 쉽다.
라. 내부 터짐(crack)을 검출하는 데는 UT가 RT보다 성능이 우수하다.

28_ 침투탐상시험시 사용하는 자외선조사등의 필터를 통과하는 자외선의 파장은?

가. 3650 Å
나. 5500 Å
다. 6500 Å
라. 8500 Å

해답 **24.** 라 **25.** 가 **26.** 나 **27.** 나 **28.** 가

29_ 단속적으로 용접이 된 단조겹침(Partlally Welding Forging Lap)에서 나타날 수 있는 지시의 형태는?

　가. 지시가 나타나지 않는다.
　나. 애무 가늘고 연속된 선으로 나타난다.
　다. 넓고 연속적인 선으로 나타난다.
　라. 불연속으로 단속적인 선으로 나타난다.

　[해설] 초승달 모양, 물결모양 등의 희미하고 불규칙한 단속선형지시를 나타낸다.

30_ 부적절한 전처리로 인해 시험체 표면에 산성을 띠는 불순물이 존재하면 어떠한 현상이 발생되는가?

　가. 형광휘도가 상승한다.　　　　나. 침투제 성능이 저하된다.
　다. 결함 판독이 불가능하다.　　　라. 세척 능력이 떨어진다.

　[해설] 산, 부식제, 크롬산에 의한 오염은 침투제의 침투능력에 역효과를 미치고 형광침투제의 형광성을 저하시킨다.

31_ 침투탐상시험에 사용되는 침투액의 특성으로 잘못된 것은?

　가. 색채콘트라스트가 높아야 한다.　　나. 인화점이 낮아야 한다.
　다. 중성이어야 한다.　　　　　　　　라. 형광휘도가 높아야 한다.

　[해설] ① 폭 또는 직경이 작은 결함에도 침투능력이 있을 것
　　　　 ② 백그라운드와 높은 콘트라스트를 나타내는 색 또는 형광을 가지고 있을 것
　　　　 ③ 독성이 적을 것
　　　　 ④ 저장안정성이 좋을 것
　　　　 ⑤ 화학적으로 중성이어야 한다.
　　　　 ⑥ 온도변화와 빛에 대하여 안정성이 있을 것

32_ 다음 결함 중 사용 중 결함인 것은?

　가. 슬래그 개재물　　　　　　　나. 응력 부식 균열
　다. 겹침　　　　　　　　　　　라. 기공

　[해설] 사용 중 발생할 수 있는 불연속으로는 피로균열, 피로부식, 침식, 피팅, 마모, 부풀음 등이 있다.

해답　29. 라　30. 나　31. 나　32. 나

33_ 다음 중 전원이 없는 곳에서 이용할 수 있는 비파괴검사법의 올바른 조합은?

가. X선을 이용한 방사선 투과검사, 수세성 형광침투탐상검사
나. γ선을 이용한 방사선투과검사, 용제제거성 염색침투탐상검사
다. 코일법을 이용한 자분탐상검사, 관통법을 이용한 와전류탐상검사
라. 수침법을 이용한 초음파탐상검사, 전기저항을 이용한 응력측정

34_ 다른 침투탐상시험과 비교하여 용제제거성 염색침투탐상 시험의 주된 단점은?

가. 탐상감도가 낮은 것이 단점이다.
나. 전원을 필요로 하는 단점이 있다.
다. 규정된 거치식 장비를 구비해야 하는 단점이 있다.
라. 일광 또는 백열등 하에서 시험할 수 없는 단점이 있다.

35_ 침투탐상시험에서 습식현상제의 적용 후 이에 대한 건조 방법으로서 가장 우수한 방법은?

가. 흡수가 잘되는 흡수지로 표면을 살며시 문질러서 방치해 둔다.
나. 실내 온도 근처에서 천천히 건조되도록 방치해 둔다.
다. 실내 온도에서 공기를 불어 내어 급속히 건조시킨다.
라. 헤어드라이나 열풍기 등으로 열풍을 순환시켜 건조시킨다.

해설 습식현상제의 건조방법은 열풍건조, 속건식현상제의 건조방법은 자연건조

36_ 침투액의 성질은 점성, 표면장력, 적심성의 3가지 변수에 의해 침투인자가 결정된다. 점성의 변수에 영향을 받는 동적침투인자(KPP)를 나타내는 식은? (단, r : 표면장력, θ : 접촉각, n : 점성을 나타낸다.)

가. $KPP = r \cdot n / \cos \theta$
나. $KPP = r \cdot \cos \theta / n$
다. $KPP = n \cdot \cos \theta / r$
라. $KPP = r \cdot n \cdot \cos \theta$

해설 $KPP = r \cdot \cos \theta / n$, $SPP = r \cdot \cos \theta$

해답 **33.** 나 **34.** 가 **35.** 라 **36.** 나

37_ 알루미늄 제품의 표면검사를 목적으로 하는 비파괴시험법으로 조합된 것은?

가. 자분탐상시험, 와전류탐상시험, 음향방출시험
나. 와전류탐상시험, 침투탐상시험, 자기변형음향방출시험
다. 침투탐상시험, 육안시험, 와전류탐상시험
라. 육안시험, 자분탐상시험, 전자초음파시험

38_ 다음 중 비파괴시험 결과의 신뢰성을 보증하기 위한 대책과 거리가 먼 것은?

가. 자동화 시험의 수동과 유도
나. 자격제 시행에 의한 시험인력관리
다. 정기적인 기기 성능 관리
라. 정량화된 결함 평가 기술 개발

39_ 모세관현상에 의해 튜브 내에 있는 액체는 자발적으로 벽을 타고 올라 간다. 다음 중 이러한 현상과 유사한 내용은?

가. 액체끼리의 혼합
나. 균열속으로의 액체 침투
다. 액체의 증발 현상
라. 액체의 화학적 변화

40_ 사용중인 침투제의 성능 점검을 1차적으로 간단히 할 수 있는 시험방법은?

가. 침투액의 비중을 측정하여 점검한다.
나. 침투액의 점성을 측정하여 점검한다.
다. 대비시험편을 사용하여 비교시험한다.
라. 메니커스(Menicus) 시험으로 점검한다.

해답 **37.** 다 **38.** 가 **39.** 나 **40.** 다

41_ 침투탐상시험에 사용되는 일반적인 자외선등의 종류는?

가. 고압 백열등
나. 튜브형 BL 형광 램프
다. 밀봉된 수은등 램프
라. 금속제 탄소아크 전구

42_ 다음 중 침투탐상검사의 장점이라고 할 수 없는 것은?

가. 시험방법이 비교적 간단하다.
나. 의사지시가 적어 판독이 용이하다.
다. 국부적인 검사가 가능하다.
라. 재질에 관계없이 모든 재질의 표면검사가 가능하다.

해설 [장점]
① 철강 및 비철금속, 플라스틱, 세라믹과 같은 비금속 등 대부분의 고체 재료에 적용할 수 있다.
② 시험체의 형상과 크기에 관계없이 검사할 수 있고 소형제품도 검사할 수 있다.
③ 시험체의 자성에 관계없이 적용할 수 있다.
④ 대형시험체의 국부적인 검사가 가능하고 다량의 소형부품을 동시에 검사할 수 있다.
⑤ 1회의 검사로 검사면적 전체를 탐상할 수 있다.
⑥ 불연속의 평가가 비교적 쉽다.
[단점]
① 다공성 재료나 흡수성 재료에는 적용할 수 없다.
② 표면조건에 영향을 많이 받으므로 표면이 거친 검사체에는 적용할 수 없거나 평가가 곤란하다.

43_ 침투탐상시험 결과 시편 표면에 나타나는 둥근 지시모양은 어떤 것에 기인된 것인가?

가. 핫티어(hot tear)
나. 피로 터짐(fatigue crack)
다. 기공(gas holes)
라. 용접 겹침(weld laps)

44_ 형광침투탐상에 쓰이는 형광물질은 다음 중 어느 파장에 가장 민감한가?

가. 39000 Å
나. 3650 Å
다. 4650 Å
라. 100 Å

해답 41. 다 42. 나 43. 다 44. 나

45_ 건조처리는 세척처리방법과 현상법에 따라 다르다. 그 적용시기의 조합이 틀린 것은?

가. 습식현상법-세척처리 후 건조처리

나. 건식현상법-세척처리 후 건조처리

다. 속건식현상법-세척처리 후 건조처리

라. 무현상법-세척처리 후 가열처리

46_ 다음의 불연속 중 침투탐상시험법으로 검출할 수 없는 것은?

가. 표면기공

나. 표면균열

다. 표면직하 기공

라. 금속튜브의 누설

[해설] 침투탐상검사는 표면결함검출, 자기탐상검사는 표면이나 표면하결함 검출이 이용된다.

47_ 유화제를 적용할 때 붓칠로 유화제의 적용을 권고하지 않는 가장 큰 이유는?

가. 붓칠 적용은 침투액과 유화제의 혼합을 너무 빠르고 불규칙하게 하고 유화시간을 정확하게 조절하는 것을 불가능하게 하므로

나. 붓칠로 적용하면 위험하지는 않지만, 붓의 재료와 유화제가 혼합되어 침투액과 검사체에 오염을 초래해서

다. 검사하는 동안 붓칠에 의해서 줄무늬를 나타나게 하므로

라. 붓칠에 의해서 검사체의 도포를 항시 완전하게 할 수 없으며, 검사체의 부분세척을 어렵게 하므로

48_ 침투탐상시험 시 VC-S 방법은 많이 사용하나 VC-D 방법은 사용빈도가 낮은 가장 큰 이유는?

가. 조작이 복잡하다.

나. 침투액 흡수가 나쁘다.

다. 분말 비산이 심하다.

라. 대조가 용이하지 않다.

[해설] 염색침투제를 사용하는 경우 건식현상법, 무현상법, 수용성습식현상법은 적절한 명암도가 이루어지도록 현상제가 표면에 도포되기 어렵기 때문에 제한하고 있다.

해답　**45.** 가　**46.** 다　**47.** 다　**48.** 가

49_ 결함의 관찰 중 주의하여야 하는 의사지사의 원인이 아닌 것은?

가. 리벳 이음부 나사산의 지시 나. 표면에 붙은 산화 스케일
다. 기계적 불연속 지시 라. 다공성 재료의 지시

해설 기계적 불연속지시는 진지시에 해당된다.

50_ 침투탐상시험의 현상제 성능검사에 대한 설명 중 틀린 것은?

가. 건식 현상제는 육안으로 관찰한다.
나. 습식 현상제는 비중계로 농도를 측정한다.
다. 건식 현상제는 감도시험을 실시해야 한다.
라. 습식 현상제는 그 제조회사의 권고치와 같으면 사용해도 좋다.

51_ 수도, 전원 설비가 없는 장소에서 침투탐상시험을 실시할 경우 다음 어느 침투액을 사용하는 것이 좋은가?

가. 용제제거성 염색침투액 나. 용제제거성 형광침투액
다. 후유화성 염색침투액 라. 후유화성 형광 침투액

52_ 시험체의 표면온도가 과다하게 높은 경우 침투탐상시험에서 유발되는 가장 직접적인 문제는?

가. 침투제의 점도가 매우 커지게 된다.
나. 침투제의 표면장력이 증가하게 된다.
다. 접촉각이 증가하게 된다.
라. 침투제의 휘발성 재료가 소실하게 된다.

53_ 침투탐상검사의 레이저빔 스캐닝(Laser beam scannig) 장비를 사용하여 검사할 때 적정한 레이저빔의 직경은?

가. 1㎛ 나. 1㎜
다. 1㎝ 라. 10㎝

해답 49. 라 50. 다 51. 가 52. 라 53. 나

54_ 침투제의 성능을 조사하기 위한 일반적인 방법은?

가. 침투액의 점도 조사
나. 침투액의 적심성 조사
다. 침투액의 휘발성 조사
라. 인공결함 시험편의 두 부분을 비교 조사

해설 대비시험편을 이용하여 탐상제의 성능점검을 실시하고 있다.

55_ 침투탐상시험 결과 무관련 지시가 많이 나타나는데 이에 대한 가장 큰 원인으로 볼 수 있는 것은?

가. 불충분한 침투시간
나. 불충분한 침투제의 제거
다. 부적당한 열처리
라. 과도한 침투시간

해설 침투시간이 너무 짧으면 결함부에 침투제가 충분히 들어가지 못하므로 결함검출이 안될 수 있으며 침투제의 제거 처리가 불충분한 경우 불연속부 이외의 부분에서 과도한 배경지시 형성으로 인한 의사지시가 형성될 수 있다.

56_ 다음 중 침투제나 현상제의 잔유물을 제거해 주는 후처리 과정이 필수적으로 요구되는 경우는?

가. 다음의 공정이나 부품의 운전에 방해가 될 수 있는 경우
나. 배경 색깔과 비교가 되는 경우
다. 빨려 나온 침투제의 유화과정에 도움을 줄 수 있는 경우
라. 격자형 구조물의 형성을 촉진시켜 줄 수 있는 경우

해설 남은 잔류물로 인해 시험편에 마모를 일으키거나 부식을 일으킬 염려가 있는 경우에 후처리를 실시하고 있다.

57_ 용제 제거성 염색침투탐상시험에서 잉여 침투액을 제거하기 위한 세척액이 지녀야 할 가장 중요한 기능?

가. 유기 용제의 기능
나. 확산의 기능
다. 표면장력을 증가시키는 기능
라. 점착력을 증가시키는 기능

해답 54. 라 55. 나 56. 가 57. 가

58
100,000ℓ 용량의 저유 탱크가 건설 중에 있다. 건설시방서에는 용접부위에 대하여 염색 침투탐상시험 및 내압시험을 실시해야 한다고 명시되어 있다. 침투탐상시험과 내압시험을 실시하는 시기로 제일 적당한 방법은?

가. 압력시험은 침투탐상시험 전에 행하여야 한다.

나. 침투탐상시험은 압력시험 전에 실시해야 한다.

다. 압력시험에서 발견된 부위만을 보수 후 침투탐상시험을 행한다.

라. 압력시험 전후에 걸쳐 침투탐상시험을 실시하는 것이 원칙이다.

59
나사부의 침투탐상시험으로 가장 적합한 검사 방법은?

가. 형광침투 용제법

나. 염색침투 유화제법

다. 염색침투 수세법

라. 형광침투 유화제법

60
침투탐상시험을 할 때 침투시간은 온도에 따라 어떻게 해야 하는가?

가. 3~50℃ 범위내에서는 온도를 고려하여 침투시간을 줄이고, 온도가 내려가면 침투시간을 늘리며, 이 온도 범위를 벗어나면 침투액의 종류 등을 고려하여 정한다.

나. 3~15℃의 온도 범위에서 온도가 올라가면 침투시간을 줄이고 온도가 내려가면 침투시간을 늘려야 한다.

다. 15~50℃의 온도범위를 표준으로 하여 침투시간을 정한다.

라. 3~50℃에서는 일정한 침투시간 적용하고 이 위를 벗어나면 시험체의 온도에 따라 침투시간을 따로 정한다.

61
형광침투탐상시험의 경우 결함지시모양의 관찰에 사용되는 자외선등의 입사파장을 A라 하고, 형광침투액과 자외선등이 반응하여 발생시키는 형광의 파장을 B라고 할 때 A와 B의 파장범위로 옳은 것은?

가. A : 320-400㎚, B : 365-390㎚

나. A : 350-400㎚, B : 470-580㎚

다. A : 630-740㎚, B : 350-400㎚

라. A : 570-820㎚, B : 450-570㎚

[해설] 블랙라이트 입사파장은 자외선파장대의 범위, 관찰시 반사파장은 가시광선 파장의 범위

[해답] 58. 나 59. 다 60. 다 61. 나

62_ 용제제거성 침투액에 의한 탐상시험에서 결함탐상이 잘 안되는 것을 피하기 위해 다음 중에서 가장 주의해야 할 사항은?

가. 유화제의 과량 사용을 피한다.
나. 세척제의 과량 사용을 피한다.
다. 침투시간이 너무 길지 않았나 확인한다.
라. 과잉침투액의 세척이 잘되었는지 확인한다.

63_ 후유화성 형광침투액의 피로에 대한 점검이 필요할 때 실시하는 점검 항목이 아닌 것은?

가. 형광휘도   나. 감도
다. 수세성   라. 수분함유량

64_ 용제제거성 형광침투탐상시험에 대한 설명 중 틀린 것은?

가. 용제제거성 염색침투탐상시험보다 검출 감도가 높다.
나. 시험 장소는 어두워야 하며 자외선조사등이 필요하다.
다. 대형 부품, 구조물의 전체 탐상에 적합하다.
라. 수도시설이 불필요하다.

[해설] 부분탐상에 많이 이용된다.

65_ 다음 중 침투탐상시험의 유화처리에 대한 설명으로 적절치 않은 것은?

가. 시험면에 침투처리하고 소정의 침투시간이 경과 한 후 수세성을 주기 위해 유화제를 도포처리 하는 과정이다.
나. 시험면에 유화제를 적용한 후에는 유화제와 침투제가 잘 혼합되도록 흔들어 주거나 휘저어 섞어준다.
다. 유화처리 방법은 시험품을 유화제 중에 침적하던가 시험면에 잘 뿌려주는 방법을 선택한다.
라. 유화처리란 세척처리를 할 때 안정된 유화현상을 촉진, 물로 세척하기 용이하도록 하는 작업이다.

[해설] 물세척 가능하도록 하기 위해 처리하는 과정으로 폭이 넓거나 얕은 결함검출을 위해 후유화기법이 사용된다.

[해답] **62.** 나 **63.** 라 **64.** 다 **65.** 나

66_ 침투제가 물에 오염되었을 때 물에 대한 침투제의 감도를 측정하는 방법은?

가. 물방출 통과 시험(Water drop-through test)
나. 액체 비중계 시험(Hydrometer test)
다. 사진 형광계 시험(Photofluorometer test)
라. 수분함량 시험(Qater content test)

67_ 다음 중 침투탐상시험하기 가장 용이한 표면 거칠기는?

가. 0.8S   나. 5.0S
다. 6.3S   라. 7.0S

[해설] 시험체의 표면거칠기가 없을수록(매끄러울수록) 침투탐상검사가 용이하다.

68_ 침투탐상시험에 사용되는 세척제가 일반적으로 갖추어야 할 성질로 틀린 것은?

가. 휘발성이 적당하여야 한다.   나. 독성이 적어야 한다.
다. 냄새가 적고 인화점이 낮아야 한다. 라. 중성으로 부식성이 없어야 한다.

69_ 현상제가 결함부에만 부착되어 시간이 경과하여도 결함지시모양의 확대 및 번짐이 적고, 비교적 실제 결함 형태나 크기에 충실한 결함지시모양을 얻을 수 있는 현상법은?

가. 건식현상법   나. 속건식현상법
다. 습식현상법   라. 무현상법

[해설] • 현상제의 분해능 순서 : 건식 > 습식 > 속건식
       • 현상제의 감도순서 : 속건식 > 습식 > 건식
       감도가 높을수록 결함지시모양의 확대 및 번짐이 크다.

70_ 복잡한 형상의 주조품 검사시, 얇은 쪽에 연결되는 부위의 거의 중앙선상에 선형지시가 나타났다면 예상되는 결함은?

가. 겹침   나. 수축공
다. 기공   라. 고온균열

| 해답 | 66. 라 | 67. 가 | 68. 다 | 69. 가 | 70. 나 |

71__ 유화제의 수세성 시험은 강재 시험편과 더불어 사용하던 유화제와 새 유화제 및 새 침투액을 혼합한 2가지 혼합물을 사용하여 시험한다. 이 중 하나는 새 유화제와 새 침투제를 50%씩 섞어 시험하며, 또 다른 방법은 사용하던 유화제와 새 침투제를 섞어 시험하는데 이때의 혼합 비율로 가장 적합한 것은?

　가. 사용하던 유화제 25% : 새로운 침투제 75%
　나. 사용하던 유화제 50% : 새로운 침투제 50%
　다. 사용하던 유화제 75% : 새로운 침투제 25%
　라. 사용하던 유화제 50% : 새로운 침투제 50%

72__ 다양한 재질, 여러 종류의 불연속은 서로 다른 침투시간이 요구된다. 일반적으로 넓고 얕은 불연속에 요구되는 침투시간과 비교했을 때 미세한 균열에 요구되는 침투시간은?

　가. 더 짧게 한다.　　　　　　　나. 더 길게 한다.
　다. 동일하게 한다.　　　　　　　라. 침투시간은 같으나 현상시간을 늘린다.

73__ 사용 중인 현상제에 대한 성능시험을 시행하여 부착상태의 불균일이 생겨 결함지시모양의 식별이 곤란하고 현상성능의 저하가 인정되었을 경우의 처리 방법으로 옳은 것은?

　가. 폐기시킨다.
　나. 새로운 현상제를 25% 첨가하여 재사용한다.
　다. 새로운 현상제를 50% 첨가하여 재사용한다.
　라. 새로운 현상제를 95% 첨가하여 재사용한다.

74__ 침투탐상시험의 관찰 및 판정에 대한 설명이 잘못된 것은?

　가. 습식현상제를 적용한 경우의 관찰은 현상제가 완전히 건조되었을 때 시작한다.
　나. 현상제가 너무 두껍게 적용되었을 때에는 현상제를 제거하고 다시 현상제를 적용한다.
　다. 확실한 판정을 위해 시험 부위를 깨끗하게 닦아낸 후 밝은 조명하에서 확대경을 사용, 육안검사로 확인한다.
　라. 긁힘, 과잉침투제 등으로 인한 의사모양 유무는 일차 판독자의 경험에 의해 분류하고, 적절한 조명하에서 다시 관찰한다.

해답 　71. 다　72. 나　73. 가　74. 나

75_ 다음 중 침투탐상시험 방법으로 검출이 곤란한 불연속은?

가. 단조 겹침

나. 크레이터 균열

다. 이음매(Seams)

라. 비금속 개재물 혼입

[해설] 표면으로부터 열려져 있는 결함의 탐상이 가능하다.

76_ 다음 침투탐상시험법 중 일반적으로 검사가 가장 빠르고 또 세척처리도 가장 간단한 방법은?

가. 용제법에 의한 염색침투탐상시험

나. 수세법에 의한 염색침투탐상시험

다. 용제법에 의한 형광침투탐상시험

라. 수세법에 의한 형광침투탐상시험

77_ 다공질 재료나 세라믹 제품의 표면에 극미립자 분말을 현탁시킨 액체를 적용하면 액체는 검사체 전체 표면에 흡입되지만 표면 균열 개구부에서는 건전부에 비해 보다 많은 미립자 분말이 잔류, 축적된다. 이런 축적된 미립자에 의해 형성된 지시모양으로 결함의 존재 유무를 알 수 있는 침투탐상시험법은?

가. 역형광법

나. 하전입자법

다. 여과입자법

라. 기체 방사성 동위원소법

[해설]
- 여과입자법 : 분말야금법으로 만든 다공성제, 고온에서 방치되었던 세라믹 제품이나 흡수성, 흡습성재료 등의 표면결함을 검사하는 방법이다.
- 하전입자법 : 전도성이 없는 재료의 열린 결함에 약간의 전도도가 있는 액체를 침투시킨 후 표면의 액체를 제거하여 건조시키고, 경질의 고무노즐을 사용하여 탄산칼슘의 미립자 분말을 분사시키면, 입자는 양전하를 띠고, 이전하에 의해 액체중의 음전하를 띤 이온은 액체 표면으로 이동하여 균열은 마치 음전하를 띤 것처럼 되어 양전하를 띤 탄산칼슘 분말입자를 끌어당겨 지시모양을 형성한다.
- 기체방사성동위원소법 : 기체방사성동위원소 크립톤 85를 표면의 열린 결함내에 침투시켜 기체방사성동위원소에서 방사된 β선을 검출하여 결함의 분포와 크기를 아는 시험방법이다.
- 역형광법 : 사진의 음화법의 일종과 같은 형광을 이용한 시험으로 염색침투제를 적용 후 현상제에 낮은 강도의 형광작용을 갖는 현상제를 도포하면 지시모양 자체는 블랙라이트하에서 검은선이나 점으로 나타난다.

78_ 다음 불연속 중 침투탐상검사로 찾아낼 수 없는 것은?

가. 표면 기공

나. 표면 균열

다. 내부 개재물

라. 단조 파열

해답   75. 라   76. 나   77. 다   78. 다

79_ 자외선을 방출하는 자외선 등에 부착된 필터가 제거해야 하는 빛의 종류는?

가. 자연광선
나. 침투제에 의한 형광
다. 등에서 발산하는 가시광선
라. 등에서 발산하는 300Å 이상의 파장을 가진 광선

[해설] 필터를 사용하는 이유는 불필요한 가시광선을 차단하고 인체에 유해한 파장인 3000Å 이하의 자외선을 여과시킨다.

80_ 수세성 형광침투탐상시험에 대한 설명이 잘못된 것은?

가. 넓은 면적을 단 한번의 조작으로 탐상하기 쉽다.
나. 열쇠구멍이나 나사부분도 어느 정도 시험 가능하다.
다. 수분이 있으며 침투액의 성능이 현저히 저하된다.
라. 비교적 얕은 결함의 탐상도 용이하다.

제3과목 **침투탐상관련규격 및 컴퓨터활용**

81_ ASTM E-165 규정된 침투탐상 기법이 아닌 것은?

가. 수세성 형광침투탐상시험　　　나. 후유화성 염색침투탐상시험
다. 용제제거성 형광침투탐상시험　　라. 용제제거성 염색침투탐상시험

[해설] 염색에 후유화는 비경제적이기 때문에 사용하지 않는다.

82_ 침투탐상시험시 ASME Sec.Ⅴ에서는 표면상태를 검사 조건에 맞도록 기름, 모래, 녹, 페이트, 슬래그 등이 없도록 청결하게 유지하여야 한다. 만약 용접부 검사를 수행한다면 검사 부위와 그 부위에서 양쪽으로 최소 몇 인치 이내를 표면 전처리하도록 요구하는가?

가. 0.5인치　　　　　　　　　나. 1인치
다. 3인치　　　　　　　　　　라. 5인치

해답　**79.** 다　**80.** 라　**81.** 나　**82.** 나

83_ KS B 0816에 의한 침투탐상시험 시 속건식현상제를 사용하는 경우 적용 방법과 건조 방법으로 알맞은 것은?

가. 침지법, 자연건조
나. 유동상법, 가열 건조
다. 분무법, 자연건조
라. 분말도포 노즐법, 실온 건조

[해설] 속건식현상제는 자연건조 해야 하며, 일반적으로 밀폐한 용기에 보관하여 사용하므로 분무법을 이용한다.

84_ KS B 0816에 따른 침투탐상 시 전수검사를 수행한 시험품에 합격표시가 필요한 경우의 표시 방법 중 틀린 내용은?

가. 각인 또는 부식에 의한 표시를 할 때에는 P의 기호를 사용한다.
나. 각인 또는 부식에 의한 표시가 곤란할 때는 착색(적갈색)한다.
다. 시험품에 표시할 수 없을 경우는 시험기록에 기재한 방법에 따른다.
라. 시험품에 ⓟ의 기호 또는 착색(황색) 표시한다.

[해설] 시험을 하여 합격한 시험체로 표시를 필요로 하는 경우 전수검사는 각인, 부식 또는 착색(적갈색)으로 시험체에 P의 기호를 표시하고 시험체에 P의 표시를 하기 곤란한 경우 적갈색으로 착색하여 표시한다. 샘플링 검사의 경우 합격한 시험체에 ⓟ의 기호 또는 착색(황색)으로 표시한다.

85_ 48. ASME Sec. V Art.6 침투탐상시험의 침투탐상 비교시험편의 제작에 관한 설명이다. 옳은 것은?

가. 비교시험편의 재질은 시험대상 재료와 동일해야 한다.
나. 비교시험편은 냉각 후 반으로 절단하여 A 및 B로 표시하여 사용한다.
다. 비교시험편은 가열 후 공기 중에 천천히 냉각시킨다.
라. 가열하기 전에 비교시험편의 각 면의 중심에 지름 약 2인치의 부위를 온도측정 도료로 표시해야 한다.

[해설] 액체침투비교시험편 제작방법 : 두께 3/8인치의 알루미늄제로 약 2×3in의 표면치수를 갖는 것이어야 한다. 각 면의 중심의 직경 약 1인치의 범위를 950℉의 온도크레용이나 도료로 마크해야 한다. 마크한 범위를 분젠버너나 토치로 950~975℉사이의 온도로 가열한다. 다음에 시험편을 각 표면에 망상의 미세한 균열을 발생시키도록 찬물에 즉시 퀜칭시킨다. 그 후 시험편을 약 300℉로 가열하여 건조시킨다. 냉각 후 시험편을 반으로 절단한다. 식별을 위해 시험편의 한 쪽 면에 A와 다른 쪽 면에 B로 식별표시를 한다.

해답 **83.** 다 **84.** 라 **85.** 나

86__ASME Sec.Ⅲ Div.1 침투탐상시험의 판정기준에 대한 설명이다. 틀린 것은?

가. 가장 큰 치수가 1/16인치 보다 큰 지시는 관련지시로 간주한다.
나. 균열로 예상되는 선형관련지시는 길이에 관계없이 불합격이다.
다. 균열이 아닌 선형관련지시는 3/16인치 이상인 경우 불합격이다.
라. 원형관련지시는 3/16인치 이상인 경우 불합격이다.

87__침투탐상검사의 결함 분류를 KS B 0816에 따라 한다면 다음 중 맞지 않은 것은?

가. 군집결함   나. 독립결함
다. 연속결함   라. 분산결함

[해설] 독립결함, 연속결함, 분산결함으로 분류 : 독립결함은 선상, 원형상, 갈라짐으로 분류

88__ASTM E-165에 따른 과잉침투제 제거시 사용할 수압으로 적합한 것은?

가. 60psi   나. 50psi
다. 40psi   라. 70psi

89__ASME Sec. Ⅴ Art.24 SE-165 규정을 참고하여 주조에서 발생되는 불연속이 아닌 것은?

가. 수축균열   나. 스트링거(stringer)
다. 기공   라. 콜드셧(cold shut)

[해설] • 주조품에서 나타날 수 있는 결함 : segregation, misrun, cold shut, 수축균열 등
       • 단조품에서 나타날 수 있는 결함 : forging laps, stringer, flake, lamination, seam

90__KS B 0816에서 시험의 순서를 '전처리-침투처리-제거처리-현상처리-관찰-후처리'와 같이 하는 방법은?

가. FA-D   나. DFA-W
다. FB-D   라. FC-D

[해설] VC-S, FC-S, DVC-S, DFC-S, VC-D, FC-D, DVC-D, DFC-D의 공정순서는 전처리-침투처리-제거처리-
       현상처리-관찰-후처리로 공정순서가 동일하다.

해답   86. 다 87. 가 88. 다 89. 나 90. 라

91__ KS B 0816에 따라 침투탐상검사를 마친 후 검사보고서에 반드시 기록하지 않아도 되는 항목은?

가. 액온이 15℃ 이하일 때 침투액의 온도
나. 기온이 15~50℃일 때 시험 장소의 기온
다. 현상제의 적용방법
라. 전처리의 방법

92__ 침투탐상시험 시 표면상태는 검사에 중요한 요소이다. ASTM E-165에서 표면의 전처리 방법중 불연속의 변형으로 시험결과의 감도 저하를 우려하고 있는 것은?

가. 증기세척   나. 초음파세척
다. 샌드 블라스트   라. 산 세척

[해설] 연질의 재료에서 기계적 전처리 방법(샌드블라스트나 그리트블라스트)을 사용하게 되면 불연속부를 메워 버릴 우려가 있다.

93__ ASME Sec. V Art.6에 의한 침투탐상시험의 불순물 관리에 관한 설명이다. 옳은 것은?

가. 비철합금에 사용되는 모든 탐상제는 불순물 함유량에 대한 증명서를 확보해야 한다.
나. 니켈합금을 시험할 경우 염소와 불소함유량 분석을 실시해야 한다.
다. 오스테나이트강, 티타늄을 시험할 경우 황 함유량을 분석해야 한다.
라. 분석을 위하여 가열할 경우 발생된 증기를 제거할 수 있는 적당한 통풍장치가 필요하다.

[해설] 고온에서 취성이나 부식을 일으킬 염려가 있기 때문에 티탄합금은 불소, 오스테나이트 스테인레스는 염소, 니켈합금은 황에 대하여 불순물을 제한한다.

94__ KS W 0914에 의한 침투탐상시험시 검사원의 기량 인정은 어느 규격에 따라 취득하여야 하는가?

가. MIL.-STD-410   나. MIL.-P-47158
다. MIL.-STD-792   라. KS B 0816

해답   **91.** 나 **92.** 다 **93.** 라 **94.** 가

95_ ASTM E 165에서 침투탐상시험을 분류 시 Method A, Type I은 어떤 탐상방법을 말하는가?

가. 수세성 염색침투탐상시험
나. 용제제거성 염색침투탐상시험
다. 수세성 형광침투탐상시험
라. 후유화성 형광침투탐상시험

[해설] 방법 A-수세성, 방법 B-후유화성(친유성유화), 방법 C-용제제거성, 방법 D-후유화성(친수성유화), Type I -형광, Type II-염색

96_ 인터넷에서 내부 컴퓨터 네트워크를 외부 환경으로부터 보호하기 위하여 이용되는 것은?

가. 고퍼(Gopher)
나. 아키(Archie)
다. FTP서버
라. 프럭시(Proxy) 서버

97_ 컴퓨터의 주기억장치와 중앙처리 장치 사이에서 프로그램 실행 속도차를 해결하는데 도움을 주는 고속 기억장치는?

가. 가상메모리
나. 보조기억장치
다. 반도체 기억장치
라. 캐시기억장치

98_ 다음 중 인터넷 관련 전자우편 표준통신 규약은?

가. PPP
나. SMTP
다. UDP
라. ARP

99_ 침투탐상 시험방법 및 침투지시모양의 분류(KS B 0816)에 규정된 침투액 제거를 위한 세척처리 내용으로 바르게 설명한 것은?

가. 형광침투액의 세척시 자외선을 쪼여 세척의 정밀도를 관찰할 필요는 없다.
나. 스프레이 노즐을 사용할 때 특별한 규정이 없는 한 수압은 275kPa 이하로 한다.
다. 후유화성 침투액은 유화제로 세척한다.
라. 일반적으로 용제 제거성 침투액 적용시 세척액에 시험품을 침지시켜 세척한다.

해답   95. 다   96. 라   97. 라   98. 나   99. 나

100_ 표 형식으로 데이터를 입력하고 합, 평균, 그래프 등 다양한 업무의 편의를 제공하는 소프트웨어는?

가. 스프레드시트
나. 데이터베이스
다. 문서편집기
라. 파워포인트

101_ 웹서비스에서 제공되는 여러 가지 자원들에 대한 주소를 나타내는 것은?

가. HTTP
나. URL
다. HTML
라. XML

102_ 보일러 및 압력용기에 대한 침투탐상검사(ASME Sec.V. Art.6) 규정에 따른 현상제의 적용에 관한 설명 중 틀린 것은?

가. 건식 현상제는 부드러운 솔 등으로 건조된 시험표면에 적용하여야 한다.
나. 수성 현상제는 건조된 또는 습한 표면 모두에 적용할 수 있다.
다. 수성 현상제 사용시 검사체 표면이 125℉(52℃) 이상 올라가지 않으면 옴충으로 건조시간을 줄일 수 있다.
라. 비수성 현상제는 습한 표면에만 사용되어야 한다.

103_ 보일러 및 압력용기에 대한 침투탐상검사(ASME Sec.V. Art.6) 규정에서 현상에 대한 설명으로 맞는 것은?

가. 염색침투제의 경우는 건식현상제만을 사용한다.
나. 염색침투제의 경우는 습식현상제만을 사용한다.
다. 형광침투제의 경우는 습식현상제만을 사용한다.
라. 형광침투제의 경우는 건식현상제만을 사용한다.

[해설] 염색침투제를 사용하는 경우 건식현상법, 수용성습식현상법, 무현상법은 명암도가 좋아지도록 도포되기 어렵기 때문에 적용하지 않는다.

해답 100. 가 101. 나 102. 라 103. 나

104_ 침투탐상 시험방법 및 침투지시모양의 분류(KSB 0816)에서 규정한 표준 침투시간이 5분이 아닌 시험체의 형태는?

가. 동 용접부
나. 마그네슘 압출품
다. 알루미늄 주조품
라. 티타늄 용접부

[해설] 단조, 압출, 압연품에 대한 최소 침투시간은 10분이다.

105_ 침투탐상 시험방법 및 침투지시모양의 분류(KS B 0816)에 따른 현상방법의 분류 기호가 바르게 표시된 것은?

가. 수용성 현상제를 사용하는 방법 : W
나. 수현탁성현상제를 사용하는 방법 : A
다. 특수한 현상제를 사용하는 방법 : E
라. 현상제를 사용하지 않는 방법 : S

106_ 시험기록을 작성할 때 기재하는 내용 중 잘못된 것은?

가. 침투액, 유화제, 세척액 및 현상제의 명칭
나. 시험 연월일
다. 시험체의 품명
라. 시험 결과의 합부 판정 및 결함등급

107_ 침투탐상 시험방법 및 침투지시모양의 분류(KS B 0816)에서 건조처리에 대한 내용으로 틀린 것은?

가. 건조장치는 원칙적으로 소정의 온도에서 열풍으로 건조시킬 수 있는 것으로 한다.
나. 건식현상제를 사용할 때는 현상처리 전에 건조처리를 한다.
다. 세척액으로 제거한 경우는 자연건조하거나 또는 마른 헝겊 혹은 종이수건으로 닦아낸다.
라. 세척액으로 제거한 경우에는 가열건조를 하는 것이 가장 이상적인 건조처리 방법이다.

해답   104. 나 105. 다 106. 라 107. 라

108_ 항공우주용 기기의 침투탐상검사 방법(KS W 0914)에 의해 사용중인 형광침투제의 형광휘도 시험방법으로 옳은 것은?

가. 사용 중인 것과 사용하지 않은 것의 휘도를 비교하여 90% 미만일 때에는 불만족한 것으로 한다.

나. 사용 중인 것과 사용하지 않는 것의 휘도를 비교하여 70% 미만일 때에는 불만족한 것으로 한다.

다. 200Lx 의 전등을 비추어 투명하지 않으면 불합격으로 한다.

라. 200Lx 이상의 전등을 비추어 청록색이 나타나지 않으면 불합격으로 한다.

[해설] 사용중인 침투액의 형광휘도의 값이 사용하지 않은 침투액 휘도의 90% 미만이었을 때는 불만족한 것으로 하며 최소한 3개월에 1회 점검한다.

109_ 주강품침투탐상검사(KS D ISO 4987)의 규정설명으로서 주강에 대한 특정 요구사항으로 잘못된 것은?

가. 적용 제품의 할로겐과 유황 성분이 1% 미만이어야 한다.

나. 적용 온도는 10~50℃ 사이이어야 한다.

다. 건조는 250kPa 이하의 압력과 50℃ 이하의 깨끗한 공이어야 한다.

라. 현상시간은 일반적으로 15~30분 사이로 한다.

110_ 보일러 및 압력용기에 대한 침투탐상검사(ASME Sec.V. Art.6)에서 오염 관리에 관한 설명으로 틀린 것은?

가. 황함유량 분석을 위하여 가열할 경우 발행된 증기는 특별히 제거할 필요는 없다.

나. 티타늄에 사용되는 모든 침투 용액은 불순물 함유량에 대한 증명서를 확보해야 한다.

다. 니켈합금을 시험할 경우 모든 탐상제는 황함유량 분석을 실시해야 한다.

라. 불순물 관리에 필요한 증명서에는 침투제 제조자의 제조번호 및 본 규격의 시험 결과를 포함하여야 한다.

[해설] 니켈합금, 오오스테나이트 스테인레스강과 티타늄에 사용되는 모든 탐상제에 대해 불순물 함유량에 대한 증명서를 확보하여야 한다. 니켈합금-S, 오오스테나이트 스테인레스강-염소, 티탄-불소

해답   108. 가   109. 다   110. 가

111_ 보일러 및 압력용기에 대한 침투탐상검사(ASMESec.V. Art.6)에 의한 여분의 수세성 침투액을 물분무로 제거한다. 이때 사용되는 세척수의 압력 및 온도 규정은?

가. 수압은 50psi를 초과할 수 없고, 물 온도는 110℉를 초과할 수 없다.
나. 후압은 60psi를 초과할 수 없고, 물 온도는 150℉를 초과할 수 없다.
다. 수압은 50psi를 좌가할 수 없고, 물 온도는 150℉를 초과할 수 없다.
라. 수압은 40psi를 초과할 수 없고, 물 온도는 110℉를 초과할 수 없다.

112_ 항공우주용 기기의 침투탐상검사 방법(KS W 0914)에서 규정하는 침투액계의 타입, 방법, 감도의 연결이 틀린 것은?

가. 타입 Ⅱ : 염색침투액계통
나. 방법 A : 수세성 침투액계통을 사용하는 방법
다. 감도레벨 1 : 초고감도
라. 방법 B : 후유화성 침투액(친유성) 계통을 사용하는 방법

113_ 침투탐상 시험방법 및 침투지시모양의 분류(KS B 0816)에서 A형 대비시험편 제작시의 규정된 가열 온도는?

가. 판의 한 면 중앙부를 분젠 버너로 230~300℃로 가열하여, 가열한 면의 반대 면에 흐르는 물을 뿌려 급랭시켜 갈라지게 한다. 마찬가지로 가열한 면도 갈라지게 한 후 중앙부에 홈을 기계가공 한다.
나. 판의 한 면 중앙부를 분젠 버너로 520~530℃로 가열 하여, 가열한 면의 반대 면에 흐르는 물을 뿌려 급랭시켜 갈라지게 한다. 마찬가지로 가열한 면도 갈라지게 한 후 중앙부에 홈을 수가공 한다.
다. 판의 한 면 중앙부를 분젠 버너로 430~500℃로 가열하여, 가열한 면에 흐르는 물을 뿌려 급랭시켜 갈라지게 한다. 마찬가지로 반대면도 갈라지게 한 후 중앙부에 홈을 기계가공 한다.
라. 판의 한 면 중앙부를 분젠 버너로 520~530℃로 가열하여, 가열한 면에 흐르는 물을 뿌려 급랭시켜 갈라지게 한다. 마찬가지로 반대면도 갈라지게 한 후 중앙부에 홈을 기계가공 한다.

[해설] 50×75×10mm인 알루미늄시험편의 판의 한 면 중앙부를 분젠 버너로 520~530℃로 가열하여, 가열한 면에 흐르는 물을 뿌려 급랭시켜 갈라지게 한다. 마찬가지로 반대면도 갈라지게 한 후 중앙부에 홈을 기계가공 한다.

해답 111. 가 112. 다 113. 라

114_ 보일러 및 압력용기에 대한 침투탐상검사(ASME Sec.V. Art. 24 SE-165)에서 염색침투 지시의 관찰은 검사 장소가 최소 얼마 이상인 조도가 필요한 것으로 규정하고 있는가?

가. 250룩스
나. 500룩스
다. 750룩스
라. 1000룩스

115_ 비파괴검사-침투탐상검사-일반원리(KS B ISO 3452)에서 규정한 검사 및 판독에 대한 설명으로 올바른 것은?

가. 시험 표면의 검사시 염색 침투액을 사용하는 경우 조도는 500룩스 이상의 조명이어야 한다.
나. 시험 표면의 검사시 형광 침투액을 사용하는 경우 검사 전 눈이 주위의 어두움에 익숙하도록 최소 1분간 기다려야 한다.
다. 의심스럽거나 확실하지 않은 지시가 있는 구역은 실제 불연속인지 확인하기 위하여 또 다른 탐상제로 재시험 하여야 한다.
라. 의심스럽거나 확실하지 않은 지시가 있는 구역을 실제 불연속인지 확인하기 위하여 동일한 탐상제를 이용하여 다른 세척 공정으로 재시험 하여야 한다.

116_ 컴퓨터 시스템이 실제 주기억장치 용량보다 몇 배 이상의 데이터를 저장할 수 있게 하는 기억장치 관리 방법은?

가. 전하 결합소자
나. 가상기억장치
다. 레이저 기억 시스템
라. 자기버블기억장치

117_ 다음 중 컴퓨터 정보통신망의 형태가 아닌 것은?

가. Star형
나. Tree형
다. ISDN형
라. Ring형

118_ 다음 중 컴퓨터 해킹방지에 대한 예방책으로 옳지 않은 것은?

가. 방화벽을 구축한다.
나. 보안망 체계를 정비한다.
다. 패스워드 파일은 공유한다.
라. 정기적인 보안 감사를 실시한다.

해답 114. 라 115. 가 116. 나 117. 다 118. 다

119_ 다음 중 정보를 검색하는 엔진에 속하지 않는 것은?

가. 라이코스   나. 네이버
다. 엠파스   라. 네스케이프

120_ 인터넷에서 파일을 전송하기 위한 서비스로서 서버 컴퓨터로 파일을 전송하거나 서버 컴퓨터의 파일을 내 컴퓨터로 받아오기 위한 것을 무엇이라 하는가?

가. Telnet   나. Archle
다. FTP   라. HTTP

해답 119. 라 120. 다

침투(PT)탐상검사 문제 – 2007년 기사

1_ 다음 중에서 일반적으로 결함검출감도가 가장 낮은 형광 침투제는?

가. 용제제거성 형광침투제   나. 후유화성 형광침투제
다. 수세성 형광침투제   라. 후유화성 이원성 형광침투제

2_ 침투제에 들어 있는 형광염료는 365㎚에서 광자 에너지를 흡수하여 황록색의 빛을 발산한다. 이때 형광염료가 발산하는 가시스펙트럼의 파장으로 적당한 것은?

가. 365㎚   나. 425㎚
다. 525㎚   라. 625㎚

3_ 알루미늄 합금의 A형 대비시험편을 재사용하거나 보관할 때의 세척처리 방법으로 옳지 않은 것은?

가. 유기 용제에 의한 증기세척   나. 유기 용제에 의한 침적법
다. 유기 용제를 이용한 초음파 세척   라. 유기 용제에 의한 산세척

[해설] 대비시험편에 남아있는 잔유물을 제거하는 일반적인 방법으로는 유기용제를 이용한 증기세척, 침적 및 초음파세척이며 사용횟수, 세척의 빈도에 따라 단일방법 또는 몇가지 방법을 조합하여 사용한다. 이때 주의해야 할 것은 결함의 폭을 크게하지 않도록 해야 하며 산세척처리 등을 해서는 안된다.

[해답] 1. 다 2. 다 3. 라

4_ 다음 침투탐상 시험 중 현상제의 선택이 가장 적절한 것은?

가. 염색침투액과 함께 건식현상제를 사용한다.
나. 대형 부품의 전체면 검사에 습식현상제를 사용한다.
다. 표면이 거친 시험체에 속건식현상제를 사용한다.
라. 야외에서 국부의 용접부 검사에 속건식현상제를 사용한다.

해설 ① 매우 매끄러운 표면에는 건식보다 습식현상제를 사용한다.
② 매우 거친 표면에는 건식현상제를 사용한다.
③ 소형의 고속작업의 검사품에는 습식현상제가 신속하고 편리하다.
④ 용제현상제(속건식현상제)는 균열에 이상적이며 폭이 넓고 얕은 결함을 찾는데는 부적당하다.
⑤ 습식이나 용제 현상제를 사용했던 거친 표면의 재검사는 어렵다.

5_ 침투액이 결함 내부로 침투되는 성질과 가장 관계가 깊은 용어는?

가. 높은 점도
나. 적심성
다. 화학적 불활성
라. 비중

6_ 보관이나 기타의 조건으로 인해 침투제의 형광성능을 평가할 경우 통상적으로 어떤 결과를 비교하는가?

가. 지시에서 발산되는 실제 빛의 양을 조도계로 측정
나. 재료를 형광화 하는데 소요되는 자외선의 양을 강도계로 측정
다. 다른 침투제와 비교하여 형광물질에서 발산되는 빛의 상대량을 육안으로 관찰
라. 주위에서 발산되는 빛과 비교하여 형광물질에서 발산되는 빛의 상대량을 로그 그래프로 비교

7_ 후유화성 침투액을 세척처리하려고 한다. 다음 중 옳지 않는 방법은?

가. 물에 적신 헝겊을 사용해서 침투액을 제거한다.
나. 분무법으로 침투액을 제거한다.
다. 형광 침투액의 경우 자외선을 조사시켜 세척 정도를 확인하며 제거한다.
라. 세척을 시작한 후 중단하지 않고 단시간에 신속하게 하는 게 좋다.

해답 **4.** 라 **5.** 나 **6.** 다 **7.** 가

8_ 다음 중 자분탐상시험의 신뢰성이 침투탐상시험보다 우수한 경우는?

가. 단면 급변부
나. 이종 재질의 경계면
다. 운전 중 발생한 미세한 표면균열
라. 알루미늄 용접부의 표면 기공

9_ 침투탐상시험 중 미세한 피로균열의 탐상에 가장 적합한 방법은?

가. 수세성 형광침투탐상
나. 후유화성 형광침투탐상
다. 속건식 염색침투탐상
라. 후유화성 염색침투탐상

[해설] 세척방법에 따른 감도순서 : 후유화성 〉 용제제거성 〉 수세성

10_고강도 강에 화학적인 에칭으로 전처리를 수행해야 하는 경우 시험체를 적절한 온도에서 1시간 이상 가열한 후 에칭처리를 해야 하는 이유로 가장 옳은 것은?

가. 피클링(Pickling)을 하기 위해
나. 수소취성을 피하기 위해
다. 알카리세척을 하기 위해
라. 할로겐 화합물과의 반응을 줄이기 위해

11_그림과 같이 양끝이 개방되어 있는 모세관을 액체 속에 세워 놓았을 때 관에 액체가 올라간 높이를 구하는 식으로 옳은 것은? (단, h는 액체가 올라간 높이, r은 모세관의 반경, ρ는 액체의 밀도 g는 중력가속도, $\varGamma$는 표면장력, θ는 접촉각이다.)

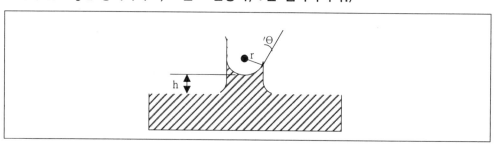

가. $h = 2\varGamma \cdot \cos\theta / r \cdot \rho \cdot g$
나. $h = 2\varGamma \cdot \sin\theta / r \cdot \rho \cdot g$
다. $h = 2\varGamma \cdot \cos\theta / \rho \cdot g$
라. $h = 2\varGamma \cdot \sin\theta / \rho \cdot g$

12__다음 누설검사 방법 중 검출감도가 가장 낮은 것은?

　가. 진공상자법-기포누설검사　　　나. 가압법-헬륨 누설검사
　다. 할로겐 누설검사　　　　　　　라. 가압법-암모니아 누설검사

13__다음중 구상흑연 주철의 구상화율 정도의 파악에 활용되는 비파괴검사법은?

　가. 자분탐상시험　　　　　　　　나. 침투탐상시험
　다. 방사선투과시험　　　　　　　라. 초음파탐상시험

14__침투탐상시험 시 끼워 맞춤, 키홈, 리벳이음 등 조립된 부품 사이의 틈새에 의해 발생한 지시모양을 무엇이라 하는가?

　가. 무관련지시　　　　　　　　　나. 선형지시
　다. 결함지시　　　　　　　　　　라. 원형상지시

[해설] 지시에는 진지시와 무관련지시 의사지시가 있다. 진지시는 기계적 결함으로부터 발생되는 지시이고, 의사지시는 검사자의 실수나 조작미숙으로 인해 나타날 수 있는 지시이다. 대표적으로 검사자의 손에 묻은 침투액이나, 현상제의 오염으로부터 발생되는 지시이며 무관련지시는 시험편의 기하학적형상변화로 인해 나타날 수 있는 지시로 끼워 맞춤, 키홈, 리벳이음 등 조립된 부품 사이의 틈새에 의해 발생한 지시모양이다.

15__다음 중 침투탐상시험으로 탐상하기 어려운 제품은?

　가. 알루미늄 단조품　　　　　　　나. 주강품
　다. 흡수성 세라믹 제품　　　　　　라. 유리제품

16__와전류탐상시험의 종류와 특징에 대한 설명으로 옳은 것은?

　가. 자분탐상검사와 함께 강자성체의 탐상만 가능하다.
　나. 검사에서 얻은 지시로 결함의 종류, 형상 및 크기를 정확하게 판별할 수 있다.
　다. 검사대상 외의 재료의 영향에 의한 잡음이 검사를 방해하는 경우가 있다.
　라. 과, 선, 환봉 등에 대한 자동화 탐상과 고온에서의 탐상이 곤란하다.

해답　**12.** 가　**13.** 가　**14.** 가　**15.** 다　**16.** 다

17_ 품질관리를 위한 탐상제의 점검 중 건식현상제는 일반적으로 어떻게 점검하는 것이 효율적인 방법인가?

　가. 보통 육안으로 이물질의 혼입이 없는지 등을 점검한다.
　나. 농도와 비중을 측정하여 점검한다.
　다. 용해시켜 침투제 오염 여부를 점검한다.
　라. 굴추계를 이용하여 규정치 내에 있는지 점검한다.

[해설] 사용 중인 건식현상제의 겉모양 검사를 하여 현저한 형광의 잔류가 생겼을 때 및 응집입자가 생기고 현상성능의 저하가 인정되었을 때는 폐기한다.

18_ 다음 중 수세성 형광침투탐상시험에서 시험편이 적절히 세척되었는지 확인하는 방법으로 가장 중요한 사항은?

　가. 시험편의 표면을 문질러 본다.
　나. 세척 주기를 일정하게 한다.
　다. 고압의 물로 분사시켜 본다.
　라. 자외선등 밑에서 세척한다.

19_ 침투탐상시험에 이용되는 침투제의 물리적 특성인 적심성은 무엇을 측정하면 알 수 있는가?

　가. 비중　　　　　　　　　　　나. 표면장력
　다. 접촉각　　　　　　　　　　라. 점성

[해설] 침투제의 적심성은 접촉각으로 측정하며 접촉각이 작을수록 적심성이 증가하며 침투력이 좋아진다.

20_ 다음 중 윙크자이글로(wink zyglo)는 어느 현상법과 가장 밀접한 관계가 있는가?

　가. 무현상법　　　　　　　　　나. 건식현상법
　다. 습식현상법　　　　　　　　라. 속건식현상법

해답　**17.** 가　**18.** 라　**19.** 다　**20.** 가

21_ 후유화성 형광침투탐상검사시 세척단계에서 과잉세척을 막아줄 수 있는 방법으로 가장 적절한 것은?

가. 침투제가 완전히 유화되기 전에 세척한다.
나. 침투제가 완전히 유화된 후에 세척한다.
다. 과잉 침투제가 제거되자마자 세척작업을 중단한다.
라. 110도 이상의 고온으로 세척한다.

22_ 침투제의 형광은 자외선등 아래에 오랜 동안 노출되었을 때와 시험체의 표면온도가 높을 때 특성이 나빠진다. 이에 대한 검사 중 다음은 어떤 성능 시험에 대한 설명인가?

- 4×4 인치 크기의 스테인리스 철판에 100메시 정도 되는 모래를 사용하여 60 파운드의 공기압으로 샌드브라스트하여 표면을 처리한 시험편을 사용한다.
- 이 시험편에 시험할 침투제와 대비표준 침투제를 0.05mL씩 2인치 이상 떨어지 곳에 적용한 후 건조기에 넣고 5분간 가열한 후 자외선등 하에서 관찰, 가열하지 않은 경우와 밝기 변화가 없는지 비교한다.

가. 형광 밝기 시험   나. 자외선등 하에서의 형광안정성 시험
다. 고온 금속판에서의 형광안정성 시험 라. 형광 얼룩 반점 시험

23_ 침투탐상검사에서 주조물 표면상에 나타나는 콜드셧에 의한 결함모양 표시는?

가. 굵은 점선
나. 작은 결함이 포도송이처럼 모인 구멍
다. 불연속의 폭이 좁고 깊이는 얕은 선형지시
라. 굵고 예리한 그물 형태

[해설] cold shut은 주조에서 용융금속이 주형내부로 흘러들어 갈 때 기존의 내부에 있는 용융금속과 융화되지 못하여 발생하며 선형점선지시 및 선형연속지시로 나타날 수 있다.

해답   21. 다   22. 다   23. 다

24_ 다음 중 침투탐상검사에 나타난 의사지시의 원인인 것은?

가. 가스구멍
나. 주조품 표면의 탕계
다. 검사원의 손에 묻은 침투액
라. 주조품의 핀홀

25_ 침투탐상검사시 미세한 터짐이나 폭이 넓고 얕은 터짐에 가장 검출 성능이 우수한 시험 방법은?

가. 수세성 형광침투탐상시험
나. 후유화성 형광침투탐상시험
다. 용제 제거성 형광침투탐상시험
라. 수세성 염색침투탐상시험

[해설] FD 〉FB 〉FC 〉FA 〉VD 〉VB 〉VC 〉VA

26_ 산화마그네슘, 산화칼슘, 산화티탄 등의 백색 미분말을 알코올류 현탁하고 분산제를 첨가하여 만든 현상제는?

가. 건식 현상제
나. 속건식 현상제
다. 습식 현상제
라. 수용성 현상제

[해설] • 건식현상제 : 백색의 미분말
• 속건식현상제 : 백색의 미분말+휘발성용제
• 습식현상제 : 백색의 미분말+물

27_ 다음 중 침투탐상검사 후에 탐상결과의 하나인 침투지시모양을 영구적으로 보관하는 데 효과적인 현상제는?

가. 휘발성 용제 현상제
나. 플라스틱 필름 현상제
다. 분말 현상제
라. 수용성 현상제

28_ 침투제와 유화제의 비중 측정에 사용되는 계측기는?

가. Hydrometer
나. Viscometer
다. U.V. meter
라. Photofluorometer

해답 24. 다 25. 나 26. 나 27. 나 28. 가

29_ 다음 침투탐상검사 중 대형 구조물의 부분 검사에 가장 적합하게 사용할 수 있는 탐상방식의 올바른 처리과정은?

가. 전처리-침투처리-유화처리-세척처리-현상처리-건조처리-관찰-후처리

나. 전처리-침투처리-제거처리-현상처리-관찰-후처리

다. 전처리-침투처리-세척처리-건조처리-유화처리-관찰-후처리

라. 전처리-침투처리-제거처리-건조처리-관찰-후처리

[해설] 대형구조물의 부분 검사시 적절한 공정은 VC-S, FC-S

30_ 알루미늄 단조품에 대한 균열을 찾고자 침투탐상검사를 실시할 때 표준 온도에서 추천된 최소한의 침투시간은 얼마인가?

가. 1분
나. 3분
다. 7분
라. 10분

31_ 수현탁성 현상제를 사용하는 것은 분말 현상제를 사용하는 것보다 건조과정의 시간은 더 걸리나 작은 균열에 대하여 더 좋은 탐상감도를 나타낸다. 그 주된 이유는?

가. 분말 현상제보다 수현탁성 현상제가 분해력이 좋으므로

나. 분말 현상제보다 수현탁성 현상제가 입자가 더 작기 때문에

다. 분말 현상제보다 수현탁성 현상제가 표면에 더 잘 도포되므로

라. 건조하는 과정에서 현상제와 시험면이 잘 밀착되어서 결함에 침투해 있던 침투액에 더욱 밀착되므로

32_ 침투탐상검사에서 탐상제를 적용하는 방법 중 유독 붓칠법을 사용하지 않도록 주의를 해야 하는 공정은?

가. 침투제 적용
나. 유화제 적용
다. 현상제 적용
라. 과잉침투제 제거

[해설] 유화처리시 유화시간 조절이 곤란하므로 붓칠하지 않는다.

해답　**29.** 나　**30.** 라　**31.** 라　**32.** 나

33_ 침투탐상검사에 나타난 결함의 형태 중에서 점상(DotIndication)이 아닌 것은?

가. 핀홀
나. 조대입자
다. 수축공
라. 늘어남

34_ 다음 여러 종류의 현상에 따른 탐상법을 설명한 것으로 올바르지 않은 것은?

가. 백색미분의 건식현상제 적용 : 후유화성 형광, 수세성 형광 침투탐상검사와 조합해서 적용하는 경우가 많다.
나. 현상제를 물에 분산시킨 습식현상제 적용 : 수세성 침투탐상검사와 조합해서 적용하는 경우가 많다.
다. 휘발성 유기용제에 분산시킨 현상제 적용 : 후유화성 염색, 수세성 염색 침투탐상검사와 조합해서 적용하는 경우가 많다.
라. 무현상법 적용 : 세척처리를 한 후 현상제를 적용하지 않고 관찰하는 방법이다.

[해설] 염색침투탐상은 건식현상법, 무현상법, 수용성습식현상법과 조합하여 사용하지 않는다.

35_ 검사감도는 높지 않지만 결함지시를 확대하여 관찰하기 위한 목적으로 고안된 것으로 침투제와 표면장력이 다른 휘발성 용제에 염료를 용해시켜 이 용제를 시험면에 흘리면 이미 결함 속에 침투된 침투제가 결함 주위에 이 용제가 모이는 것을 방해하여 결함 주위만 착색되는 현상을 이용하는 검사 방법을 무엇이라 하는가?

가. 에칭법
나. 입자여과법
다. 분말침투법
라. 브레이킹 필름법

36_ 용접에 의한 압력용기류 등의 제조시에 침투탐상검사를 할 때의 설명으로 잘못된 것은?

가. 용접공정 중의 탐상기기는 용접 전, 중, 후 3단계로 구분하여 실시할 수 있다.
나. 일반 강재인 경우 용접완료 후 상온으로 냉각된 후 시험을 실시토록 한다.
다. 고장력강인 경우 용접이 완료된 후 수소취화에 의해 지연균열이 발생할 수 있어 탐상시기는 1일 정도 경과 후 실시토록 한다.
라. 퀜칭 및 템퍼링 한 고강력 강재인 경우 탐상시기는 용접이 완료된 직후 실시하도록 한다.

해답　**33.** 라　**34.** 다　**35.** 라　**36.** 라

128　비파괴검사문제집 3 - 침투(PT)탐상검사

37_ 다음 중 침투탐상검사를 적용할 때에 고려할 사항으로 거리가 가장 먼 것은?

가. 검출한 결함의 종류 및 크기
나. 검사에 사용되는 장치
다. 제품의 제조 형태
라. 검사품의 두께와 형태

38_ 다음 침투탐상검사 공정 중 배액처리 시설이 필요한 처리 과정들로만 조합된 것은?

가. 전처리, 침투처리
나. 세척처리, 건조처리
다. 건조처리, 건식현상처리
라. 침투처리, 습식현상처리

39_ 침투탐상검사에서 침투액이 결함으로의 침투능력에 대한 설명으로 잘못된 것은?

가. 시험체의 온도가 낮을수록 침투시간이 길어진다.
나. 결함의 종류에 따라 침투능력이 다르다.
다. 전처리시 사용된 세척액은 결함 내에 남아 있어야 침투액과 혼합되어 성능이 좋아진다.
라. 전처리시 오염 등이 제거되어야 침투액의 성능이 높아질 수 있다.

해설 온도가 낮아지면 점성이 증가하고 침투율이 낮아져 침투시간을 길게 주어야 한다. 침투제의 침투능력을 증가시키기 위해서는 시험체 표면이 청결하여야 하며 결함부에도 세척제나 이물질이 남아 있어서는 안된다.

40_ 침투제나 용제에 함유된 황의 함량은 제한되는데 이러한 침투제나 용제를 사용할 때 특별히 제한하는 시험체는?

가. 알루미늄합금
나. 니켈합금
다. 마그네슘합금
라. 동합금

해설 고온에서 취성이나 부식을 일으킬 염려가 있기 때문에 티탄합금은 불소, 오스테나이트 스테인레스는 염소, 니켈합금은 황에 대하여 불순물을 제한한다.

해답 37. 라 38. 라 39. 다 40. 나

41_ 항공우주용 기기의 침투탐상 검사 방법 (KS W 0914)에서 수세성 침투액 제거 시 자동스프레이에 의한 세척 제원의 수온으로 적합하지 않은 것은?

가. 7도

나. 17도

다. 27도

라. 37도

42_ 보일러 및 압력용기에 대한 표준 침투탐상검사(ASME Sec. V SE-165)에서 규정된 온도범위로 침투액을 적용할 경우 침투시간은 가장 길게 해야 하는 부품은?

가. 황동 단조품의 균열

나. 알루미늄 용접부의 균열

다. 티타늄 용접부의 균열

라. 강 용접부의 균열

[해설] 단조나 압연 압출품에 대한 최소 침투시간은 10분이며 용접부의 경우 최소 침투시간은 5분이다.

43_ 침투탐상 시험방법 및 침투지시모양의 분류(KS B 0816)에 의한 시험결과 3개의 선상침투지시모양이 그림과 같이 동일 선상에 연속해서 나타났다. 2개의 지시모양의 길이는 각각 4mm이고, 1개는1.5mm로 측정되었을 때 홈 상호간의 거리가 각각 1.8mm, 1.5mm이었다면 다음 설명 중 옳은 것은?

가. 3개의 각기 다른 독립된 결함들로 간주한다.

나. 연속한 1개의 결함으로 간주한다.

다. 1.5mm의 지시는 무시하고 각각 4mm인 2개의 독립된 결함으로 간주한다.

라. 4mm와 5.5mm인 2개의 결함으로 간주한다.

44_ 침투탐상 시험방법 및 침투지시모양의 분류(KS B 0816)에서 특별히 규정하지 않으면 후유화성 침투액의 세척은 어떤 방법으로 하도록 규정하고 있는가?

가. 물로 세척한다.

나. 용제로 세척한다.

다. 유화제로 세척한다.

라. 물과 유화제로 혼합하여 세척한다.

해답 **41.** 가 **42.** 가 **43.** 나 **44.** 가

45_ 항공우주용 기기의 침투탐상 검사 방법(KS W 0914)에서 침투액의 적용 시 특별한 지시가 없는 한 침투액의 체류 시간은 최소 얼마 이상인가?

가. 3분
나. 5분
다. 10분
라. 30분

46_ 보일러 및 압력용기에 대한 표준 침투탐상검사(ASME Sec. V SE-165)에 따라 수세성 침투탐상시험시 별도의 규정이 없을 때 과잉침투제 제거를 위한 수세용 수압과 수세 시간은 얼마를 초과하지 않도록 규정하고 있는가?

가. 30psi, 60초
나. 30psi, 120초
다. 40psi, 60초
라. 40psi, 120초

47_ 보일러 및 압력용기에 대한 표준 침투탐상검사(ASME Sec. V SE-165)에서 사용되는 용제 세척제의 성분 함량을 제한하는 원소는?

가. 수소(H)
나. 붕소(B)
다. 탄소(C)
라. 염소(Cl)

[해설] 고온에서 취성이나 부식을 일으킬 염려가 있기 때문에 티탄합금은 불소, 오스테나이트 스테인레스는 염소, 니켈합금은 황에 대하여 불순물을 제한한다.

48_ 항공우주용 기기의 침투탐상 검사 방법(KS W 0914)에서사용 중인 탱크 내의 침투액은 표준 침투액과 비교하여 감도를 확인, 점검하여야 한다. 탱크내에 침투액을 보충할 필요가 없는 경우 사용 중인 침투액의 점검 주기는 어떻게 규정하고 있는가?

가. 적어도 주마다 1회
나. 적어도 2주마다 1회
다. 적어도 월 1회
라. 적어도 년 1회

[해설] 사용중인 침투제의 성능점검은 월1회 실시하며 형광휘도는 3개월에 1회 실시한다.

해답   45. 다   46. 라   47. 라   48. 다

49_ 침투탐상 시험방법 및 침투지시모양의 분류(KS B 0816)에 따라 다음 중 독립하여 존재하는 결함에 분류되지 않은 것은?

가. 갈라진   나. 선상 결함
다. 방사상 흠   라. 원형상 결함

[해설] 독립결함은 선상결함, 원형상결함, 갈라짐으로 분류한다.

50_ 침투탐상 시험방법 및 침투지시모양의 분류(KS B 0816)에 규정한 "용제제거성 염색침투액 -속건식 현상법"의 시험절차를 바르게 나타낸 것은?

가. 전처리-침투처리-건조처리-현상처리-관찰-후처리
나. 전처리-침투처리-후처리-현상처리-관찰-수세처리
다. 전처리-침투처리-제거처리-현상처리-관찰-후처리
라. 전처리-침투처리-건조처리-후처리-관찰-현상처리

51_ 보일러 및 압력용기에 대한 표준 침투탐상검사(ASME Sec. V SE-165)에서 규정한 침투탐상시험 방법의 분류이다. 옳은 것은?

가. 염색침투탐상시험의 방법 A-후유화성(기름베이스)
나. 염색침투탐상시험의 방법 B-후유화성(물베이스)
다. 형광침투탐상시험의 방법 C-용제제거성
라. 형광침투탐상시험의 방법 D-수세성

52_ 강제 석유저장탱크의 구조(KS B 6225)에 대한 침투탐상시험에 관한 설명이다. 옳은 것은?

가. 용제제거성 염색침투액과 속건식 현상제를 조합해서 시험하는 것은 원칙으로 한다.
나. 시험실시 범위는 지그 부착 자리의 주변에서 그 바깥 부분으로 최소 2㎜ 이상의 길이를 더한 범위로 한다.
다. 침투액의 분무 시 시험체 표면을 침투액으로 5분 이상 적셔 두어야 한다.
라. 원칙적으로 현상제를 적용시키고 나서 5분 후에 관찰을 한다.

해답 **49.** 다 **50.** 다 **51.** 다 **52.** 가

53_ 보일러 및 압력용기에 대한 침투탐상검사(ASME Sec.V Art.6)에서 표준으로 하는 침투제 및 검사체 표면의 온도 범위로 알맞은 것은?

가. 10℉~20℉

나. 25℉~50℉

다. 50℉~125℉

라. 110℉~225℉

54_ 보일러 및 압력용기에 대한 침투탐상검사(ASME Sec.V Art.6)에서 규정한 "지시모양의 평가"의 설명으로 옳은 것은?

가. 모든 지시는 참조 규격의 합격기준에 따라 평가한다.

나. 모든 원형지시는 합격으로 평가한다.

다. 모든 무관련지시는 합격으로 평가한다.

라. 모든 선형지시는 불합격으로 평가한다.

55_ 보일러 및 압력용기에 대한 표준 침투탐상검사(ASME Sec. V SE-165)에 규정한 자외선등의 설명으로 잘못된 것은?

가. 자외선등의 파장범위는 320㎚~380㎚이다.

나. 자외선등의 최소 예열시간은 10분이다.

다. 자외선등의 필터점검은 매일 한다.

라. 자외선등의 시험체 표면 최소 밝기는 500μW/㎠이다.

56_ 컴퓨터에 있어서 TCP와 UDP 등의 패킷 전달 서비스를 제공하며 경로 설정을 담당하는 것은?

가. HTTP

나. SMTP

다. FTP

라. IP

57_ 컴퓨터의 일반 주기억장치로 사용하며 전원이 공급되어도 일정 시간이 지나면 내용이 지워지므로 재충전이 필요한 메모리를 무엇이라 하는가?

가. EEPROM

나. DRAM

다. PROM

라. EPROM

해답 **53**. 다 **54**. 가 **55**. 라 **56**. 라 **57**. 라

58_ 58. 단말 장치에서 발생하는 디지털 데이터를 전화선과 같은 아날로그 전송 매체를 통해 전송하기 위해서 디지털 데이터와 아날로그 전송신호 상호간에 변환 과정이 필요하다. 이러한 기능을 수행하는 기기를 무엇이라 하는가?

가. 허브(HUB)
나. 모뎀(Modem)
다. LAN카드
라. 라우터(Router)

59_ 일반적으로 인터넷의 주소체계 중 URL(Uniform Resource Locator) 주소의 구성 순서는?

가. 프로토콜+파일명+호스트명+디렉토리
나. 프로토콜+호스트명+디렉토리+파일명
다. 호스트명+프로토콜+디렉토리+파일명
라. 호스트명+디렉토리+프로토콜+파일명

60_ 글의 내용을 보충하기 위해 키보드 글자나 부호들의 짧을 나열을 이용하여 보통 얼굴 표정을 흉내내거나 느낌을 나타내어 인터넷 전자우편이나 채팅 그리고 메시지 등에 사용하는 문자 표현을 무엇이라 하는가?

가. emoticon
나. navigation
다. banner
라. prompt

해답 **58.** 나 **59.** 나 **60.** 가

1 침투탐상 시험시 다음 중 침투액의 적심성이 가장 좋은 접촉각($\ominus$)은?

가. $\ominus$와는 무관하다

나. $\ominus$가 100° 이상이 좋다.

다. $\ominus$가 90°~100° 사이가 좋다.

다. $\ominus$가 45°~60° 사이가 좋다.

[해설] 접촉각이 작을수록 적심성이 좋아진다.

2 침투탐상시험에서 표면 결함 속으로 침투제가 침투하는 속도는 다음의 어느 것에 가장 크게 영향을 받는가?

가. 밀도   나. 점성

다. 중력가속도   라. 상대적인 무게

3 모세관내에서 액체가 상승한 높이는 액체의 표면장력과 접촉각과의 관계로 나타내는데, 모세관 현상으로 올라온 액체면이 오목하게 올라왔을 때의 접촉각은?

가. 90°보다 크다.   나. 90°이다.

다. 90°보다 작다.   라. 관의 직경에 따라 달라진다.

[해설] 접촉각이 90° 미만이면(액체가 모세관 벽을 적시게 되면)모세관속 액체의 요철면은 오목면이 되고 액체가 상승하며, 접촉각이 90°일 경우에는 모세관 상승 또는 하강이 없는 평형이 되고 접촉각이 90°를 초과할 경우에는 액체는 관 속에서 하강하며 관벽을 적시지 못하고 요철면은 볼록면이 된다.

해답 1. 라 2. 나 3. 다

4__ 형광침투탐상시험에서 사용되는 침투액이 갖추어야 할 사항으로 틀린 것은?

가. 점성이 낮아야 한다.
나. 적심성이 좋아야 한다.
다. 표면 장력이 낮아야 한다.
라. 인화점이 낮아야 한다.

5__ 침투탐상검사에서 형광 침투액 보다 염색 침투액을 사용하는 것이 유리한 이유는?

가. 자외선 등이 필요치 않다.
나. 침투 특성이 월등하다.
다. 형광 침투액보다 감도가 더 좋다.
라. 염색 침투액은 독성이 없으나, 형광 침투액은 독성이 있다.

[해설] 염색은 형광에 비해 감도가 떨어지지만 특별한 조명기구가 필요치 않다.

6__ 침투탐상시험에 대한 다음 설명 중 틀린 것은?

가. 시험품 표면에 벌어져 잇는 흠이라도 검출이 안될 경우도 있다.
나. 대형 장치를 사용하지 않고도 탐상할 수 있는 방법도 있다.
다. 시험품의 표면 거칠기의 영향은 일반 적으로 받지 않는다.
라. 다공질 재료의 탐상은 일반적으로 곤란하다.

7__ 수세성 형광 침투액 - 속건식 현상제를 사용하여 검사하는 순서는?

가. 전처리 - 침투처리 - 세척처리 - 현상처리 - 후처리 - 관찰
나. 전처리 - 침투처리 - 건조처리 - 세척처리 - 현상처리 - 관찰
다. 전처리 - 침투처리 - 세척처리 - 건조처리 - 현상처리 - 관찰 - 후처리
라. 전처리 - 침투처리 - 건조처리 - 세척처리 - 현상처리 - 후처리 - 관찰

[해설] FA-S, VA-S, DFA-S, DVA-S FA-D, VA-D, DFA-D, DVA-D의 공정순서는 같다.

해답 4. 라 5. 가 6. 다 7. 다

8_ 수세성 형광 침투제 및 건식 현상제를 사용하여 반거치식으로 침투탐상 검사 시 자외선 등의 위치로 적당한 곳은?

가. 침투제 적용단계에   나. 세척단계에
나. 건조단계에   라. 현상제 적용 단계에

[해설] 수세성 형광 침투제를 사용하는 경우 세척의 정도를 확인하기 위해 세척대위에 자외선 등을 설치한다.

9_ 침투탐상 시험 시 시험결과의 신뢰성을 결정하는 주요 요소가 아닌 것은?

가. 침투제의 강도   나. 현상제의 선택
다. 적용 방법   라. 검사 비용

10_ 고온의 열에 방치되었던 세라믹 제품에 나타난 지시로서 망사모양(그물모양)으로 서로 서로 교차한 선으로 나타나는 지시는?

가. 피로 균열   나. 수축 균열
다. 연삭 균열   라. 열 충격지시

11_ 침투제의 고유특성으로 인하여 대부분의 침투탐상검사법은 검사원의 건강을 해치게 할 수 있는데 이의 공통된 내용은?

가. 침투제는 무기용제로 만들어져 있기 때문에 해롭다.
나. 침투제에는 주의를 하지 않을 경우 피부염을 유발시킬 수 있는 물질이 들어 있다.
다. 침투제에는 이성 판단을 흐리게 할 수 있는 환각제 성분이 다량 들어 있다.
라. 최근 침투제의 기술개발로 착시현상 이외의 유해 요소는 완전히 제거되었다.

12_ 침투액의 점성 계수가 작을수록 침투 속도는?

가. 빨라진다.   나. 늦어진다.
라. 무관하다.   라. 항상 동일하다.

[해설] 점성이 작을수록 침투율은 증가하며 침투시간을 단축시킬 수 있다.

해답   8. 가   9. 라   10. 라   11. 나   12. 가

13_침투탐상 시험 시 현상제의 기능으로 옳지 않은 것은?

가. 실제의 결함 폭보다 지시를 확대
나. 모세관 현상에 의한 침투제의 흡입
다. 지시모양의 콘트라스트 증가
라. 열전 현상에 의한 현상제의 흡입

14_다음 중 침투탐상시험에서 나타난 의사지시의 원인으로 가장 크게 작용하는 것은?

가. 과잉세척
나. 부적절한 현상제의 적용
다. 시험품의 온도가 너무 낮을 때
라. 부적절한 세척

15_형광침투탐상 시험 결과의 신뢰성을 보장하기 위한 작업조건 중 잘못 규정된 것은?

가. 특별한 규정이 없는 한 암실에서 결과를 관찰해야한다.
나. 자외선조사장치의 자외선 강도는 보통 $800\mu W/cm^2$를 넣어야 한다.
다. 시험은 충분한 자격을 갖춘 자에 의해 수행되어야 한다.
라. 시험면의 밝기는 $500\ell x$ 이상이어야 한다.

[해설] 형광침투탐상을 시행하는 경우 주변의 밝기는 20lx이하이어야 한다.

16_침투탐상 시험 시 속 건식현상제 적용 법으로 가장 효율성이 클 것으로 예상되는 것은?

가. 분무법
나. 걸레질
다. 솔질법
라. 침지법

17_침투 탐상 시 습식 현상제를 적용하는 일반적인 방법은?

가. 부드러운 솔로 적용
나. 분무용 밸브로 적용
다. 현상제가 묻은 헝겊으로 문질러 적용
라. 분무 또는 침지법으로 적용

해답   13. 라   14. 라   15. 라   16. 가   17. 라

18_침투탐상 할 표면을 전처리하는 방법으로 샌드 브라스팅할 때 문제점을 적절히 설명한 것은?

가. 샌드 브라스팅으로 인해 불연속을 만든다.
나. 화학적으로 반응을 일으켜 오염된 침투제가 불연속부에 들어가게 된다.
다. 불 연속부를 가리거나 메꾸어 버린다.
라. 샌드 브라스팅에 사용되는 모래가 불연속의 폭을 넓힐 우려가 종종 있다.

19_침투탐상 검사 시 침투액의 감도시험에 대한 설명 중 틀린 것은?

가. 알루미늄 시험편을 사용한다.
나. 시험편 반쪽엔 사용하던 침투액을 적용하고 다른 반쪽에는 새 침투액을 사용한다.
다. 침투 시간은 각각 다르게 적용해야 한다.
라. 사용하던 침투액이 새 침투액보다 감도가 많이 떨어지면 폐기한다.

[해설] 탐상제의 성능시험은 1조의 대비시험편의 각각의 면에 비교할 탐상제를 각각 적용하여 동일조건의 시험을 하여 얻어진 침투지시 모양을 비교한다.

20_후유화성 형광 침투제를 사용한 검사법의 장점이 아닌 것은?

가. 탐상감도가 상대적으로 우수하다.
나. 비교적 침투시간을 단축시킬 수 있다.
다. 시험체의 형상이 복잡한 경우에 적용이 용이하다.
라. 얇고 넓은 결함탐상에 적합하다.

21_형광 침투제를 사용하여 검사하는 과정에서 현상 전에 세척이 제대로 되었는지 확인하는 방법은 ?

가. 시험물 표면을 리트머스 시험지로 문질러 본다.
나. 시험물 표면에 현상제를 약간 도포해 본다.
다. 시험물 표면을 자연광 밑에서 관찰한다.
라. 시험물 표면을 자외선 등 밑에서 관찰한다.

[해설] 세척의 정도를 확인하기 위해서 세척장치 상부에는 자외선 등이 부착되어 있어야 한다.

해답   **18.** 다   **19.** 다   **20.** 다   **21.** 라

22__크롬도금균열 대비시험편의 용도에 해당되지 않는 것은?

가. 침투탐상 시스템의 결함검출능력 평가
나. 침투탐상 성능 비교 평가
다. 현상제의 성능 비교 평가
라. 시험체 표면 거칠기에 의한 형광성 평가

[해설] 대비시험편의 사용목적
　① 사용 중의 각종 탐상제의 품질과 성능의 유지와 관리
　② 동일한 탐상조건에 있어서 탐상제 성능 비교시험
　③ 각종 침투탐상검사의 결함검출 성능비교시험
　④ 탐상제 제작처에 의한 제품의 품질관리
　⑤ 탐상제의 연구와 개량, 개발
　⑥ 탐상현장에 있어서 적절한 탐상조건의 추정
　⑦ 검사원의 교육과 훈련

23__침투탐상검사에서 다른 방법과 비교하여 볼 때 수세성 형광침투탐상검사에서는 산성 잔유물 및 크롬 성분이 매우 유해한데 그 이유는?

가. 수세성 침투제에 포함되어 있는 유화제가 있는 곳에서만 산성 및 산화물이 형광과 반응을 하기 때문에
나. 유화제가 산성 잔유물 및 크롬 성분에 의한 영향을 중화시켜 주기 때문에
다. 모든 방법에 있어서 형광 성분은 동일한 영향을 미치기 때문에
라. 물이 있는 곳에서 산성 및 산화물이 형광침투제와 반응하여 형광염료는 파괴하기 때문에

[해설] • 침투제의 물에 의한 오염은 침투력을 약하게 만들고 수세능을 저하시킨다.
　• 유기오염물이 미치는 영향으로는 침투제의 염료농도를 약화시키고 침투제지시감도를 저하시킨다.
　• 크롬산 잔여물이 불연속부위에 들어있을 경우 크롬이온이 자외선을 흡수하게 되고 침투제의 형광휘도가 저하된다.

24__다음 중 침투탐상시험에서의 대표적인 비관련지시는?

가. 비자성체에 의한 지시
나. 다중지시
다. 부품의 형태 구조 및 부분용접에 의해 생기는 지시
라. 비선형 지시

해답　**22.** 라　**23.** 라　**24.** 다

25__ 물 5㎖에 침투제 40㎖을 첨가하였다 물의 함량(%)은 얼마인가?

가. 8% 　　　　　　　　　　　나. 9%

다. 11.1%　　　　　　　　　　라. 12.5%

[해설] 수분함유량 $= \dfrac{\text{물의 함유량}}{\text{총량}} \times 100$

26__ 유화제를 사용한 침투탐상시험에서 불연속의 검출능력을 저하시키기는 가장 큰 요인은?

가. 과도한 침투시간

나. 과도한 유화시간

다. 과도한 건조시간

라. 과도한 현상시간

[해설] 유화시간이 너무 짧으면 지나친 배경지시가 형성되거나 의사지시가 형성되며 유화시간이 너무 길어지면 결함 검출이
안될 수 있으므로 유화시간 결정이 중요한 요인에 해당된다.

27__ 설치형 침투탐상 장치의 세척대에 자외선 조사 등이 설치된 주된 이유로서 다음 중 맞는
것은?

가. 잉여 침투액의 세척정도를 확인하기 위하여

나. 세척 후 시험체의 표면을 건조시키기 위하여

다. 침투액이 시험체에 골고루 적용되었는가를 확인하기 위하여

라. 침투액과 유화제의 혼합정도를 확인하기 위하여

28__ 속건식 현상법의 특징에 대한 설명으로 잘못된 것은?

가. 에어졸 제품에 의한 분무법이 가장 이상적이다.

나. 염색 침투액의 경우 시험면의 바닥 색이 보이지 않도록 도포한다.

다. 염색 침투액의 경우 시험면의 바닥 색이 약간 보일 정도로 도포한다.

라. 형광 침투액의 경우 염색 침투액보다 얇게 도포하는 것이 좋다.

해답　　**25.** 다　**26.** 나　**27.** 가　**28.** 나

29_ 침투탐상 대비시험편 중 B형 대비시험편의 장점이 아닌 것은?

가. 장기간 재사용할 수 있다.

나. 시험편의 제작이 간단하다.

다. A형 대비시험편보다 더 미세한 균열을 만들 수 있다.

라. 균열 깊이가 도금층 두께와 동일하므로 도금층의 두께를 조정하여 일정한 깊이가 일정한 균열을 만들 수 있다.

[해설] B형 대비 시험편의 장. 단점

장점 : ① 균열이 깊이는 도금층의 두께와 같으므로 도금층의 두께를 조정하여 깊이가 일정한 균열을 재현성이 좋게 만들 수 있다.
② 장시간 반복하여 사용할 수 있다.

단점 : ① 표면이 매우 매끄러워서 실제의 시험체 표면과 일치하는 것이 어렵다.
② 도금, 곡률가공 등에 있어서 기술이 필요하고 시험편의 제작이 어렵다.

30_ 수성유화제를 사용하고 습식 현상제를 적용하는 경우는 검사절차는?

가. 전처리 → 침투처리 → 유화처리 → 세척처리 → 건조처리 → 현상처리 → 관찰 → 후처리

나. 전처리 → 침투처리 → 유화처리 → 세척처리 → 현상처리 → 건조처리 → 관찰 → 후처리

다. 전처리 → 침투처리 → 1차 세척처리 → 유화처리 → 2차 세척처리 → 건조처리 → 현상처리 → 관찰 → 후처리

라. 전처리 → 침투처리 → 1차 세척처리 → 유화처리 → 2차 세척처리 → 현상처리 → 건조처리 → 관찰 → 후처리

31_ 침투탐상검사에 앞서 유지류 물질의 전처리 세척방법으로 가장 효과적인 방법은?

가. 증기 탈지

나. 알칼리세척

다. 산세척

라. 그라인딩 처리

32_ 침투탐상시험 시 허위지시가 나타날 수 있는 대표적인 조건은?

가. 과잉세척

나. 현상제의 부적절한 적용

다. 침투제 적용 시 온도가 낮아서

라. 섬유질 또는 먼지 오염

해답 29. 나 30. 라 31. 가 32. 라

33_형광 침투탐상검사에만 사용되는 장비는?

가. 분광기
나. 형광기
다. U.V meter
라. 농도기

[해설] 자외선조사장치 또는 U.V meter(ultraviolet meter) 또는 블랙라이트라 한다.

34_유화제의 적용 시간을 결정하는데 주로 영향을 미치는 요소는?

가. 재질
나. 현상제의 종류
다. 검사품의 용도
라. 표면의 거칠기

35_다른 비파괴검사법과 비교했을 때 침투탐상시험의 장점을 열거한 것이다. 틀린 것은?

가. 제품의 형상 크기 등에 제한받지 않는다.
나. 고도의 숙련이 요구되지 않는다.
다. 시험방법이 간단하다.
라. 온도에 민감하여 정교한 검사에 이용된다.

[해설] 장점 : ① 철강 및 비철금속, 플라스틱, 세라믹과 같은 비금속 등 대부분의 고체 재료에 적용할 수 있다.
② 시험체의 형상과 크기에 관계없이 검사할 수 있고 소형제품도 검사할 수 있다.
③ 시험체의 자성에 관계없이 적용할 수 있다.
④ 대형 시험체의 국부적인 검사가 가능하고 다량의 소형부품을 동시에 검사할 수 있다.
⑤ 1회의 검사로 검사면적 전체를 탐상할 수 있다.
⑥ 불연속의 평가가 비교적 쉽다

36_침투제가 표면결함으로 침투할 때 그 속도에 가장 크게 영향을 미칠 수 있는 것은?

가. 점성
나. 투과력
다. 비중
라. 밀도

[해설] 온도가 낮아지면 침투제의 점성이 증가하게 되고 침투율(침투속도)이 낮아진다.
온도가 증가하면 침투제의 점성이 감소하게 되고 침투율(침투속도)이 증가하게 된다.

해답   33. 다   34. 라   35. 라   36. 가

37_ 침투탐상 방법을 선택하기 전에 일반적으로 고려해야 할 시험의 특성에 해당되지 않는 것은?

가. 예상되는 불연속의 종류 및 크기
나. 침투제의 적용방법
다. 현상제의 적용방법
라. 시편의 크기

38_ 물이 담긴 유리그릇에 가는 유리대롱을 담그면 유리관 안으로 물이 빨려 들어가는 작용을 무엇이라고 하는가?

가. 모세관 현상
나. 표면장력
다. 응집력
라. 점도

39_ 침투탐상검사 시 수도 및 전기 설비가 필요하지 않는 검사 방법의 기호는? (단, KS규격에 따른다.)

가. FA
나. FC
다. VB
라. VC

[해설] VC-S의 시험방법에서는 특별히 규정이 없는 한 장치를 사용하지 않아도 좋다.

40_ 다음 중 침투탐상시험 결과로 알 수 없는 것은?

가. 결함의 위치
나. 결함의 길이
다. 결함의 깊이
라. 결함의 형태

[해설] 결함의 형태, 결함의 길이, 개수, 위치 등은 알 수 있지만 결함의 깊이 측정은 안 된다.

해답 37. 라 38. 가 39. 라 40. 다

41_다음 중 결함지시로 나타나는 염료의 가시성에 영향을 주는 요인이 아닌 것은?

가. 염료의 특성　　　　　　　　　나. 염료의 농도
다. 염료의 종류　　　　　　　　　라. 염료의 가격

42_다음 중 무관련 지시(Nonrelenvant Indication)의 원인이 될 수 있는 것은?

가. 표면 균열로부터의 지시
나. 표면 기공으로부터의 지시
다. 세척용 헝겊에서 떨어진 실 조각으로부터의 지시
라. 부분 용접으로 조립된 부품사이의 틈새에 의한 지시

[해설] 무관련 지시란 시험품의 기하학적형상으로 인해 나타나는 지시로 체결용 공구나 끼워 맞춤(press fit), 리벳 등에서 나타난다.

43_침투탐상시험은 침투제의 물리적 특성을 이용하여 대상물을 검사하는 방법이다. 다음 중 관련이 없는 물리적 성질은?

가. 모세관현상　　　　　　　　　나. 점성
다. 표면장력　　　　　　　　　　라. 원심력

44_침투탐상시험 중 유화제가 필요한 시험은?

가. 형광침투탐상 수세법
나. 형광침투탐상 유화제법
다. 염색침투탐상 수세법
라. 영색침투탐상 용제법

[해설] 별도의 유화공정을 실시해야 하는 경우는 후유화성기법을 사용하는 경우이다.

해답　**41.** 라　**42.** 라　**43.** 라　**44.** 나

45_후유화성 침투액을 사용하여 침투탐상시험을 할 때 어느 시간을 맞추는 게 가장 중요한가?

가. 침투시간
나. 현상시간
다. 유화시간
라. 건조시간

46_사형(Sand) 주조품의 침투탐상 시험 시 검출할 수 있는 가장 일반적인 표면 불연속의 형태는?

가. 터짐
나. 기공
다. 심
라. 백점

47_형광침투 탐상검사용 자동 스캐닝(Scanning)장비의 기본적인 구성으로 적절한 것은?

가. 자외선 발생장치, 진공증폭기, 거울, 광 검출기
나. 자외선레이저, 증폭기, 거울, 광 검출기
다. 자외선 발생장치, 진공증폭기, 볼록거울, 홀로그램
라. 자외선 레이저, 증폭기, 볼록거울, 홀로그램

48_침투액 탱크에 침지하는 방법으로 침투탐상시험을 실시하다가 시험체를 건조대에 너무 오래 두어 침투액을 세척하기가 곤란해 졌다. 이 경우 세척 가능한 방법은?

가. 시험체를 40°F로 냉각시킨다.
나. 시험체를 130°F로 가열한다.
다. 세척하기 전에 습식 현상제를 쓴다.
라. 침투액 탱크에 다시 담근다.

49_수세성 침투액을 사용할 때 중요한 주의점은?

가. 시험체의 세척 작업 시 완전히 세척된 것을 확인하다.
나. 지시된 침투시간이 넣지 않는 것을 확인한다.
다. 시험체의 과도한 세척을 피한다.
라. 유화제의 과도한 사용을 피한다.

[해설] 수세성 침투탐상시 과세척이 되지 않도록 세척을 하여야 한다.

| 해답 | 45. 다 46. 다 47. 나 48. 라 49. 다 |

50_ 다음 침투탐상시험에서 무현상법을 사용할 수 있는 방법은?

가. 수세성 염색침투탐상법　　　나. 후유화성 염색침투탐상법
다. 용제 제거성 형광침투탐상법　　라. 용제 제거성 염색침투탐상법

[해설] 염색은 건식현상법, 무현상법, 수용성습식현상법에 적용이 어렵다.

51_ 침투탐상시험에 사용되는 현상제의 성질이 아닌 것은?

가. 현상제는 흡출작용이 강해야 한다.
나. 현상제는 엷고 균일하게 도포될 수 있어야 한다.
다. 현상제는 작업자에게 해로움을 주는 성분이 없어야 한다.
라. 현상제는 형광 침투액과 같이 사용할 때는 형광성이 있어야 한다.

52_ 자외선들의 광선을 직접 보는 것이 좋이 않은 이유는?

가. 일시적으로도 망막을 태우기 때문이다.
나. 눈에 영구적인 손상이 일어나기 때문이다.
다. 시각 방해를 일으키기 때문이다.
라. 눈에 색맹을 발생 시키기 때문이다.

53_ 침투탐상시험에서 습식 현상제의 장점이 아닌 것은?

가. 침지법을 사용하는 경우 현상제 적용시간이 적게 소요된다.
나. 현상제의 농도를 비중계에 의해 확인할 수 있다.
다. 완전 도포 상태를 육안을 학인 가능하다.
라. 거친 표면의 시험체에 적용이 용이하다.

54_ 녹 제거 및 산화스케일 제거 등에 적용되며 가성소다, 스케일 제거제를 사용한 전처리 방법은?

가. 증기세척　　　　　　　　나. 용제세척
다. 산세척　　　　　　　　　라. 알카리 세척

해답　**50.** 다　**51.** 라　**52.** 다　**53.** 라　**54.** 라

55_침투탐상 시험방법 선택 시 고려할 사항 중 가장 중요한 것은?

가. 시험체에 요구되는 신뢰성 및 안전
나. 제거방법 및 적용
다. 현상제의 선택
라. 침투제의 감도

[해설] 시험체에 예상되는 결함의 종류, 크기, 시험체의 용도, 표면 거칠기, 치수, 수량, 탐상제의 성질 등을 고려하여 시험방법을 선정한다.

56_침투탐상시험에 대한 다음 설명 중 틀린 것은?

가. 후유화성과 수세성은 동일 검사물에 사용해서는 안된다.
나. 다른 제조회사의 제품을 혼용해서는 안된다.
다. 앞선 시험의 찌꺼기라 남아있는 검사물에 다른 형의 침투제로 재시험하면 검사 강도가 낮아진다.
라. 염색 침투제 찌꺼기가 남아 잇는 시험체는 형광침투탐상 시험법으로 재시험해도 좋다.

57_비수세성 염색침투제를 시험체 표면으로부터 제거하는 가장 일반적인 방법은?

가. 용제에 침지 시킨다.   나. 용제를 스프레이 한다.
다. 용제를 천에 묻혀 직접 닦는다.   라. 침투제를 불어 낸다.

[해설] 비수세성 염색 침투제는 용제 제거성 염색 침투제를 의미한다.

58_다음 중 침투탐상시험의 전처리 방법 중 텀블링(Tumbling)법에 대한 설명으로 틀린 것은?

가. 표면이 연한 알루미늄, 마그네슘 등과 같은 재질에 사용한다.
나. 얇은 스케일 등과 같은 이물질을 제거하는데 효과적이다.
다. 금속의 녹과 같은 이물질을 회전마찰에 의해 제거하는 방법이다
라. 티타늄과 같은 재질이 무른 시험체에는 적용하지 않는다.

[해설] 연한재질의 시험체에 기계적인 전처리 방법을 사용하게 되면 표면의 불 연속부를 메워버릴 우려가 있다.

[해답] 55. 가 56. 라 57. 다 58. 가

59_다음 중 침투 탐상시험으로 검출이 불가능한 결함은?

가. 크레이터 균열   나. 열간 균열

다. 용입 부족(X형 용접 시)   라. 단조랩

60_다양한 검사체에 존재하는 불연속의 형태에 따라서 침투시간이 다르다. 일반적으로 미세하고 조밀한 균열이 예상될 때의 침투시간은?

가. 크고 얕은 불연속보다 짧은 침투시간이 요구된다.

나. 크고 얕은 불연속보다 긴 침투시간이 요구된다.

다. 크고 얕은 불연속과 같은 침투시간이 요구된다.

라. 침투시간에 관계없이 부식처리 후 발견할 수 있다.

61_침적법으로 적용한 시험체에 균일한 도포를 하는 것과 과잉의 침투액을 제거하여 유화처리나 세척처리의 효율을 증대시키는 처리법은 어느 것인가?

가. 침투처리   나. 배액처리

다. 유화처리   라. 제거처리

62_특수한 침투탐상검사에서 제트엔진 부품등과 같이 고온 부하를 가한 상태에서 검사하는 방법을 무엇이라고 하는가?

가. Stress Zyglo   나. Wink Zyglo

다. Press Zyglo   라. Switch Zyglo

63_용제 세척에 비하여 물세척인 경우의 장점은?

가. 검사에 특별한 조명이 불필요하다.

나. 높은 곳에서의 검사가 용이하다.

다. 탐상 감도가 높아진다.

라. 넓은 부위의 검사에 적합하다.

해답   59. 다   60. 나   61. 나   62. 나   63. 라

64_ 일반적으로 배액처리 장치가 되어 있는 침투탐상시험 장치는?

가. 전처리용 장비
나. 침투처리용 장비
다. 후유화 처리 장비
라. 세척용 장비

[해설] 배액은 침투시간 안에 포함이 되어있다.

65_ 형광침투탐상검사에 사용되는 자외선조사장치의 파장 범위는?

가. 1~400㎚
나. 320~400㎚
다. 380~450㎚
라. 600~760㎚

66_ 다음 현상법 중에서 속건식 현상제를 사용 시 올바르게 사용한 것은?

가. 용접부에 적용하고 빨리 건조시키기 위해 알코올을 뿌렸다.
나. 주조품에 적용하고 건조를 시키기 위해 토치램프로 가열을 하였다.
다. 다량의 시험체에 적용하여 건조시키기 위해 공기가 잘 통하는 곳에 매달아 두었다.
라. 단조품에 적용하고 건조시키기 위해 열처리로 앞에 가까이 놓았다.

[해설] 속건식 현상법의 건조방법은 자연건조이다.

67_ 결함의 깊이가 가장 얕을 때 적합한 침투탐상법은?

가. 후유화성 형광 침투액-습식현상법
나. 수세성 형광 침투액-습식현상법
다. 후유화성 형광 침투액-건식현상법
라. 용제 제거성 형광 침투액-습식현상법

[해설] 얇거나 넓은 결함의 탐상에는 후유화성 형광 침투법을 사용하며, 현상제의 감도는 속건식 〉습식 〉건식 순서
이다.

해답 **64.** 나 **65.** 나 **66.** 다 **67.** 가

68_ 현상제의 적용 시 다음 중 감도가 가장 높은 것은?

가. 건식(침적)
나. 수용성습식(침적)
다. 수용성습식(분무)
라. 비수성습식(용제분무)

해설 현상제의 감도는 속건식 > 습식 > 건식 순서이다.

69_ 다음 중 부적절한 세척으로 인해 누락되기 쉬운 불연속은?

가. 얇고 넓은 불연속
나. 단조 겹침
다. 깊은 구멍
라. 부적절한 세척은 불연속을 검출하는데 영향을 주지 않는다.

해설 과도한 세척은 얇고 넓은 결함검출을 어렵게 할 수 있으며 세척부족은 과도한 백그라운드 형성을 하거나 의사 지시 모양을 형성할 수 있다.

70_ 대비시험편을 사용하는 목적으로 가장 적합한 것은?

가. 탐상제의 유효기간을 설정하기 위하여
나. 탐상조작 방법의 적합성을 조사하기 위하여
다. 검사원의 능력을 평가하기 위하여
라. 표면상태의 세척성을 조사하기 위하여

71_ LOX계 등 특수여건에는 이에 적합한 침투제가 필요하다. 이에 대한 설명 중 틀린 것은?

가. LOX계에는 산소와 반응하는 찌꺼기를 남기지 않는 것이어야 한다.
나. Ni 기저합금 티타늄 등에는 황 염소성분 함량을 제한 한다.
다. 다공성 표면도 특수 탐상제를 사용하여 시험할 수 있다.
라. 누설검사용에도 수세성, 후유화성, 용제 제거성으로 분류한다.

해답 68. 라 69. 가 70. 나 71. 라

72_ 후유화법에서 유화제의 기능을 바르게 설명한 것은?

가. 침투제의 침투작용을 증가시켜준다.
나. 현상제의 빨아올림 작용을 향상 시킨다.
다. 물로 세척이 가능하도록 침투제와 섞여 수세 기능을 갖도록 해 준다.
라. 허위지시를 제거 시켜준다.

73_ 대부분의 현상제는 모세관 현상에 의해 실제 결함보다 큰 지시를 나타낸다. 다음 중 모세관 현상이 거의 없는 현상제는?

가. 플라스틱필름 현상제
나. 건식 현상제
다. 습식 현상제
라. 비수성 습식 현상제

74_ 시험체 표면의 침투액을 제거할 때 아무 헝겊이나 화장지를 사용하지 말고 규정된 헝겊 또는 종이수건을 사용하여 제거 하도록 하고 있다. 그 이유는?

가. 침투액을 잘 흡수하여 결함 내의 침투액까지도 흡수할 수 있기 때문에
나. 침투액 흡수 능력이 나쁘기 때문에
다. 부푸러기들이 표면에 남아 의사 지시를 만들 수 있기 때문에
라. 용제 흡수의 차이 및 세척의 차이

[해설] 보푸라기로 인하여 의사지시를 형성할 수 있기 때문에 실오라기가 없는 깨끗하고 건조한 천 또는 흡수성이 있는 타월을 사용하여 먼저 여분의 침투액을 닦아내고 이어서 용제를 적신 실오라기가 없는 천 또는 타월을 사용하여 다시 표면에 남아 있는 침투액을 닦아낸다. 구성부품의 표면에 용제를 대량으로 흘리거나 용제를 흠뻑 적신 천 또는 타월을 사용해서는 안 된다.

75_ 유성인 리포필릭 유화제를 사용한 후유화성 침투탐상시험에서 유화처리를 해야 하는 절차는?

가. 침투처리 전에
나. 반드시 물로 씻고 난 후에
다. 침투 시간이 경과한 후에
라. 현상 시간이 경화한 후에

[해설] 전처리-침투처리-유화처리-세척처리

해답 72. 다 73. 가 74. 다 75. 다

76_ 침투탐상시험 후 후처리에 대한 설명이다 바른 것은?

가. 보다 용이하게 제거하기 위해 가능한 한 빨리 행해야 한다.
나. 탐상제가 건조될수록 제거가 용이하므로 몇 시간 경과 후에 행해야 한다.
다. 침투제의 용해도를 증가시키기 위해 부품을 따뜻하게 한 후 행한다.
라. 탐상제의 응집력을 제거하기 위해 부품을 차갑게 한 후 시행한다.

77_ 다음 중 무관련 지시에 해당하는 것은?

가. 리베트 이음부 등 설계상 시험체에 존재하게 되어있는 불연속으로부터 나타나는 지시
나. 부적절한 세척으로 인해 시험면 위에 남아있는 침투제로 인해 나타나는 지시
다. 침투제가 시험면 또는 현상제에 오염되어 나타나는 지시
라. 기공과 같은 불연속으로부터 나타나는 지시

> 해설 • 의사 지시 : 검사자의 실수로 인해서 생길 수 있는 지시
> • 무 관련 지시 : 시편의 기하학적 형상으로 인하여 생길 수 있는 지시
> • 진지시 : 기공이나 균열과 같은 실제 불연속으로부터 나타나는 지시

78_ 침투탐상검사에서 현상제의 사용 목적은?

가. 결함 지시를 선명하게 나타나게 하기 위하여
나. 선명한 침투지시 모양으로 결함의 크기를 정확하게 판단하기 위하여
다. 콘트라스트의 증가 및 휘발속도가 빠르기 때문에
라. 침투지시의 선명도 및 콘트라스트를 증가시키기 위하여

> 해설 염색 침투검사를 이용하는 경우 흡출, 분산, 명암도의 기능을 한다.

79_ 시험체에 불합격으로 간주되는 불연속이 나타났을 때 처리 하는 방법 중 적절하지 못한 것은?

가. 시험체에 꼬리표를 부착한다.
나. 다음 공정이 진행되지 못하도록 적절한 방법으로 처리 한다.
다. 불연속의 깊이가 너무 깊지 않다고 판단되면 즉시 연삭 가공 등으로 불연속을 제거한다.
라. 가능하면 일정한 장소에 보관하여 합격으로 처리되는 시험체와 섞이지 않게 한다.

해답 76. 가 77. 가 78. 라 79. 다

80__ 다음 중 의사지시가 아닌 것은?

가. 산화스케일 지시　　　　　　나. 나사산 지시
다. 기계적 불연속지시　　　　　라. 다공성 재료의 지시

제3과목　침투탐상관련 규격 및 컴퓨터 활용

81__ KS B 0816(04년 판) 규정된 B형 대비시험편의 길이 도금 갈라짐 나비(목표 값)를 잘못 나타낸 것은?

가. PT-B 50 : 2.0㎛
나. PT-B 30 : 1.5㎛
다. PT-B 20 : 1.0㎛
라. PT-B 10 : 0.5㎛

[해설] PT-B 30의 도금 갈라짐의 나비는 1.5㎛, PT-B 50의 도금 갈라짐의 너비는 2.5㎛이다.

82__ KS B 0816(04년 판)에 의한 침투탐상시험에 대한 설명으로 잘못된 것은?

가. 사용하지 않는 탐상제는 용기에 밀폐하여 냉암소에 보관한다.
나. 습식 및 속건식 현상제는 소정의 분산 상태를 유지해야한다.
다. 암실의 침투지시모양을 관찰하는 장소는 50ℓx 이하이어야 한다.
라. 자외선 조사장치는 파장이 320~400㎚의 자외선을 얻을 수 있어야 한다.

83__ KS B 0816(04년 판)에 의한 침투탐상시험 및 조작의 적당여부를 조사하기 위하여 사용되는 A형 대비시험편의 재료는?

가. A2017P　　　　　　　　나. A2024P
다. A5052P　　　　　　　　라. A5652P

[해답]　80. 다　81. 가　82. 다　83. 나

84_ KS B 0816(04년 판)에 따른 침투지시모양의 분류 중 독립침투지시모양으로 분류되지 않는 것은?

가. 갈라짐에 의한 침투지시모양
나. 선상 침투지시모양
다. 원형상 침투 지시모양
라. 분산 침투지시모양

[해설] 독립침투지시모양은 선상, 원형상, 갈라짐으로 분류한다.

85_ 그림은 KS B 0816(04년 판)에 의한 침투탐상시험을 수행하는 경우 사용하는 A형 대비시험편으로서 정확한 크기 및 사용목적에 대해 바르게 열거한 것은? (단, 크기의 단위는 mm)

가. 크기-A:50, B:75, C:1.5(대비시험편과 실제 결함간의 심각성을 조사)
나. 크기-A:40, B:60, C:2(탐상제의 성능 및 조작방법의 적당여부를 조사)
다. 크기-A:40, B:60, C:1.5(대비시험편과 시험재 사이의 청결도에 대한 비교조사)
라. 크기-A:50, B:75, C:1.5(탐상제의 성능 및 조작방법의 적정 여부를 조사)

86_ KS B 0816(04년 판)에서 15℃~50℃의 범위일 때 주조품의 갈라짐에 대한 표준 침투시간은?

가. 5분   나. 10분
다. 15분   라. 25분

87_ KS B 0816(04년 판)에 따라 침투 탐상시험 시 검사제의 온도가 3~15℃ 범위에 있는 경우 침투시간은?

가. 온도를 고려하여 침투 시간을 늘린다.
나. 온도를 고려하여 침투시간을 줄인다.
다. 침투시간은 변하지 않는다.
라. 검사해서는 안 된다.

[해설] 침투제의 온도가 낮아지면 침투율이 낮아진다.

해답   **84.** 라 **85.** 라 **86.** 가 **87.** 가

88__다음 중 KS B 0816(04년 판)에 따른 시험 기록에서 조작조건을 규정되지 않은 것은?

가. 세척시간 및 온도

나. 건조 온도 및 시간

다. 현상시간 및 관찰 시간

라. 세척수의 온도와 수압

89__ASEM 규격에서 침투액 50g을 194°F에서 212°F 범위로 60분 동안 가열하였을 때 잔유물이 어느 정도 이상이면 ASTM D129에 따라 다시 분석하여야 하는가?

가. 0.025g   나. 0.005g

다. 0.0025g   라. 0.0005g

[해설] 세척제를 제외한 탐상제의 잔유물은 0.0025g미만, 세척제의 잔유물은 0.005g미만으로 제한

90__원자력 발전소 부품에 대하여 침투탐상시험을 행할 때 ASEM Sec.V 중 어느 부분을 참고하여야 하는가?

가. Art. 2   나. Art. 4

다. Art. 6   라. Art. 8

91__KS W 0914에 규정된 건조로의 최대 허용 온도는?

가. 60℃   나. 70℃

다. 80℃   라. 90℃

92__KS B 0816(04년 판)의 침투탐상시험 방법 기호 FC-N은? (단, 아래의 괄호 안은 현상법이다.)

가. 수세성 형광 침투액(건식현상법)

나. 후유화성 형광 침투액(무현상법)

다. 수세성 염색 침투액(건식현상법)

라. 용제 제거성 형광 침투액(무현상법)

해답 88. 가   89. 다   90. 다   91. 나   92. 라

93_ KS B 0816(04년 판)에 규정하는 B형 대비시험편은 침투탐상 시험 시 성능검사와 조작방법의 적정성을 확인하는 척도로 사용된다. 다음 중 어느 것이 인공결함을 검출하기 가장 어려운가?

가. PT-B50 　　　　　　　　나. PT-B30
다. PT-B20 　　　　　　　　라. PT-B10

[해설] 숫자가 작을수록 결함의 크기가 작다.

94_ ASEM Sec, VIII에 의한 침투탐상시험에서 결함 평가 시 원모양결함의 허용기준에 관한 내용 중 맞는 것은?

가. 어떠한 원모양 결함도 불합격이다.
나. 4개 이상의 원모양 결함은 결함크기나 결함간 거리에 관계없이 불합격이다.
다. 타원형 결함은 원모양 결함에 포함시키기 않는다.
라. 원모양 결함길이가 16/3인치 이상은 불합격이다.

95_ ASEM Sec. V 에 따라 시험체의 일부분을 액체 침투탐상 시험하는 경우 시험하는 부위 바깥쪽으로 얼마나 넓게 전처리를 하여야 하는가?

가. 시험 부위만 전처리한다. 　　나. 바깥쪽으로 0.5인치 넓은 범위
다. 바깥쪽으로 1인치 넓은 범위 　다. 바깥쪽으로 2인치 넓은 범위

96_ 중앙처리장치와 주 기억장치의 처리 속도 차이를 줄이기 위해 사용되는 고속 메모리는?

가. Cache memory 　　　　　나. Virtual memory
다. Dynamic memory 　　　　라. Auxiliary memory

97_ 월드 와이웹의 서버와 클라이언트 하이퍼텍스트 문서를 송수신하기 위하여 사용하는 프로토콜은?

가. PPP 　　　　　　　　　나. FTP
다. HTTP 　　　　　　　　라. SMTP

해답　93. 라　94. 라　95. 다　96. 가　97. 다

98. 컴퓨터 소프트웨어는 크게 응용 프로그램 패키지와 시스템 프로그램으로 나눌 수 있다. 다음 중 시스템 프로그램에 해당하지 않는 것은?

가. 시스템 개발 프로그램(System Development Programs)
나. 언어 번역기(Language Translators)
다. 워드 프로세서(Word Processer)
라. 운영체제(Operating System)

99. 인터넷상에서 사용자가 원하는 키워드를 입력하여 사이트를 찾고자 할 때 사용할 프로그램은?

가. 즐겨찾기
나. 검색엔진
다. 목록보기
라. 인터넷옵션

100. 데이터통신 시스템 중 데이터 터미널 장치 (DTE)의 기능으로 볼 수 없는 것은?

가. 입출력 기능
나. 신호 변환기 기능
다. 전송 제어 기능
라. 기억 기능

101. KS W 0914에 의한 저감도 레벨의 수세성 침투탐상시험을 실시할 때 세척용 스프레이 노즐과 시험체 표면사이에 허용되는 최소 거리?

가. 15cm
나. 30cm
다. 45cm
라. 60cm

102. KS B 0816에서 A형 또는 B형 대비시험편을 사용하는 주목적은?

가. 침투지시모양을 분류하는데 사용
나. 침투지시의 결함분류에 사용된다.
다. 현상제의 수세성 가능 여부의 판단자료 확보를 위해
라. 탐상제의 성능 적합 여부를 조사하는데 사용된다.

해설 탐상제의 성능점검 및 작업조건의 적합성을 알아보는데 사용된다.

해답 98. 다 99. 나 100. 나 101. 나 102. 라

103_ 다음 중 KS B 0816에서 분산결함으로 분류되는 것은?

가. 갈라짐 이외의 결함으로 그 길이가 나비의 3배 이상
나. 정해진 면적 안에 존재하는 1개 이상의 결함
다. 갈라짐 이외의 결함으로 선상결함이 아닌 것
라. 거의 동일 직선상에 존재하고 상호거리가 가까운 것

[해설] **결함의 분류**
(1) 독립결함 : 독립하여 존재하는 결함은 다음 3종류로 분류한다.
  (a) 갈라짐 : 갈라졌다고 인정되는 것
  (b) 선상결함 : 갈라짐 이외의 결함으로 선상결함이 아닌 것
  (c) 원형상 결함 : 갈라짐 이외의 결함으로 선상결함이 아닌 것
(2) 연속결함 : 갈라짐, 선상 결함 및 원형 상 결함이 거의 동일 직선상에 존재하고 그 상호거리와 개개의 길이의 관계에서 1개의 연속한 결함이라고 인정되는 것. 결함길이는 특별한 지정이 없을 때는 결함의 개개의 길이 및 상호거리를 합친 값으로 한다.
(3) 분산결함 : 정해진 면적 안에 존재하는 1개 이상의 결함. 분산결함은 결함의 종류, 개수 또는 개개의 길이의 합계 값에 따라 평가한다.

104_ KS B 0816에서 규정된 A형 대비시험편에서의 인공 흠의 깊이는 얼마로 규정하고 있는가?

가. 1.0mm
나. 1.5mm
다. 2.0mm
라. 3.0mm

[해설] A형 대비 시험편의 사이즈 50×75×10(mm) 인공 흠의 깊이는 1.5mm

105_ KS B 0816에서 규정한 침투지시 모양의 관찰 시기는?

가. 현상제 적용 전 7~60분 사이
나. 현상제 적용 후 7~60분 사이
다. 건조처리 전 7~60분 사이
라. 건조처리 후 7~60분 사이

해답   103. 나   104. 나   105. 나

106_ KS B 0816에 따라 압력용기를 침투탐상시험 하였더니 그림과 같은 결함이 나타났다. 이 결함의 길이는?

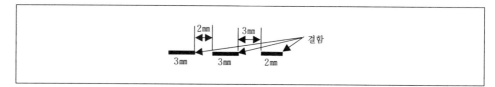

가. 3개의 결함 각각 3mm, 3mm, 2mm

나. 2개의 결함 각각 8mm, 2mm

다. 1개의 결함 8mm

라. 1개의 결함 13mm

[해설] 동일 직선상에 존재하는 결함과 결함과의 간격이 2mm 이하인 경우 연속결함으로 분류하고 결함길이는 결함의 개개의 길이 및 상호거리를 합친 값으로 한다.

107_ KS B 0816에 따른 형광침투탐상시험에서 침투지시모양을 관찰하는 장소의 최대 밝기는?

가. 5lx   나. 10lx

다. 20lx   라. 30lx

[해설] 형광침투탐상을 이용하는 경우 지시모양을 관찰하는 장소의 밝기는 최대 20lx를 넘지 않도록 한다.

108_ AWS D1.1에서 규정한 동적하중을 받는 구조물에 대한 침투탐상시험 판정기준의 설명이 아닌 것은?

가. 균열은 불합격으로 한다.

나. 침투탐상시험의 판정기준은 육안검사 판정기준에 준한다.

다. 침투탐상시험의 판정기준은 규정을 별도로 정하지 않는다.

라. 필렛 용접부에서 파이핑 기공의 직경의 합은 용접부 길이 12인치 당 3/4인치를 넘어서는 안된다.

해답   106. 나 107. 다 108. 다

109_KS B 0816에 따라 알루미늄 주조품에 대한 형광침투탐상시험후 시험 기록을 작성할 때 포함되지 않는 사항은?

가. 시험 기술자   나. 시험체의 모양 치수

다. 결함의 형태 및 등급   라. 시험방법 및 처리시간

110_KS B 0816에 의한 시험기록을 작성할 때 다음 중 시험 장소에서의 기온 및 침투액의 온도를 반드시 기재해야 하는 경우는?

가. 기온이 10일 때   나. 액온이 20일 때

다. 기온이 30일 때   라. 액온이 40일 때

[해설] 표준온도범위 : 15~50℃

111_ASME Sec. V. Art.6에 의한 니켈크롬합금재질을 침투탐상검사 할 때 탐상제의 불순물을 측정하도록 되어 있다. 다음 중 맞는 것은?

가. 탐상제의 황 함유량을 분석한다.

나. 탐상제의 염소 함유량을 분석한다.

다. 탐상제의 불소 함유량을 분석한다.

라. 탐상제의 니켈 함유량을 분석한다.

[해설] 니켈합금 – 황(S), 티탄-불소(F), 오스테나이트 스테인레스-염소(Cl)

112_KS B 0816에 따른 시험품의 전처리 범위는?

가. 시험부의 바깥쪽으로 25㎜ 더 넓게 한다.

나. 시험부의 중앙으로부터 50㎜ 더 넓게 한다.

다. 시험부의 바깥쪽으로 반대면을 25㎜ 더 넓게 한다.

라. 시험부의 범위까지만 한다.

[해설] 시험체의 일부분을 시험하는 경우는 시험하는 부분에서 바깥쪽으로 25mm 넓은 범위를 깨끗하게 한다.

해답   109. 다   110. 가   111. 가   112. 가

113_ ASTM E 165에서 요구하는 강 용접부의 균열을 검출하기 위한 침투제의 최소 적용시간은?

가. 5분   　　　　　　　　　나. 10분
다. 15분   　　　　　　　　　라. 20분

114_ ASTM E 165에서는 형광침투탐상시험 시 자외선 등의 세기를 며칠 마다 점검할 것을 추천하는가?

가. 7일   　　　　　　　　　나. 15일
다. 30일   　　　　　　　　　라. 60일

115_ API 1104 침투탐상 검사시험의 지시평가 및 판정기준에 대한 설명이다 틀린 것은?

가. 가장 큰 치수가 1/16인치보다 큰 지시는 관련지시로 간주한다.
나. 원형지시는 길이가 폭의 3배 이하인 원형 또는 타원형지시를 말한다.
다. 합부판정기준에서 원형지시는 방사선투과시험 판정기준에 따른다.
라. 비관련지시로 생각되는 1/16인치보다 큰 지시는 실제 불연속인지 재시험되 기까지 비관련지시로 본다.

116_ 현재 소스 코드를 공개 자유롭게 배포되고 있으며 그 소스를 개조하여 성능을 향상시킬 수도 있으며 GNU정신에 따라서 개조한 내용도 다른 사람에게 공개해야 한다는 운영체 제는?

가. UNIX   　　　　　　　　나. OS/2
다. LINUX   　　　　　　　　라. WINDOWS CE

117_ 운영체제는 제어 프로그램과 서비스 프로그램으로 구분할 수 있는데 다음 중 서비스 프 로그램에 속하는 것은?

가. 감독자 프로그램   　　　　나. 인터럽트 처리기
다. 명령처리기   　　　　　　　라. 유틸리티 프로그램

해답   **113.** 가   **114.** 가   **115.** 라   **116.** 다   **117.** 라

118 한글 WINDOWS98의 WINDOWS탐색기에서 C:₩WINDOWS₩공기방울.BMP 파일을 마우스로 클릭한 후 드래그하여 C:₩WORK에 드롭하였다면 어떻게 되겠는가?

　가. 공기방울.BMP 파일이 C:₩WINDOWS 폴더에 남아 있으면서 C:₩WORK 폴더로 복사된다.

　나. 공기방울.BMP 파일이 C:₩WINDOWS 폴더에 없어지면서 C:₩WORK 폴더로 이동된다.

　다. 공기방울.BMP 파일이 C:₩WINDOWS 폴더에 남아 있으면서 클립보드에 복사된다.

　라. 공기방울.BMP 파일이 C:₩WINDOWS 폴더에 없어지면서 클립보드에 잘라내기가 된다.

119 통신망의 구성요소로써 특정한 통신망에 있는 노드가 다른 종류의 통신망에 연결되어 있는 컴퓨터와 통신할 수 있도록 해 주는 장치는?

　가. 브리지　　　　　　　　　나. 게이트웨이

　다. 토폴로지　　　　　　　　라. 전자게시판

120 중앙 컴퓨터에 직접 연결된 모든 단말 장치들을 중앙 컴퓨터가 집중적으로 제어할 수 있는 통신망의 형태는?

　가. 링형　　　　　　　　　　나. 버스형

　다. 스타형　　　　　　　　　라. 트리형

해답　118. 나　119. 나　120. 다

제1과목 | 침투탐상시험원리

1__ 유화제를 사용하여 침투탐상시험 할 때, 유화 시간은 다음 중 어느 것에 따라 결정하는 것이 가장 바람직한가?

가. 제조회사의 권고대로 결정한다.

나. 실험한 결과를 바탕으로 결정한다.

다. 다른 요소와는 관계없이 5분 이내로 한다.

라. 유화제 내에 오염된 침투액의 양에 따라 결정한다.

[해설] 유화시간은 유화제의 종류, 시험표면의 거칠기, 결함의 종류 등에 따라 달라지므로 실험데이터를 이용하거나 실험적으로 구하는 것이 바람직하다.

2__ 침투탐상시험 중 가장 결함 검출감도가 높은 검사법은?

가. 수세성 형광침투탐상법

나. 후유화성 형광침투탐상법

다. 용제 제거성 형광침투탐상법

라. 기름이 사용된 염색법

[해설] 검출감도순서 : 후유화성 〉 용제 제거성 〉 수세성

해답　1. 나　2. 나

3__ 표면에 침투제막이 균일하고 일정하게 전 표면에 걸쳐 도포되도록 해줄 수 있는 침투제의 기능을 옳게 설명한 것은?

가. 점성이 낮다.　　　　　　　　　　나. 점성이 높다.

다. 적심능력이 크다.　　　　　　　　라. 증발효과가 적다.

[해설] 점성은 침투속도와 관계되며 점성이 낮으면 침투율이 좋아지고 점성이 높으면 침투율이 낮아진다. 적심성은 침투력 (침투능)과 관계된다.

4__ 침투탐상시험으로 나타나는 지시의 검출과 관찰에 관한 설명으로 옳지 않은 것은?

가. 일반적으로 건식 현상제를 적용하는 경우에는 현상제 적용 직후부터 지시가 나타난다.

나. 습식 현상제를 적용하는 경우에는 현상제의 건조가 완료 된 후부터 지시가 나타난다.

다. 일반적으로 나타나는 지시는 시간이 경과함에 따라 어느 정도까지 형태가 변하고 점점 크게 나타난다.

라. 관찰은 지시가 나타나기 시작한 직후에 수행해야한다.

[해설] 침투지시 모양의 관찰은 현상제 적용 후 7~60분 사이에 하는 것이 바람직하다.

5__ 다음 비파괴검사법 중 인체의 유해와 관련하여 가장 조심하여야 할 검사법은?

가. 자분탐상검사　　　　　　　　　　나. 초음파탐상검사

다. 방사선투과검사　　　　　　　　　라. 와전류탐상검사

6__ 사용 중인 유화제의 성능을 측정하기 위한 시험법 중 친수성 유화제를 적용했을 때만 적용되는 시험법은?

가. 형광휘도 시험　　　　　　　　　　나. 농도 시험

다. 성분의 분리시험　　　　　　　　라. 유화제의 세척성 시험

7__ 균열과 같은 조그만 개구(열린 틈)에 액체가 침투하는 현상을 정의하는 용어는?

가. 포화　　　　　　　　　　　　　　나. 모세관 현상

다. 흡입　　　　　　　　　　　　　　라. 침윤제

해답　3. 다　4. 라　5. 다　6. 나　7. 나

8__ 후유화성 형광 침투액 및 습식 현상제를 사용하여 반 거치식으로 침투탐상 할 경우 자외선 조사등의 위치로 적당한 곳은?

가. 침투액 적용 단계　　　　　　　　나. 유화제 적용 단계
다. 세척단계　　　　　　　　　　　　라. 현상제 적용 단계

[해설] 형광 침투제를 사용하는 경우 세척의 정도를 확인하기 위하여 세척대 상단에 자외선 조사 장치등을 설치한다.

9__ 다음 재료 중 점성(Viscosity)이 가장 큰 것은?

가. 물　　　　　　　　　　　　　　　나. 에테르
다. 윤활유　　　　　　　　　　　　　라. 에틸알콜

10__ 침투처리에 관한 설명 중 가장 적당한 것은?

가. 침투시간은 침투액의 종류에 무관하다.
나. 용제 제거성 침투액은 스프레이 법으로 해야만 한다.
다. 침투액을 홈 속에 스며들게 하는 것이다.
라. 침투시간은 길게 하는 것이 좋다.

[해설] 침투시간은 침투액의 종류, 시험체의 재질, 예측되는 결함의 종류와 크기 및 시험체와 침투액의 온도를 고려하여 정한다. 침투액은 시험체의 모양, 치수, 수량 및 침투액의 종류에 따라 침지, 분무, 붓칠 등의 방법을 적용한다.

11__ 다음 중 현상제의 작용이 아닌 것은?

가. 결함의 크기보다 확대시킨 지시모양을 만들어 결함의 식별성을 높인다.
나. 침투된 침투액을 빨아올린다.
다. 후처리를 용이하게 하기위해 침투액을 용해한다.
라. 지시모양과 배경색을 구별시킨다.

[해설] 현상제는 침투액을 빨아올리는 흡출작용, 결함의 지시를 퍼지게 하는 분산작용, 명암도의 기능을 한다.

해답　8. 다　9. 다　10. 다　11. 다

12_ 침투탐상검사의 장점이 아닌 것은?

가. 제품의 크기, 형상 등에 크게 영향을 받지 않는다.

나. 미세한 균열의 탐상도 가능하다.

다. 온도에 제약을 받는다.

라. 거의 모든 제품에 적용된다.

[해설] 장점 : ①철강 및 비철금속, 플라스틱, 세라믹과 같은 비금속 등 대부분의 고체 재료에 적용할 수 있다.
② 시험체의 형상과 크기에 관계없이 검사할 수 있고 소형제품도 검사할 수 있다.
③ 시험체의 자성에 관계없이 적용할 수 있다.
④ 대형 시험체의 국부적인 검사가 가능하고 다량의 소형부품을 동시에 검사할 수 있다.
⑤ 1회의 검사로 검사면적 전체를 탐상할 수 있다.
⑥ 불연속의 평가가 비교적 쉽다.
단점 : ① 다공성 재료나 흡수성 재료에는 적용할 수 없다.
② 표면조건에 영향을 많이 받으므로 표면이 거친 검사체에는 적용할 수 없거나 평가가 곤란하다.

13_ 수세성 침투탐상검사를 할 때에 주의점이 아닌 것은?

가. 세척시의 물의 압력은 별도의 규정이 없고, 완전히 세척만 하면 된다.

나. 지시된 침투시간이 넘지 않는 것을 확인한다.

다. 검사부분의 과도한 세척을 피한다.

라. 초과 침투액이 제거되었는가를 알기 위하여 자외선 등을 사용하는 경우도 있다.

[해설] ① 스프레이 노즐을 사용할 때의 수압은 특별히 규정이 없는 한 275kPA 이하로 한다.
② 홈 속에 침투되어 있는 침투액을 유출시키는 과도한 처리를 해서는 안 된다.
③ 형광 침투액을 사용하는 시험에서는 자외선을 비추어 처리의 정도를 확인하면서 한다.

14_ 적심성은 접촉각으로 측정되는데, 다음 중 적심성이 가장 좋은 접촉각은 ?

가. 10 나. 30

다. 60 라. 90

[해설] 접촉각이 작을수록 적심성이 좋아지며 침투력이 좋아진다.

해답 12. 다 13. 가 14. 가

15_침투탐상검사에서 사용하는 형광에 대하여 설명한 것이다. 다음 설명 중 맞는 것은?

가. 침투액에 파장이 320~400nm인 자외선을 쪼이면 500~550nm의 황록색 형광을 발한다.

나. 침투액에 파장이 500~550nm인 자외선을 쪼이면 320~400nm의 황록색 형광을 발한다.

다. 침투액에 파장이 320~400nm인 자외선을 쪼이면 600~700nm의 황록색 형광을 발한다.

라. 침투액에 파장이 500~550nm인 자외선을 쪼이 면 320~400nm의 황록색 형광을 발한다.

[해설] 침투액에 파장이 320~400nm(3200Å~4000Å)인 자외선을 쪼이면 550nm(5500Å)의 황록색형광을 발한다.

16_침투탐상검사 시 시험면의 온도는 실내 온도와 유사 하여야 좋은데 시험면의온도가 실내온도보다 낮은 경우의 결과는?

가. 침투제의 색채 대비가 감소하게 된다.

나. 침투제가 시험면에 부착하려고 한다.

다. 침투제가 급속히 증발하게 된다.

라. 침투제가 점성이 높아지게 된다.

[해설] 온도가 낮아지면 침투제의 점성이 증가하며 침투율(침투속도)이 낮아진다.

17_형광침투탐상시험 시 밝기가 50ft-cd인 자외선 등을 사용하여 지시를 관찰하니 그 밝기가 낮아 보다 정밀한 관찰을 위해 밝기가 100ft-cd 자외선 등을 사용하여 지시를 관찰하였다. 이 때 불연속부내에 있는 침투제의 형광의 강도는 최초와 비교하여 몇 배나 강하게 나타나는가?

가. 2배

나. 4배

다. 8배

라. 변화 없음

[해설] 자외선의 강도가 2배 만큼 증가하였으므로 관찰시 지시의 형광 강도도 2배만큼 증가한다.

해답   15. 가 16. 라 17. 가

18_다음 중 점성이 가장 큰 물질은?

가. 물

나. 에테르

다. 에틸알콜

라. 윤활유

19_침투시간에 영향을 주는 요인 중 가장 영향이 적은 것은?

가. 침투액의 성질

나. 적용온도

다. 검출하는 흠의 종류

라. 검사품의 표면 거칠기

[해설] 침투시간은 침투액의 종류, 시험체의 재질, 예측되는 결함의 종류와 크기 및 시험체와 침투액의 온도를 고려하여 정한다.

20_다른 검사법과 비교하여 침투탐상검사의 장점이 아닌 것은?

가. 시험방법이 비교적 간단하다.

나. 모든 불연속의 검출이 가능하다.

다. 원리가 비교적 간단하여 이해하기가 용이하다.

라. 검사할 제품의 크기 및 형상에 제약을 받지 않는다.

[해설] 장점 : ① 철강 및 비철금속, 플라스틱, 세라믹과 같은 비금속 등 대부분의 고체 재료에 적용할 수 있다.
② 시험체의 형상과 크기에 관계없이 검사할 수 있고 소형제품도 검사할 수 있다.
③ 시험체의 자성에 관계없이 적용할 수 있다.
④ 대형 시험체의 국부적인 검사가 가능하고 다량의 소형부품을 동시에 검사할 수 있다.
⑤ 1회의 검사로 검사면적 전체를 탐상할 수 있다.
⑥ 불연속의 평가가 비교적 쉽다.

21_다음 중 비파괴검사가 아닌 것은?

가. 누설시험

나. 굽힘 시험

다. 초음파 두께 측정

라. 육안시험

해답 18. 라 19. 라 20. 나 21. 나

22_용제 제거성 침투탐상시험에서 잉여 침투액 제거처리 기술로 틀린 내용은?

가. 다량 사용 등 과세척에 주의하여야 한다.

나. 세척액은 물을 사용하지 않는다.

다. 먼저 마른 천으로 닦아내고, 그 다음 용제를 천에 묻혀서 가볍게 닦아낸다.

라. 50psi 이상의 압력으로 압축된 공기를 표면에 분사하여 닦아낸다.

[해설] 용제 제거성 침투액은 헝겊 또는 종이수건 및 세척액으로 제거한다. 세척액이 스며든 헝겊 또는 종이수건을 사용하여 닦아내고 시험체를 세척액에 침지하거나 세척액을 다량으로 적용해서는 안 된다.

23_비파괴검사를 적용한 다음 내용 중 가장 부적절한 것은?

가. 직경 100㎜, 두께 6㎜, 길이 6m인 배관2개를 용접하여 방사선투과검사를 하고 내부는 침투탐상검사를 하였다.

나. 직경 50㎜, 두께 6㎜인 강관의 용접부위 홈 면을 침투탐상검사와 자분탐상검사를 하였다.

다. 저장탱크를 만들기 위해 구입한 평판(Plate)을 초음파탐상검사를 하였다.

라. 직경 100㎜인 축(shaft)을 초음파탐상검사를 하였다.

[해설] 침투탐상검사는 내부결함검출이 불가능하다.

24_침투액의 감도에 영향을 주는 오염물질로 볼 수 없는 것은

가. 산

나. 물

다. 소금

라. 공기

[해설] • 침투제의 물에 의한 오염은 침투력을 약하게 만들고 수세능을 저하시킨다.
• 유기오염물이 미치는 영향으로는 침투제의 염료농도를 약화시키고 침투제지시감도를 저하시킨다.
• 크롬산 잔여물이 불연속부위에 들어있을 경우 크롬이온이 자외선을 흡수하게 되고 침투제의 형광휘도가 저하된다.

25_침투탐상시험에 사용하는 유화제에 대한 설명으로 잘못된 것은??

가. 일반적으로 수용성이다.

나. 구조는 친수기와 친유기를 가진다.

다. 기름베이스와 물베이스 유화제가 있다.

라. 침투액의 침투시간을 단축시킨다.

해답 **22.** 라 **23.** 가 **24.** 라 **25.** 다

26_ 대형 또는 넓은 면적의 시험체 표면에 필요한 최소한의 침투액만 균일하게 도포할 수 있는
분무법은?

가. 압력 용기 분무법
나. 압축공기 분무법
다. 정전 분무법
라. Aerosol 캔 분무법

[해설] 정전 분무법(electrostatic spray gun)은 압축공기에 의하여 분무되는 침투제를 양극에 연결하여 시험체 간의
인력에 의하여 침투제를 도포 복잡한 형상부품의 자동라인 검사에 효과적이다. 압축공기 분무방식에 비해 매우
얇은 침투제 막을 형성 침투제 손실을 줄일 수 있다.

27_ 침투탐상시험법 중에서 수도와 전원이 없는 경우에 가장 적당한 시험법은?

가. 용제 제거성 염색침투탐상시험
나. 용제 제거성 형광침투탐상시험
다. 후유화성 형광침투탐상시험
라. 후유화성 염색침투탐상시험

[해설] 수도와 전원이 없는 경우 물 세척과 블랙라이트 사용이 곤란하므로 용제 제거성 염색침투탐상시험법이 적절하다.

28_ 하전 입자의 흡착성을 이용한 침투탐상검사의 특성 중 잘못 설명된 것은?

가. 결함이 있는 곳에 분말입자가 모여 지시를 형성한다.
나. 적용하는 분말의 입자는 양전하를 가진다.
다. 시험체는 약간의 전도성을 가진 것 이여야 한다.
라. 탄산칼슘의 미립자분말을 시험체의 표면에 적용시킨다.

[해설] 전도성이 없는 재료의 열린 결함에 약간의 전도가 있는 액체를 침투시킨 후 표면의 액체를 제거하여 건조시
키고 경질의 고무노즐을 사용하여 탄산칼슘의 미립자분말을 분사시키면, 입자는 양전하를 띠고 이 전하에 의해
액체중의 음전하를 띤 이온은 액체 표면으로 이동하여 균열은 마치 음전하를 띤 것처럼 되어 양전하를 띤 탄산
칼슘 분말입자를 끌어당겨 지시모양을 형성한다.

해답 **26.** 라 **27.** 가 **28.** 다

29_수세법에 의한 형광침투탐상시험의 장점으로 틀린 것은?

가. 시험편의 형상이 복잡한 경우에도 가능하다.
나. 잉여 침투액 세척처리가 비교적 쉽다.
다. 비교적 높은 검사감도를 가지며, 경제적이다.
라. 비교적 미세한 결함을 잘 검출할 수 있다.

[해설] 수세성 형광침투탐상법의 장점
① 검사체의 거칠기가 70s 정도의 비교적 표면이 거칠은 것에 적용이 가능하다.
② key홈이나 나사부처럼 복잡한 형상의 검사체 탐상이 가능하다.
③ 넓은 면적의 검사면을 1회 조작으로 탐상하는 것도 용이하다.
④ 다른 방법(염색)에 비하여 결함의 검출감도가 높다.
⑤ 소형 대량부품의 탐상에 가장적합하다.

30_침투탐상시험에서 예비세척처리 공정이 포함된 시험방법은?

가. 수세에 의한 방법
나. 기름 베이스 유화제를 사용하는 후유화에 의한 방법
다. 용제제거에 의한 방법
라. 물 베이스 유화제를 사용하는 후유화에 의한 방법

[해설] 친수성유화제는 침투제 허용한도가 3~5%로 제한되어 있으므로 예비 헹굼을 실시한다.

31_후유화성 침투탐상시험에서 유화제의 주된 기능은?

가. 형광침투제 또는 염색침투제의 성능을 증가시킨다.
나. 건식현상제가 붙어 있도록 시험체의 표면에 피막을 형성한다.
다. 물로 세척이 가능하도록 표면의 침투제와 반응한다.
라. 침투제가 깊고 좁은 균열에 신속하게 침투하도록 돕는다.

32_침투탐상검사에서 유화제의 적용방법으로 부적당한 것은?

가. 침지법
나. 분무법
다. 홀링법
라. 붓칠법

해답 **29.** 라 **30.** 라 **31.** 다 **32.** 라

33_ 침투탐상용 탐상제의 유지관리를 위한 피로시험 항목 중 건식현상제의 시험에 해당되지 않은 것은?

가. 외관시험　　　　　　　　　나. 형광시험

다. 감도시험　　　　　　　　　라. 균일성시험

[해설] 겉모양 검사를 하여 형광의 잔류를 확인

34_ 다음 중 초음파탐상시험에 사용되는 진동자의 압전 재료가 아닌 것은?

가. 실리콘(Si)　　　　　　　　나. 수정(SiO_2)

다. 티탄산바륨($BaTiO_2$)　　　라. 니오비움산납($PbNb_2O_2$)

35_ 복잡한 형상으로 된 소형 제품의 제작 단계에서 침투탐상시험을 할 때 잉여 후유화성 침투액을 제거하는 방법으로 적절한 것은?

가. 고온의 물에 침적하여 제거한다.

나. 흐르는 물에 철솔로 문질러 제거한다.

다. 적당한 수압으로 물을 뿌려 제거한다.

라. 일반 용제를 사용하여 헝겊으로 제거한다.

36_ 그림은 침투탐상시험 시 사용되는 침투액 안에 가는 관을 세웠을 때 표면 상태를 나타낸 것이다. 옳은 것은?

가.　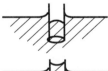　　　　나.　

다.　　　　　라.

[해설] 모세관의 내부표면에 접촉된 액체는 관 벽을 적셔 퍼지므로 관속의 액체의 면적이 증가하게 되고 액체는 표면적을 최소화 하려는 표면장력에 의해 관속의 액면을 상승시키게 된다. 접촉각이 90° 미만이면 (액체가 모세관 벽을 적시게 되면) 모세관속 액체의 요철면은 오목면이 된다.

[해답]　33. 라　34. 가　35. 다　36. 다

37_ 자분탐상검사에 대한 설명으로 잘못된 것은?

가. 표면결함이 존재하면 자속의 일부가 외부공간으로 누설된다.

나. 자분탐상검사법은 결함의 길이, 형상, 깊이에 대한 정보를 정확히 알 수 있다.

다. 철강 재료의 투자율은 비자성체에 비해 상당히 크다.

라. 누설자속탐상검사법은 누설자속밀도를 전기신호로 변화시켜 결함을 평가한다.

[해설] 자분탐상 시 결함의 깊이측정은 곤란하다.

38_ 침투탐상 시험 시 탐상제 중 인체의 건강보호 상 방진에 특히 주의해야 하는 것은?

가. 수세성 침투액

나. 습식 현상제

다. 유화제

라. 속건식 현상제

[해설] 비중이 가벼운 미세한 분말을 사용하므로 속건식 현상제나 건식현상제는 시험 중에 비산되는 현상제를 흡입하는 환기설비의 설치가 필요하다.

39_ 침투액의 성질은 점성, 표면장력, 적심성의 3가지 변수에 의해 침투인자가 결정되는데, 접촉각과 표면장력에 의해 영향을 받는 정적침투인자(Static Penetrant Parameter)를 나타내는 식은? (단, γ : 표면장력, θ : 접촉각을 나타낸다.)

가. $\gamma / \cos\theta$

나. $\cos\theta \, / \gamma$

다. $\gamma \cdot \cos\theta$

라. $\gamma \pm \cos\theta$

[해설] SPP = $\gamma \cdot \cos\theta$, KPP(동적침투인자) = $\gamma \cdot \cos\theta / \eta$ (η : 점성)

40_ 다음 중 결함 내 침투액이 제거되기 어렵고 미세한 결함을 가진 시험체의 탐상에 적합한 침투탐상시험으로, 탐상제 및 탐상작업의 관리를 적절하게 실시하지 않으면 그 특징을 발휘하지 못하는 방법으로서 복잡한 형상, 거친 표면 검사체에는 적합하지 않은 시험법은?

가. 수세성 염색침투탐상시험

나. 용제 제거성 염색침투탐상시험

다. 후유화성 염색침투탐상시험

라. 속건식 용제 제거성 염색침투탐상시험

[해설] 거친 면에는 후유화성 침투탐상시험방법의 적용이 어렵다. 수세성 〉 용제 제거성 〉 후유화성

해답 **37.** 나 **38.** 라 **39.** 다 **40.** 다

41_ 다음은 침투제를 시험체에 적용하였을 때 침투력에 관한 설명이다. 이 중 접촉각과 모세관 현상에 관한 설명 중 침투력이 가장 우수한 경우는?

가. 접촉각이 90보다 작고 모세관현상으로 올라온 액체면이 오목하게 된 경우
나. 접촉각이 90보다 작고 모세관현상으로 올라온 액체면이 볼록하게 된 경우
다. 접촉각이 90보다 크고 모세관현상으로 올라온 액체면이 오목하게 된 경우
라. 접촉각이 90보다 크고 모세관현상으로 올라온 액체면이 볼록하게 된 경우

해설 접촉각이 90° 미만이면(액체가 모세관 벽을 적시게 되면) 모세관속 액체의 요철면은 오목면이 되고 액체가 상승하며, 접촉각이 90°일 경우에는 모세관 상승 또는 하강이 없는 평형이 되고, 접촉각이 90°를 초과할 경우에는 액체는 관속에서 하강하며 관 벽을 적시지 못하고 요철면은 볼록면이 된다.

42_ 탄소강의 용접부 비드면 등에 대해서는 가능하면 가볍게 그라인더를 사용해 너무 큰 요철로 인한 의사지시의 원인이 되는 것은 제거해야 한다. 다음 중 용접부 침투탐상 시 그라인더를 하지 않고 검사했을 때 가장 빠뜨리기 쉬운 결함은?

가. 언더컷   나. 오버랩
다. 표면기공   라. 균열

43_ 침투탐상시험 중 어떤 방법을 사용해야 하는가에 대한 고려 대상이 아닌 것은?

가. 시험재료의 성질
나. 시험품 표면의 거친 정도
다. 시험장소의 기압
라. 시험재료의 오염 여부

해설 시험방법의 선정-시험을 실시하는데 대해서는 미리 시험체에 예상되는 결함의 종류, 크기, 시험체의 용도, 표면 거칠기, 치수, 수량, 탐상제의 성질 등을 고려하여 적용할 시험방법을 선정한다.

해답   **41.** 가   **42.** 라   **43.** 다

44__ 침투 탐상 시 현상제 종류에 따라 탐상제 감도가 달라질 수 있다. 다음 중 가장 감도가 높은 것은?

가. 건식

나. 수성 습식

다. 비수성 습식

라. 수성 습식, 비수성 습식이 동일하게 높다.

[해설] 현상제의 감도순서 : 속건식현상제 > 습식현상제 > 건식현상제

45__ 잉여 침투액을 제거할 때 형광 침투액의 불충분한 세척 시 어떤 결과를 가져오는가?

가. 현상제의 사용을 어렵게 한다.

나. 너무 많이 스며 나오게 된다.

다. 건전부에서의 형광 대조색이 지나치게 된다.

라. 시험체 표면에 휘발성 부식이 된다.

[해설] 과세척은 결함을 검출할 수 없거나 결함검출감도를 저하시키고 세척부족은 의사지시를 만들거나 결함식별을 어렵게 한다.

46__ 증기탈지로 제거할 수 없는 오염물질은?

가. 절삭유   나. 그리스

다. 기계유   라. 스케일

[해설] 증기 탈지법은 유지류 제거에 이용된다.

47__ 연속적이고 날카로운 형태의 선형지시의 불연속은 주로 어떤 것인가?

가. 슬래그 혼입   나. 텅스텐 혼입

다. 기공   라. 갈라짐

해답   **44.** 다 **45.** 다 **46.** 라 **47.** 라

48_ 균열이 있는 비교시험편의 사용용도와 관련하여 잘못 서술된 것은?

가. 필요시마다 나타낼 수 있는 균열의 표준크기를 설정하기 위하여
나. 서로 다른 두 개의 침투제의 상대적인 감도를 비교하기 위하여
다. 오염에 따른 형광 침투제의 성능이 저하 되었는가를 알아보기 위하여
라. 과잉 침투제를 제거할 경우에 필요한 세척방법 및 정도를 알기 위하여

[해설] 대비시험편의 사용목적
① 사용 중의 각종 탐상제의 품질과 성능의 유지와 관리
② 동일한 탐상조건에 있어서 탐상제 성능 비교시험
③ 각종 침투탐상검사의 결함검출 성능비교시험
④ 탐상제 제작처에 의한 제품의 품질관리
⑤ 탐상제의 연구와 개량, 개발
⑥ 탐상현장에 있어서 적절한 탐상조건의 추정
⑦ 검사원의 교육과 훈련

49_ 과잉침투제의 제거 방법에 따라 수세법, 용제 제거법, 후유화법으로 나눌 때 용제 제거법에 쓰이는 솔벤트로 과잉 침투제를 제거하는 적절한 방법은?

가. 타올로 젖은 표면을 문질러 제거한 후, 세척제를 약간 적신 타올로 백그라운드를 제거한다.
나. 타올로 과잉 침투액을 문질러 제거한 후, 과잉의 세 척제를 타올에 묻혀 제거한다.
다. 분무식 세척제를 표면에 분사시켜 씻어내고 타올로 잔여물을 닦아낸다.
라. 과잉의 세척제를 묻힌 천으로 제거한다.

[해설] 용제 제거성 침투액은 헝겊 또는 종이수건 및 세척액으로 제거한다. 헝겊 또는 종이수건으로 표면을 문질러 제거한 후 세척액이 스며든 헝겊 또는 종이수건을 이용하여 닦아내고 시험체를 세척액에 침지하거나 세척액을 다량으로 적용해서는 안 된다.

50_ 침투탐상검사 방법의 선정 시 고려하지 않아도 될 사항은?

가. 적용되는 규격이나 절차서
나. 예상되는 결함의 형태
다. 검사품의 제조자
라. 검사장소의 주변 환경

해답   48. 가   49. 가   50. 다

51
표면장력은 침투제에 많은 영향을 미치게 되는데 다음 중 표면장력이 가장 큰 물질은?

가. 에테르
나. 에틸알코올
다. 나프타
라. 물

52
현상제의 구비조건에 해당되지 않는 것은?

가. 침투액의 흡출능력이 강한 미세분말로 되어 있을 것
나. 분산성이 좋을 것
다. 중성으로 검사체에 대해 부식성이 없을 것
라. 자외선에 의해 형광을 발할 것

[해설] 현상제가 갖추어야 할 요건
① 침투액의 흡출 능력이 강한 미분말로 되어 있을 것
② 분산성이 좋을 것
③ 중성으로 검사체에 대해 부식성이 없을 것
④ 검사면 또는 결함부에 부착성이 좋고 동시에 현상제 도막이 제거하기 쉬울 것
⑤ 자외선에 의해 형광을 발하지 말 것
⑥ 화학적으로 안정할 것
⑦ 독성이 적을 것
⑧ 속건식, 습식의 경우는 현탁성이 좋을 것

53
침투제의 성능을 유지하기 위해서는 주기적인 관리가 필요한데 다음 중 가장 자주 점검해야 할 사항은?

가. 형광의 밝기
나. 감도
다. 세척성
라. 오염

54
침투탐상검사에 사용되는 침투액의 종류 중 가장 높은 탐상감도를 갖는 것은?

가. 후유화성 염색 침투액
나. 후유화성 형광 침투액
다. 수세성 염색 침투액
라. 수세성 형광 침투액

[해설] 세척방법에 따른 탐상감도 순서 : 후유화성 〉 용제 제거성 〉 수세성

해답 51. 라 52. 라 53. 라 54. 나

55_ 다른 침투탐상검사 방법에 비해 시험체의 위치치 검사조건 등에 대한 영향을 가장 적게 받는 검사법은?

가. 염색침투. 용제법　　　　　　　　나. 염색침투, 유화제법

다. 형광침투, 유화제법　　　　　　　라. 형광침투, 용제법

56_ 침투탐상검사에 사용하는 세척제에 요구되는 성질이 아닌 것은?

가. 휘발성이 적당할 것　　　　　　　나. 중성으로 부식성이 없을 것

다. 독성이 없을 것　　　　　　　　　라. 인화점이 낮을 것

[해설] ① 세정석이 좋아 잉여 침투액을 용이하게 제거할 수 있을 것
② 휘발성이 적당할 것　　　　　　　③ 중성으로 부식성이 없을 것
④ 독성이 없을 것　　　　　　　　　⑤ 인화점이 높을 것

57_ 침투탐상시험 시 사용하는 표준시험편의 특성에 대해 설명한 것 중 틀린 것은?

가. B형 시험편은 A형 시험편에 비해 장기간 반복 사용할 수 있는 이점이 있다.

나. A형 시험편은 B형 시험편에 비해 균열 형상이 자 연 균열에 가깝다.

다. A형 시험편은 B형 시험편에 비해 균열의 크기 조절이 쉽다.

라. B형 시험편은 깊이가 일정한 균열을 재현성 있게 만들 수 있다.

[해설] A형 대비시험편의 장·단점
장점 : ① 시험편의 제작이 간편하다.
② 비교적 미세한 균열을 만들 수 있고 시험편에 깊이와 폭이 다양한 균열이 발생하므로 균열의 폭과 깊이에 의한 성능의 차이에 대해서도 어느 정도 알 수 있다.
③ 시험편에 발생한 균열의 형상이 자연균열에 가깝고 재질적으로도 경금속 재료에 사용하는 탐상제의 성능을 조사하는 대비시험편으로 적합하다.
단점 : ① 가열 및 급냉을 이용하므로 균열의 치수를 조정하는 것이 곤란하다.
② 재료가 알루미늄합금이므로 사용을 반복하면 균열의 파면이 산화 등에 의해 재현성이 점진적으로 나빠진다.
B형 대비 시험편의 장·단점
장점 : ① 균열이 깊이는 도금 층의 두께와 같으므로 도금 층의 두께를 조정하여 깊이가 일정한 균열을 재현성이 좋게 만들 수 있다.
② 장시간 반복하여 사용할 수 있다.
단점 : ① 표면이 매우 매끄러워서 실제의 시험체 표면과 일치하는 것이 어렵다.
② 도금, 곡률가공 등에 있어서 기술이 필요하고 시험편의 제작이 어렵다.

해답　**55.** 가　**56.** 라　**57.** 다

58_ 침투탐상검사 후 보고서에 기록을 하지 않아도 되는 것은?

가. 검사자의 성명 및 자격　　　　나. 검사체의 품명 및 검사개소

다. 현상시간　　　　　　　　　　라. 용접방법

해설 보고서 기록사항 : 시험 년월일, 시험체(품명, 모양, 치수, 재질, 표면사항) 시험방법의 종류, 탐상제의 명칭, 조작방법, 조작조건, 시험결과, 시험기술의 성명, 자격사항

59_ 침투탐상검사에서 대비시험편의 사용 목적이 아닌 것은?

가. 여러 종류의 탐상제 중 우수한 탐상제를 비교 선정할 경우

나. 탐상 가능한 결함의 크기를 측정하고자 할 경우

다. 개방용기에 넣어 사용 중인 탐상제의 열화정도를 점검할 경우

라. 동일 탐상제를 구입 시 이전의 탐상제와 품질을 비교할 경우

60_ 표면이 거친 주강품의 검사에 적당한 침투탐상 시험은?

가. 수세법　　　　　　　　　　　나. 유화제법

다. 용제법　　　　　　　　　　　라. 무현상법

61_ 다음 중 침투탐상 시험과정에서 일반적으로 처리시간을 짧게해야 하는 과정은?

가. 침투처리　　　　　　　　　　나. 유화처리

다. 현상처리　　　　　　　　　　라. 후처리

62_ 다음 중 탐상감도가 가장 우수한 겸사법은?

가. 수세성 형광침투탐상시험법

나. 후유화성 형광침투탐상시험법

다. 용제 제거성 형광침투탐상시험법-속건식현상

라. 용제 제거성 형광침투탐상시험법-건식현상

해설 탐상감도순서 : FD 〉 FB 〉 FC 〉 FA 〉 VD 〉 VB 〉 VC 〉 VA
현상제 탐상감도순서 : S 〉 W 〉 D

해답　58. 라　59. 나　60. 가　61. 나　62. 나

63_ 수세성 염색침투탐상시험법의 단점은?

가. 세척 조작이 어렵다.
나. 표면이 거친 검사품의 탐상에는 부적합하다.
다. 전원이 필요하다.
라. 검출 감도가 낮아 미세한 결함의 검출이 어렵다.

해설 장점 : ① 표면 거칠기가 거칠은 검사체의 탐상에 적합하다.
② 대량부품의 탐상에 적합하다.
③ 세정처리가 비교적 용이하다.
④ 탐상장소를 어둡게 하는 설비 및 자외선 조사 등이 불필요하며 형광침투탐상검사에 비해 제약은 적다.
단점 : ① 미세한 결함의 탐상에 적합하지 않다.
② 건조하기 위한 전원이 필요하다.

64_ 형광침투탐상검사를 할 때 다음 중 크게 고려할 인자가 아닌 것은?

가. 검사할 부위와 시험체의 크기
나. 시험면의 거칠기
다. 실내 백열등 및 기압
라. 자외선 등의 강도

65_ 여러 종류의 침투액에 대한 다음 설명 중 옳은 것은?

가. 수세성 침투액은 직접 물로 세척할 수 없다.
나. 제작처가 다른 침투액을 혼합, 사용해도 무방하다.
다. 후유화성 침투액은 물에 녹지 않으므로 물만으로는 세척할 수 없다.
라. 수세성 침투액은 가시성 염료만 포함되어 있다.

해설 • 수세성 침투제는 적색염료 또는 형광염료에 유화제가 포함되어 있기 때문에 물세척이 가능하다.
• 후유화성 침투제나 용제 제거성 침투제는 적색염료 또는 형광 염료로 되어 있고 유화제가 포함되어 있지 않으므로 후유화성 침투제를 사용하는 경우는 침투처리 후 별도의 유화과정이 필요하다.

66_ 침투탐상검사 결과를 기록하는 방법으로 적당하지 않는 것은?

가. 스케치
나. 접착테이프
다. 사진촬영
라. 압지

해설 침투탐상 시험 후 결함의 기록방법에는 사진, 전사, 스케치 등이 있다.

해답 63. 라 64. 다 65. 다 66. 라

67_다음 중 불연속에 흡수되는 침투액의 작용은 어떤 것인가?

가. 모세관 현상으로 생긴 적심능에 의한 작용
나. 침투액의 무게에 의한 작용
다. 침투액의 화학적 불활성으로 인한 작용
라. 침투액의 높은 비중에 따른 작용

[해설] 침투탐상검사는 모세관현상을 이용하는 시험방법이다.

68_후판을 용접하기 전에 용접 개선면에 대한 침투탐상검사를 실시하는 경우가 있다. 이는 어느 결함을 사전 점검하기 위함인가?

가. 라미네이션
나. 언더컷
다. 용입부족
라. 스패터

[해설] 라미네이션, 균열, 기공, 슬래그 개재물 등이 검출대상이 되는 불연속이며 홈 면에 라미네이션이나 균열이 있을 경우에는 제거되지 않고 용접이 실시되면 용접열의 영향으로 결함이 성장되거나 용착 금속 중에 균열이 발생될 수 있다.

69_알루미늄 주물품을 침투탐상 시험한 결과 작은 점들의 그룹이 나타났다면 다음 중 어떤 불연속으로 추측되는가?

가. 미세 수축공
나. 콜드랩
다. 피로균열
라. 부식균열

70_다음 중 침투탐상검사를 하기 적합한 경우가 아닌 것은?

가. 시험체와의 표면장력이 작다.
나. 시험체와의 적심성이 크다.
다. 시험체와의 접촉각이 크다.
라. 시험체와의 침투능이 크다.

해답 67. 가 68. 가 69. 가 70. 다

71__침투탐상 시험 시 탐상 부품의 표면온도가 과도하게 가열이 될 경우 유발되는 문제는?

가. 침투제의 점도가 매우 낮아지게 된다.
나. 침투제의 휘발성을 소실하게 된다.
다. 침투제의 표면장력이 증가하게 된다.
라. 침투제의 침투성이 증가하게 된다.

72__대규모 고층빌딩의 철골 용접부에 대한 침투탐상검사법으로 적당한 것은?

가. 수세성 염색침투탐상검사
나. 용제제거성 염색침투탐상검사
다. 후유화성 염색침투탐상검사
라. 후유화성 형광침투탐상검사

73__검사체 표면에서 액체의 퍼짐성은 침투성과 관련된 중요한 인자이다. 그 관계식은?

> 단, SSL – 퍼짐성(Spreading Coefficient)
> YSG – 고체와 기체의 경계에서의 표면 에너지
> YL – 액체와 기체의 경계에서의 표면에너지
> YSL – 고체와 액체의 경계에서의 표면에너지

가. SSL = YSG+(YL−YSL)　　　나. SSL = YSL−(YSG−YL)
다. SSL = YSL−(YSG+YL)　　　라. SSL = YSG−(YL+YSL)

74__수세성 형광 침투제 및 건식 현상제를 사용하여 반 거치식으로 침투탐상 시험할 때 자외선 등의 설치 위치로 적당한 것은?

가. 전처리 단계에 설치　　　나. 현상제 적용단계에 설치
다. 세척 단계에 설치　　　　라. 침투제 적용단계에 설치

[해설] 세척의 정도를 확인하기 위해서 세척장치 상부에는 자외선 등이 부착되어 있어야 한다.

해답　**71.** 나　**72.** 나　**73.** 라　**74.** 다

75_다음 중 습식 현상제를 혼합할 때 물이 적으면 탐상시험에 어떤 원인을 유발하는가?

가. 검사 중에 형광 작용이 감소된다.
나. 무관련 지시가 생긴다.
다. 건조 작업 중 현상막에 균열이 생긴다.
라. 현상 작용이 안 된다.

76_다음 중 증기 세척법으로 세척되는 것은?

가. 페인트
나. 인산염 피막
다. 기름
라. 산화물

[해설] 기계가공품 표면에 존재하는 절삭유, 연마제, 그리이스, 칩 등을 제거하는데 사용되는 대표적인 방법이다.

77_현상제의 기본적 성질 중 틀린 것은?

가. 침투액의 흡출능력이 강한 미분말로 되어 있을 것
나. 분산성이 좋을 것
다. 자외선에 의해 형광을 발할 것
라. 검사면 또는 결함부에 부착성이 좋고 동시에 현상제 도막이 제거되기 쉬울 것

[해설] 현상제가 갖추어야 할 요건
① 침투액의 흡출 능력이 강한 미분말로 되어 있을 것
② 분산성이 좋을 것
③ 중성으로 검사체에 대해 부식성이 없을 것
④ 검사면 또는 결함부에 부착성이 좋고 동시에 현상제 도막이 제거하기 쉬울 것
⑤ 자외선에 의해 형광을 발하지 말 것(형광 침투액을 사용하는 경우)
⑥ 화학적으로 안정할 것
⑦ 독성이 적을 것
⑧ 속건식, 습식의 경우는 현탁성이 좋을 것
⑨ 염색침투탐상검사에 사용하는 것은 백색일 것

해답   **75.** 다 **76.** 다 **77.** 다

78_ 현상제 중 결함지시를 영구 보존하기에 적합한 것은?

가. 건식 현상제　　　　　　　　　나. 습식 현상제
다. 속건식 현상제　　　　　　　　라. 플라스틱필름 현상제

[해설] 분해능이 아주 우수한 현상제이며, 청정 락카 성분과 콜로이달 수지로 이루어져 있다. 시험품 표면에 얇은 필름 상으로 분무시켜 적용한다. 감도나 분해능은 높으나 가격이 비싼 것이 단점이고 후처리를 하기 위해 고가의 특수 용제를 사용하기 때문에 제거비용이 비싸다.

79_ 재질에 따른 분류 시 일반 강재의 용접부에 대한 침투탐상검사를 실시할 수 있는 시기는 언제부터 인가?

가. 용접완료 후 즉시　　　　　　　나. 용접완료 후 상온으로 냉각된 후
다. 용접완료 후 24시간이 경과한 후　라. 용접완료 후 2일이 경과한 후

80_ 침투탐상시험에서 습식현상법을 적용하는 경우 건조처리의 제일 큰 목적은?

가. 침투제의 침투시간을 줄이기 위한 것
나. 과잉침투제가 증발되도록 하기 위한 것
다. 현상처리 전 물 세정에 의해 검사체 표면에 남아 있는 수분을 제거하기 위한 것
라. 습식 현상제 적용 후 현상제가 검사체에 균일한 두께의 현상도막을 형성시키기 위한 것

제3과목 **침투탐상 관련 규격 및 컴퓨터 활용**

81_ 침투탐상시험을 할 때 탐상을 위해 표면 상태를 전처리 해야 한다. 다음 중 전처리 시의 추천방법이 아닌 것은?

가. 유기 용제로 세척　　　　　　　나. 초음파 세척
다. 샌드 브라스트　　　　　　　　라. 증기 세척

[해설] 기계적 전처리를 연강 재료에 사용하는 경우 표면의 불연속 부를 메워 버릴 수 있다. 기계적 전처리 방법에는 샌드블라스트, 그리트 블라스트, 텀블링법 등이 있다.

해답　**78.** 라　**79.** 나　**80.** 라　**81.** 다

82 ASTM E 165에 의거하여 침투탐상시험을 하는 경우 최소 현상 시간은?

가. 3분　　　　　　　　　　　　　나. 5분

다. 7분　　　　　　　　　　　　　라. 10분

83 KS B 0816에서 규정한 B형 대비시험편에 대한 내용이다. 다음 중 틀린 것은?

가. 탐상제의 성능 및 조작방법의 적합여부를 조사하는데 사용한다.

나. 시험편은 도금의 두께에 따라 4종류로 나눈다.

다. 시험편의 재료는 KS D 6701에서 규정한 A 2024P로 한다.

라. 도금은 시험편 재료에 니켈도금을 한 후 다시 크롬 도금을 한다.

84 KS B 0816에 의한 B형 대비시험편의 종류와 시험편내의 도금 갈라짐의 나비 값(목표 값)이 바르게 연결된 것은?

가. PT-B10 : 0.5μm　　　　　　　나. PT-B20 : 1.5μm

다. PT-B30 : 2.0μm　　　　　　　라. PT-B50 : 5.0μm

[해설] B형 대비시험편의 종류

단위 : μm

기호	도금두께	도금 갈라짐 나비
PT-B50	50±5	2.5
PT-B30	30±3	1.5
PT-B20	20±2	1.0
PT-B10	10±1	0.5

85 KS B 0816에 의한 침투탐상시험을 할 때 현상제의 종류, 예측되는 결함의 종류와 크기 및 시험품의 온도를 고려하여 현상시간을 정하는데 일반적인 현상시간은?

가. 7~30분　　　　　　　　　　　나. 1~5분

다. 30초~1분　　　　　　　　　　라. 5초~30초

해답　**82.** 다　**83.** 다　**84.** 가　**85.** 가

86__ KS W 0914에 의하면 침투탐상시험을 하여 합격된 시험체에는 합격표시를 하여야 한다. 그 표시 방법에 해당되지 않는 것은?

가. 에칭　　　　　　　　　　　　나. 각인
다. 도금　　　　　　　　　　　　라. 꼬리표

87__ KS W 0914에 의해 침투탐상시험을 할 때 방법 A의 공정에서 수동 스프레이를 사용할 경우 지켜야 할 내용으로 맞지 않는 것은?

가. 최대 수압은 275㎪
나. 수온은 10~38
다. 스프레이 노즐과 부품사이 거리는 최소 30㎝ 유지
라. 세척시간은 최소 3분으로 한다.

88__ ASME Sec. Ⅷ에서는 결함의 허용 기준을 제시하고 있다. 다음 중 틀린 내용은?

가. 1/16인치의 선상 결함은 불합격
나. 원형모양지시 결함의 길이가 3/16인치이면 불합격
다. 4개의 원형모양지시 결함이 1/16인치 이내로 연결되어 있으면 불합격
라. 원형모양지시 결함의 길이가 1/16인치 이하인 것이 10개 이상이면 불합격

[해설] ASME Ⅷ Div.1 합격기준 : 본 규격재에서 특정 재료나 적용에 대하여 더 엄격한 기준이 규정되지 않으면, 모든 검사표면에는 다음의 지시가 없어야 한다.
① 관련 선형지시　　　　　　　　　　② 관련 원형지시로서 3/16in(4.8mm)를 초과하는 것
③ 지시의 끝과 끝 사이의 간격이 1/16in(1.6mm) 이하로 떨어져 있는 일직선상에 있는 4개 이상의 관련원형지시
④ 불연속의 지시는 실제의 불연속보다 크게 나타날 수도 있으나 합격여부의 판정은 지시의 크기를 근거로 한다.

89__ ASME Sec. Ⅴ Art.6에서 수세성 침투액의 수온과 수압은 과도한 세척을 방지하기 위해 제한하고 있다. 그 제한치로 바르게 표기된 것은?

가. 수압 : 30psi, 수온 : 110F　　　나. 수압 : 50psi, 수온 : 110F
다. 수압 : 50psi, 수온 : 150F　　　라. 수압 : 80psi, 수온 : 150F

[해설] ASME sec Ⅴ 수압은 50psi(345kpa), 110℉를 초과하지 않도록 하고 있다.

해답　　86. 다　87. 라　88. 라　89. 나

90__ ASME Sec. ⅤArt.6의 침투탐상시험에 대한 설명이다. 틀린 것은?

가. 제조자가 서로 다른 침투 탐상제를 혼합하여 사용하여서는 안 된다.

나. 수세성 침투액으로 재검사를 하면 불순물로 인하여미세한 지시모양이 나타나지 않을 수 있다.

다. 침투액을 압축공기장치를 이용한 분무법을 적용하는 경우 공기 취입구 근처의 상류 쪽에 필터를 부착해야 한다.

라. 형광침투탐상법과 염색침투탐상법을 병행할 경우 염색 침투탐상검사를 먼저 수행하여야 한다.

91__ KS B 0816에 의한 B형 대비시험편 제작 시 사용되는 시편의 길이와 나비로 맞게 짝지어진 것은?

가. 길이 100㎜, 나비 70㎜   나. 길이 100㎜, 나비 50㎜
다. 길이 120㎜, 나비 70㎜   라. 길이 120㎜, 나비 50㎜

92__ ASME Sec. Ⅴ. Art.6에서 최종 판독시간으로 틀린 것은?

가. 건식현상제 적용 직후 7분에서 60분 사이

나. 속건식 현상제 도막 건조 후 7분에서 60분 사이

다. 습식 현상제 적용 직후 7분에서 6분 사이

라. 습식 현상제 도막 건조 후 7분에서 60분 사이

93__ 침투탐상시험 한 결과 지시가 관련지시인지 무관련 지시인지 결정하기 어려울 때 ASME Sec. Ⅷ에서는 어떻게 규정하고 있는가?

가. 보다 경험이 많은 검사자에게 판독을 미룬다.

나. 관련지시인지 여부를 판정하기 위해 재검사를 수행한다.

다. 판정하기 모호한 지시는 재료에 큰 영향을 끼치지 않는 지시이므로 무시한다.

라. 표면을 닦아내고 현상제만 다시 적용하여 판독한 다.

해답 90. 라 91. 가 92. 다 93. 나

94__ KS B 0816에 따라 전수 침투탐상검사를 한 경우 합격된 시험체로 표시를 필요로 하는 것이 있다. 이때 표시 방법을 잘못 설명한 것은?

가. P자를 각인한다.　　　　　　　나. 적갈색으로 착색한다.

다. P자를 부식한다.　　　　　　　라. 리본을 단다.

[해설] • 전수검사인 경우 : ① 각인, 부식 또는 착색(적갈색)으로 시험체에 P의 기호를 표시한다.
　　　　　　　　　　　　② 시험체에 P의 표시를 하기가 곤란한 경우에는 적갈색으로 착색하여 표시한다.
　　　　　　　　　　　　③ 상기의 표시를 할 수 없는 경우는 시험기록에 기재한 방법에 따른다.
　　　　• 샘플링 검사인 경우 : 합격한 로트의 모든 시험체에 ⓟ의 기호 또는 착색(황색)으로 표시한다.

95__ KS B 0816에서 정한 관찰방법으로 옳지 않은 것은 ?

가. 침투지시 모양의 관찰은 현상제 적용 후 7~60분 사이에 하는 것이 바람직하다.

나. 형광 침투액은 관찰하기 전에 1분 이상 어두운 곳에서 눈을 적응시킨다.

다. 염색 침투액의 사용 시 시험면의 밝기는 800W/㎠ 이상인 자연광 또는 백색광 아래에서 관찰하는 것이 바람직하다.

라. 침투지시 모양이 나타났을 때 결함침투 지시모양인지 의사지시인지를 확인하여야 한다.

96__ 다음 중 정보통신을 위한 OSI 7 layer 중 하위 계층을 구성하는 각종 통신망의 품질 차이를 보상하고, 송·수신 시스템 간의 논리적 안정과 균일한 서비스를 제공하는 계층은?

가. 세션계층(Session layer)

나. 전송계층(Transport layer)

다. 응용계층(Application layer)

라. 네트워크계층(Network layer)

97__ 다음 중 인터넷 웹서버 구축을 위한 환경과 도구를 제공하는 것은?

가. UNIX　　　　　　　　　　　나. IIS

다. OS/2　　　　　　　　　　　라. IWS

해답　**94.** 라　**95.** 다　**96.** 나　**97.** 나

98_ 우리나라 정부기관인 행정자치부(mogaha)의 도메인 이름으로 옳은 것은?

가. www.mogaha.com

나. www.mogaha.go.kr

다. www.mogaha.co.kr

라. www.mogaha.pe.kr

99_ 양쪽 방향으로 데이터의 이동이 가능하나 한 번에 한 방향으로만 이동이 가능한 데이터 전송 방식은?

가. 반 이중 전송방식

나. 단 방향 전송방식

다. 양 방향 전송방식

라. 전 이중방식

100_ 다음 중 컴퓨터의 연산 장치와 관계가 없는 것은 ?

가. 누산기   나. 기억 레지스터

다. 번지 레지스터   라. 상태 레지스터

101_ 침투탐상 시험방법 및 침투지시모양의 분류(KS B 0816)에 따른 기름베이스 유화제의 유화시간에 대한 설명으로 옳은 것은?

가. 형광 침투액 사용 시 5분 이내로 한다.

나. 염색 침투액 사용 시 최소 30초 이상으로 한다.

다. 형광 침투액 사용 시 3분 이상으로 한다.

라. 염색 침투액 사용 시 30초 이내로 한다.

[해설] 기름베이스 유화제를 사용하는 시험에서는 형광 침투액을 사용할 때는 3분 이내, 염색 침투액을 사용할 때는 30초 이내 물 베이스 유화제를 사용하는 시험에서는 침투액이 형광 침투액 및 염색 침투액인 경우는 2분 이내로 한다.

해답 **98.** 나 **99.** 가 **100.** 다 **101.** 라

102_ 보일러 및 압력용기의 침투탐상검사(ASME Sec.V Art.6)에서 여분의 수세성 침투제를 물 분무로 제거할 때 수압의 규정으로 옳은 것은??

가. 30psi를 초과할 수 없다.
나. 50psi를 초과할 수 없다.
다. 60psi 이상이어야 한다.
라. 70psi 이상이어야 한다.

[해설] KS B 0816에서 스프레이 노즐을 사용할 때의 수압은 특별히 규정이 없는 한 275kPa(40psi) 이하로 한다. ASME에서 물분무로 제거할 때 수압은 345kPa(50psi) 이하로 한다.

103_ 보일러 및 압력용기의 침투탐상검사(ASME Sec. V Art.6)에서 규정한 알루미늄 주조품의 균열을 검출하고자 할 때 침투제의 최소 침투시간은?

가. 5분   나. 7분
다. 10분   라. 14분

104_ 침투탐상 시험방법 및 침투지시모양의 분류(KS B 0816)에 의해 다음 독립 결함 중 원형상 결함이라 판단할 수 없는 것은?

가. 슬래그 혼입   나. 편석
다. 라미네이션   라. 수축공

105_ 보일러 및 압력용기의 침투탐상검사(ASME Sec.V Art.6 App.II)에서는 검사에 사용되는 탐상제에 대한 오염의 관리를 규정하고 있다. 오염의 함유량에 대한 성적서를 보관 및 관리하지 않아도 되는 시험체는?

가. 코발트 합금   나. 니켈 합금
다. 티타늄   라. 오스테나이트 스테인리스강

[해설] 니켈합금, 오오스테나이트 스테인레스강과 티탄늄에 사용되는 모든 탐상제에 대해 불순물 함유량에 대한 증명서를 확보하여야 한다.

해답 102. 나 103. 가 104. 다 105. 가

106_ 보일러 및 압력용기의 침투탐상검사(ASME Sec. V Art.6)에 의한 침투제의 적용방법이 아닌 것은?

가. 침지(Dipping)
나. 솔질(Brushing)
다. 분무(Spraying)
라. 굴림(Rolling)

107_ 침투탐상 시험방법 및 침투지시모양의 분류(KS B0816)에 규정한 탐상제의 관리에 대한 설명으로 옳은 것은?

가. 사용 중인 습식 현상제는 소정의 농도로 유지하기 어려우므로 사용 후마다 매번 폐기한다.

나. 개방형의 장치에서 탐상제를 사용할 때는 오염의 방지를 위해 별다른 특별한 대책을 취할 수는 없다.

다. 사용하였던 세척액은 소정의 농도로 유지하기 위해 용기에 밀폐하여 상온에서 보관하여야 한다.

라. 기준 탐상제 및 사용하지 않는 탐상제는 용기에 밀폐, 냉암소에 보관하여야 한다.

[해설] ① 기준 탐상제 및 사용하지 않는 탐상제는 용기에 밀폐하여 냉암소에 보관하여야 한다.
② 용제 제거성 침투액, 세척액 및 속건식 현상제는 밀폐한 용기에 보관하여야 한다.
③ 탐상제를 개방형의 장치에서 사용할 때는 먼지, 불순물의 혼입, 탐상제의 비산을 방지하도록 처리하여야 한다.
④ 습식 및 속건식 현상제는 소정의 농도로 유지하여야 한다.

108_ 항공 우주용 기기의 침투탐상검사 방법(KS W 0914) 규정에서 수동 스프레이에 의한 침투액 제거의 내용으로 옳은 것은?

가. 수온은 10~50°F로 하여야 한다.
나. 최대 수압은 275kPa이다.
다. 스프레이 노즐과 부품 사이는 최소 1m 이상이어야 한다.
라. 물분무 노즐은 초고감도, 고감도 레벨의 공정에서만 허용된다.

[해설] 최대수압은 275kpa(40psi) 수온은 10~38℃로 하여야 한다. 가능한 경우는 스프레이 노즐과 부품사이를 최소 30cm 떨어진 겨냥 분사로 하여야 한다. 물분무 노즐은 감도레벨 1 또는 2의 공정에 대하여만 허용되며 부가 공기압, 최대 172kpa(25psi)로 사용하여야 한다.

해답 106. 라 107. 라 108. 나

109__ 보일러 및 압력용기의 침투탐상검사(ASME Sec. V Art.6)에 따른 염색침투탐상시험에서 시험 중의 조도는 얼마 이상이어야 하는가?

가. 20Lx

나. 200Lx

다. 400Lx

라. 1000Lx

[해설] 염색 침투탐상 시험시 요구되는 조도
KS B 0816 에서는 500lx 이상 요구, KS W 0914에서는 1000lx 이상 요구, ASME Sec.V Art.6 1000lx 이상 요구

110__ 침투탐상 시험방법 및 침투지시모양의 분류(KS B0816)에 규정한 시험 방법의 기호가 DFA-D 일 때 올바른 호칭은?

가. 수세성 이원성 염색 침투액-속건식현상법

나. 수세성 이원성 형광 침투액-습식현상법

다. 수세성 이원성 염색 침투액-건식현상법

라. 수세성 이원성 형광 침투액-건식현상법

111__ 항공 우주용 기기의 침투탐상검사 방법(KS W0914)에 규정한 내용 설명으로 틀린 것은?

가. 염색침투탐상검사인 경우에는 검사 대상품의 표면에 적어도 1000룩스의 백색광을 방사하는 것이어야 한다.

나. 액체 산소를 적셔서 충분히 후청정을 할 수 없는 재료의 표면에 대하여는 충격감도시험에 50J 이상에서 합격한 침투 탐상제를 사용하여야 한다.

다. 최종 침투탐상검사는 표면에 연결되는 불연속부를 생기게 하는 원인이 될 수 있는 작업이 완료된 후에 하여야 한다.

라. 최종 침투탐상검사는 도료, 프라이머, 양극처리, 도금, 차열재 등의 표면 피복을 하기 전에 하여야 한다.

[해설] 액체 산소로 적셔서 충분히 후청정을 할 수 없는 표면에 대하여는 ASTM D 2512에서 규정하는 충격감도시험에 95J 이상에서 합격한 침투 탐상제를 사용하여야 한다.

[해답] **109.** 라 **110.** 라 **111.** 나

112_ 침투탐상 시험방법 및 침투지시모양의 분류(KS B 0816)에 규정한 침투지시모양의 관찰 시간으로 옳은 것은?

가. 침투제 적용 후 60분 이내
나. 형상제 적용 후 즉시
다. 침투제 적용 후 7~60분 사이
라. 현상제 적용 후 7~60분 사이

113_ 보일러 및 압력용기의 침투탐상검사(ASME Sec. V Art.6)에 의거한 탐상검사의 설명 중 잘못된 것은?

가. 검사체 표면의 표준 온도는 10~52℃가 적당하다.
나. 형광침투탐상검사는 염색침투탐상검사 후에 실시한다.
다. 표준 온도를 벗어나면 비교시험편으로 반응 검사를 한 후 검사를 할 수도 있다.
라. 탐상시험에 사용되는 계측기를 1년 이상 사용하지 않은 경우, 사용 전에 교정을 실시하여야 한다.

[해설] 시험편에 염색침투탐상검사를 먼저 실시하면 결함부에 남아있는 염색침투제가 형광 침투제를 사용 시 형광의 발광능력을 떨어뜨리기 때문에 형광침투탐상시험 후 염색침투탐상시험을 실시한다.

114_ 침투탐상 시험방법 및 침투지시모양의 분류(KS B 0816)에 따른 독립결함으로 분류되는 것이 아닌 것은?

가. 갈라짐
나. 연속 결함
다. 선상 결함
라. 원형상 결함

[해설] 결함의 분류는 독립결함, 연속결함, 분산결함으로 분류되며 독립결함은 다시 갈라짐, 선상결함, 원형상 결함으로 분류되어 진다.

115_ 인터넷에서 메일을 보내기 위한 통신 프로토콜은?

가. TCP/IP
나. SLIP
다. PPP
라. SMTP

해답   112. 라   113. 나   114. 나   115. 라

116_ 보일러 및 압력용기의 침투탐상검사(ASME Sec.V Art.6)에서는 시험에 비교시험편을 사용할 경우를 제시하고 있다. 어떤 경우인가?

가. 시험체 온도가 50℉ 미만, 125℉ 초과
나. 시험체 온도가 50℉ 초과, 125℉ 미만
다. 시험에 온도가 90℉ 미만, 125℉ 초과
라. 시험체 온도가 90℉ 초과, 125℉ 미만

[해설] 표준온도 범위 : KS B 0816 - 15~50℃(60~125℉), KS W 0914 - 4~49℃(40~120℉), ASME Sec.V
Art.6 - 10~50℃(50~125℉)

117_ 다음 중 광섬유나 동축케이블 등을 지칭하는 것은?

가. 통신규약
나. 통신방식
다. 전송매체
라. 모뎀

118_ 윈도우 운영체제에서 디스크의 단편화를 제거하기 위한 목적의 프로그램은?

가. 디스크 검사
나. 디스크 정리
다. 디스크 조각모음
라. 디스크 공간 늘림

119_ 다음 중 문서편집용 프로그램이 아닌 것은?

가. 메모장
나. MS-word
다. 한글 97
라. Photo-shop

120_ 인터넷에서 사용되는 프로토콜은?

가. HTML
나. SGML
다. TCP/IP
라. XML

해답   116. 가   117. 다   118. 다   119. 라   120. 다

침투(PT)탐상검사 문제 – 2007년 산업기사

1. 침투탐상시험의 침투시간에 대한 설명으로 옳지 않은 것은?

가. 미세한 결함을 탐상하기 위해서는 침투시간을 다소 길게 적용한다.
나. 저온에서 검사하는 경우에는 침투시간을 다소 길게 적용한다.
다. 후유화성 침투제를 사용하는 경우에는 침투시간을 다소 길게 적용한다.
라. 일반적으로 단조품을 검사하는 경우에는 침투시간을 다소 길게 적용한다.

2. 통풍이 안 되는 탱크 안을 용제 제거성 침투 탐상제를 사용하여 작업할 때 주의할 사항 중 가장 중요한 것은?

가. 특별히 주의할 사항은 없다.　　　　나. 배수시설을 설치하여야 한다.
다. 후처리를 생략하여야 한다.　　　　라. 환기를 충분히 하여야 한다.

[해설] 밀폐된 공간 안에서 용제 제거성을 이용하는 경우 환기시설이 충분하여야 한다.

3. 다음 중 침투제의 물리적 특성 시험에서 침투제를 100℉정도의 일정한 온도를 유지시키면서 물리량을 측정하고 그 결과를 Centistokes의 단위로 나타내는 시험 방법은?

가. 비중시험　　　　　　　　　　　　나. 점도 시험
다. 염소함량 시험　　　　　　　　　　라. 오염도측정 시험

[해설] 점도의 단위로는 St(stokes), cst(centistokes)를 사용한다.

해답　1. 다　2. 라　3. 나

4_ 침투탐상 시험 시 표면에 있는 윤활유, 그리스 등의 유지류를 제거하는 가장 효과적인 방법은?

가. 물 세척
다. 솔 벤트 세척

나. 산세척
라. 증기 탈지

5_ 유화제를 사용하는 주목적은?

가. 불연속 안에 들어있는 침투액을 제거시키기 위하여
나. 침투액의 적용에 앞서 시험체의 표면을 전처리하기 위하여
다. 기름이 주원료인 침투액을 유화시켜 물로도 세척이 가능하도록 하기 위해서
라. 녹이나 산화스케일을 제거하기 위한 탐상 표면을 세척하기 위해서

[해설] 유화제가 포함되어 있지 않은 후유화성 침투제는 물세척이 되지 않으므로 물 세척 하기위하여 유화제를 적용한다.

6_ 형광침투탐상시험에서 나타나는 형광과 관련된 설명이다. 틀린 것은?

가. 320~400㎚ 정도의 파장을 가진 자외선은 인체에 매우 위험하므로 형광침투탐상
에서는 잘 사용되지 않는다.
나. 형광 침투액이 가장 강하게 녹황색을 발하는 경우는 파장이 3650Å 정도의 자외
선에 노출된 경우이다.
다. 자외선 조사장치에 부착된 필터는 3650Å정도의 파장의 자외선이 집중적으로 투
과되는 것 이어야한다.
라. 자외선도 일반적인 빛과 같이 시험면으로부터 거리가 멀어질수록 거리의 제곱에 반
비례하여 강도가 약해진다.

7_ 침투탐상시험에서 침투액을 적용시키는 일반적인 방법이 아닌 것은?

가. 침적한다.
다. 분무한다.

나. 솔로 칠한다.
라. 걸레로 문지른다.

[해설] 침투제 적용방법으로는 침지, 분무, 붓칠, 흘림법이 있다.

8_ 그림은 침투탐상시험 절차 중 어느 단계로 판단되는가?

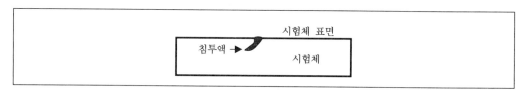

가. 과잉 침투제 제거 후의 단계　　나. 현상제 적용 후의 단계
다. 관찰의 단계　　　　　　　　　라. 유화 처리한 단계

9_ 다음 중 용제 제거성 염색침투탐상시험의 장점으로 옳은 것은?

가. 탐상감도가 다른 침투제와 비교하여 가장 높다.
나. 자외선 조사 등을 사용하나 전원이 요구되지 않는다.
다. 침투 탐상제 중에 검사비용이 가장 저렴하다.
라. 일광 또는 일반 전등 하에서 시험을 할 수 있다.

[해설] 용제 제거성 염색 침투제는 가시광선 하에서 검사 가능하므로 특별한 조명장치가 필요 없으며 휴대성이 좋다.

10_ 이원성 침투액에 대한 설명으로 틀린 것은?

가. 검사에 사용되는 자외선은 파장이 100㎚ 이하이다.
나. 자연광이나 암실의 자외선 하에서 검사할 수 있다.
다. 상대적으로 일반 침투액에 비하여 색상이 떨어진다.
라. 색상은 일반적으로 염색에는 적색이, 형광에는 오렌지색이 사용된다.

11_ 다음 중 부품의 양 끝을 베어링이 지지하고 있는 회전체에서 베어링의 손상 여부를, 기기를 정지시키지 않고 가동 중에 계속 감시하기 적합한 비파괴검사법은?

가. 침투탐상검사　　　　　　　　나. 음향방출검사
다. 방사선투과검사　　　　　　　라. 초음파탐상검사

해답　8. 가　9. 라　10. 가　11. 나

12_후유화성 침투탐상시험의 유화제에 대한 설명 중 틀린 것은?

가. 유화 및 세척성이 좋아야 한다.
나. 인화점이 낮으며, 온도안전성이 좋아야 한다.
다. 유화시간은 유화제의 종류에 따라 다르다.
라. 침투액과 서로 다른 색체를 가져야 한다.

13_침투탐상시험 현상제의 기능으로 옳지 않은 것은?

가. 결함지시의 형성
나. 결함내의 침투제 용해
다. 결함지시의 확대
라. 결함지시와의 대비색 형성

[해설] 현상제는 침투지시모양을 확대(분산), 흡출, 명암도의 기능을 한다.

14_초음파에 대한 설명으로 올바른 것은?

가. 파장은 짧으나 빛과 달리 직진성이 없다.
나. 물체 내를 전파하는 초음파는 강도가 항상 일정하다.
다. 고체와 액체의 경계면에서 반사, 굴절하는 성질이 있다.
라. 초음파의 전파속도는 전달되는 물질의 종류와 초음파의 종류에 관계없이 항상
일정하다.

15_다음 중 수세성 염색침투탐상시험을 수행하는 경우 유의해야 할 사항으로 옳은 것은?

가. 잉여 침투액이 완전히 제거되었는지를 확인하기 위해 자외선 등을 사용해야 한다.
나. 검사 대상물에 도포된 침투액을 제거할 때 과도한 세척이 되지 않도록 해야 한다.
다. 미세한 검사 대상물에 침투액을 도포하는 경우 현상제에 침지하는 것을 빠르게
실시한다.
라. 규정된 침투처리 시간 후에 유화제를 도포하되 유화처리 시간을 반드시 준수해
야 한다.

[해설] 수세성을 사용하는 경우 과세척이 되지 않도록 한다.

해답　12. 나　13. 나　14. 다　15. 나

16_모세관 현상에 의해 모세관을 따라 올라가는 액의 높이에 영향을 미치는 액체의 성질이 아닌 것은?

가. 접촉각
나. 점성
다. 표면장력
라. 회전력

17_다음 누설검사법 중 대형 용기나 저장조에 이용되나 누설위치의 측정에는 적합하지 않은 검사법은?

가. 기포누설검사
나. 헬륨누설검사
다. 할로겐 누설검사
라. 압력변화누설검사

18_침투탐상시험의 단점을 설명한 것으로 틀린 내용은?

가. 흡수성 재료에 적용할 수 없다.
나. 다공성의 거친 시험체는 평가가 어렵다.
다. 탐상 전 표면의 전처리 작업을 꼭 이행해야 한다.
라. 표면 불연속에 대한 검사가 어렵다.

[해설] 침투탐상시험은 표면의 불연속을 검사하는 시험방법이다.

19_후유화법이 적용될 경우 다음 중 가장 엄격히 지켜져야 하는 시간은?

가. 침투시간
나. 유화시간
다. 건조시간
라. 현상시간

20_다음 중 침투탐상시험에서 무현상법을 적용하기에 가장 적절한 방법은?

가. 유화성 염색침투탐상검사
나. 후유화성 염색침투탐상검사
다. 용제제거성 염색침투탐상검사
라. 수세성 형광침투탐상검사

[해설] 염색 침투탐상검사를 실시하는 경우 무현상법, 건식현상법, 수용성습식현상법은 적용하지 않는다.

해답   16. 라 17. 라 18. 라 19. 나 20. 라

21 거치식 침투탐상 시험장치에 대한 설명 중 틀린 것은?

가. 침적탱크는 보통 스테인리스 강재로 만든다.
나. 형광 침투탐상 시 세척 탱크에는 자외선 등이 필요하다.
다. 건조탱크에는 적외선 등을 사용하면 효과적이다.
라. 습식 현상액 탱크조에는 교반기가 필요하다.

22 침투탐상검사 시 부품에 대한 전처리법으로 증기 세척 법을 사용하는 주된 이유로 옳은 것은?

가. 표면의 모든 오염물질을 완전히 제거시킬 수 있기 때문이다.
나. 용제 증기는 대부분의 석유화학 오염물질을 제거 시킬 수 있기 때문이다.
다. 용제 증기는 대부분의 고형의 오염물을 제거시킬 수 있기 때문이다.
라. 부품의 크기에 관계없이 채택할 수 있기 때문이다.

23 다음 중 침투탐상검사에서 습식 현상제를 적용하는데 가장 바람직한 방법은?

가. 고압으로 분사한다.
나. 부드러운 솔로 칠한다.
다. 분무기로 분사한다.
라. 젖은 걸레로 문지른다.

[해설] 현상제의 적용방법은 분무법이 좋다.

24 다음 불연속 중 주조품이 아닌 제품에서도 나타날 수 있는 결함은?

가. 개재물(Inclusion)   나. 핫 티어(Hot Tear)
다. 콜드 셧(Cold Shut)   라. 주름(Folds)

해답   **21.** 다 **22.** 나 **23.** 다 **24.** 가

25＿침투탐상검사 중에서 표면이 거친 부품을 시험하는데 가장 효과적인 검사법은?

　　가. 수세성 형광침투탐상검사
　　나. 후유화성 형광침투탐상검사
　　다. 후유화성 염색침투탐상검사
　　라. 용제 제거성 염색침투탐상검사

　　[해설] 수세성 〉 용제 제거성 〉 후유화성
　　　　　후유화성을 이용하는 경우 표면이 거칠면 적용이 어렵다.

26＿침투탐상검사에 사용되는 건식현상제의 품질을 평가하기 위한 일반적인 시험 방법으로 옳은 것은?

　　가. 비중측정으로 시험한다.
　　나. 보통육안으로 관찰한다.
　　다. 용해시킨 후 점도 측정으로 시험한다.
　　라. 형광물질의 경우 농도계로 오염 여부를 시험한다.

27＿다음 침투제 중 야외 제작 현장에서 용접부에 가장 많이 적용되는 것은?

　　가. 후유화성 형광 침투제
　　나. 용제 제거성 염색 침투제
　　다. 후유화성 염색 침투제
　　라. 용제 제거성 형광 침투제

　　[해설] 야외에서 이동사용이 편리한 VC-S방법을 이용한다.

28＿용접부의 침투탐상검사 시 전처리할 때 일반적으로 이용되는 방법이 아닌 것은?

　　가. 솔질　　　　　　　　　　나. 산세척
　　다. 연삭　　　　　　　　　　라. 용제세척

해답　**25.** 가　**26.** 나　**27.** 나　**28.** 다

29 __다음 중 의사지시(False indication : 무 관련지시)의 설명이 아닌 것은?

가. 부주의한 세척에 의해 발생된 지시

나. 키 홈, 리벳이이음부 등 설계상 존재하는 불연속

다. 결점으로 사용상에 유해한 영향을 미치는 불연속

라. 현상제에 침투제가 섞여 있어 발생된 지시

[해설] 사용상에 유해한 영향을 미치는 불연속은 진지시에 해당된다.

30 __휘발성인 용제 제거성 현상제를 사용할 때 주의해야 할 사항을 설명한 것으로 적절하지 않은 것은?

가. 화기에 접근하지 않아야 한다.

나. 작업자는 마스크를 작용하여야 한다.

다. 밀폐된 공간은 환기가 잘되도록 하여야 한다.

라. 건조가 빠르므로 젖은 헝겊으로 덮어주거나 spray로 물을 뿌려 주어야 한다.

31 __침투탐상검사에서 현상제를 적용한 후 시간이 경화함에 따라 결함지시 모양이 확대되므로 현상시간의 설정과 관찰 시기는 매우 중요한 요인이다. 다음 중 현상제의 종류에 따른 현상시간의 설정을 옳게 나타낸 것은?

가. 건식 현상제 : 현상제의 건조 후부터 관찰 완료 때까지를 현상시간으로 한다.

나. 습식 현상제 : 현상제의 적용 후부터 관찰 완료 때까지를 현상시간으로 한다.

다. 습식 현상제 : 현상제를 적용하고 있는 시간을 현상시간으로 한다.

라. 건식 현상제 : 현상제를 적용하고 있는 시간을 현상시간으로 한다.

32 __다음 중 건식현상제의 적용에 적합한 시험 방법은?

가. 수세성 염색침투탐상검사   나. 후유화성 염색침투탐상검사

다. 용제 제거성 염색침투탐상검사   라. 후유화성 형광침투탐상검사

[해설] 염색침투탐상검사를 실시하는 경우 무현상법, 건식현상법, 수용성습식현상법은 적용하지 않는다.

해답   **29.** 다   **30.** 라   **31.** 라   **32.** 라

33_ 사형(sand) 주조품의 침투탐상검사 시 검출할 수 있는 가장 대표적인 표면 불연속의 형태는?

가. 터짐
나. 기공
다. 심
라. 백점

34_ 다음 중 침투탐상검사에 사용되는 대비시험편의 사용 목적으로 가장 부적절한 것은?

가. 구입한 탐상제의 성능 비교
나. 사용 중인 탐상제의 성능 비교
다. 전처리 방법의 적정성 비교
라. 조작 방법의 적정성 비교

35_ 볼트 나사부 등의 침투탐상검사에 가장 적합한 침투액은?

가. 후유화성 형광 침투액
나. 용제 제거성 형광 침투액
다. 수세성 염색 침투액
라. 용제 제거성 염색 침투액

[해설] 시험편의 형상이 복잡한 경우 수세성 침투탐상시험을 실시하는 것이 좋다.

36_ 다음 중 형광침투탐상검사에서 시험품 표면을 건조하기 위한 건조처리 장치로 가장 적합한 것은?

가. 전열기
나. 열풍 순환식 건조기
다. 적외선 건조기
라. 백열등을 사용한 건조기

37_ 다음 중 침투탐상검사에 사용되는 자외선 조사등의 강도에 대한 설명으로 옳은 것은?

가. 적용하는 자외선의 강도가 낮을수록 더 작은 결함지시를 검출할 수 있다.
나. 적용하는 자외선의 강도가 높을수록 더 작은 결함지시를 검출할 수 있다.
다. 주변백색광의 준위가 낮아질수록 검사체의 콘트라스트는 나빠진다.
라. 주면 백색광의 준위가 높아질수록 더 작은 결함 지시를 검출할 수 있다.

[해설] 자외선의 강도가 높을수록 검출감도가 좋아진다.

해답   **33.** 나 **34.** 다 **35.** 다 **36.** 나 **37.** 나

38_ 침투탐상검사에서 과잉 침투액 제거에 물세척보다 용제세척이 이로운 경우로 가장 옳은 것은?

가. 특별한 조명이 불필요할 때
나. 조그마한 개구부에 빠른 침투를 시킬 때
다. 어두운 곳에서 탐상하고자 할 때
라. 높은 곳에서 검사하고자 할 때

39_ 건식 현상제를 사용하는 용제 제거성 형광침투탐상검사의 탐상순서가 다음과 같을 때 괄호 안에 알맞은 순서로 올바른 것은?

전처리 → (   ) → (   ) → (   ) → 관찰 → 후처리

가. 침투처리 → 제거처리 → 건조처리
나. 침투처리 → 유화처리 → 제거처리
다. 침투처리 → 제거처리 → 현상처리
라. 침투처리 → 현상처리 → 건조처리

[해설] FC-D 공정 VC-S공정과 같다

40_ 니켈합금강의 경우 침투 탐상제 중에 함유된 어떤 물질이 사용 중에 응력부식 균열을 일으킬 수 있는데, 이 물질은 무엇인가?

가. 불소(F)
나. 황 (S)
다. 탄소(C)
라. 염소 (Cl)

[해설] Ni 은 S, Ti은 F, 오스테나이트 스테인레스는 Cl에 대하여 제한한다.

해답   **38.** 라 **39.** 다 **40.** 나

41__보일러 및 압력용기에 대한 표준 침투탐상검사(ASME Sec. V SE-165)에 따라 물 베이스 유화제를 사용하는 경우 과잉의 침투액을 제거하기 위한 예비 수세의 수압(psi)은 최대 얼마인가?

가. 20psi

나. 30psi

다. 40psi

라. 60psi

42__침투탐상 시험방법 및 침투지시모양의 분류(KS B 0816)에서 여러 개의 지시 모양이 거의 동일 직선상에 존재하고, 지시 상호 간의 거리가 2mm 이하인 침투지시모양의 지시 길이는 어떻게 산정하는가?

가. 침투지시모양 각각의 길이를 더한 값만을 지시 길이로 한다.

나. 침투지시모양 각각의 길이를 더하고 지시 사이의 거리의 합을 뺀 값을 지시 길이로 한다.

다. 침투지시모양 각각의 길이를 더하고 지시 사이의 거리의 합으로 나눈 값을 지시 길이로 한다.

라. 침투지시모양 각각의 길이와 지시 사이의 거리를 모두 더한 값을 지시 길이로 한다.

[해설] 결함과 결함과의 간격까지 포함한 치수로 한다.

43__보일러 및 압력용기에 대한 표준 침투탐상검사(ASME Sec. V SE-165)에 규정된 형광침투 탐상시험 시 시험체 표면은 얼마 이상의 자외선 강도가 되어야 하는가?

가. $1000\mu W/cm^2$

나. $800\mu W/cm^2$

다. $500\mu W/cm^2$

라. $100\mu W/cm^2$

해답   **41.** 다 **42.** 라 **43.** 가

44_ 보일러 및 압력용기에 대한 표준 침투탐상검사(ASME Sec. V SE-165)에서 형광침투탐상 시 암실의 최대 밝기(fc)는 얼마로 규정하고 있는가?

가. 1 나. 1.5

다. 2 라. 2.5

[해설] 암실의 어둡기는 20lx(= 2fc = 2lm/ft2) 이하로 한다.

45_ 침투탐상 시험방법 및 침투지시모양의 분류(KS B 0816)에 따라 건식 또는 속건식 현상제를 사용하는 경우 현상처리 전에 시험체 표면을 건조 처리하는데 이 때의 건조 온도는 어떻게 규정하고 있는가?

가. 수분을 건조시키는 정도 나. 60℃ 이하

다. 90℃ 이하 라. 125℃ 이하

46_ 침투탐상 시험방법 및 침투지시모양의 분류(KS B 0816)에서 탐상 후 "시험기록"에는 탐상제를 적도록 규정하고 있다. 다음 중 기록에 포함할 내용이 아닌 것은?

가. 침투액의 명칭

나. 현상제를 점검했을 때 그 방법

다. 유화제를 점검했을 때 그 결과

라. 탐상제의 사진 또는 스케치한 내용

47_ 보일러 및 압력용기에 대한 침투탐상검사(ASME Sec. V Art.6)에서 습식현상제의 적용 방법으로 틀린 것은?

가. 수성 현상제는 건조한 표면에 적용 가능하다.

나. 수성 현상제는 습한 표면에 적용 가능하다.

다. 비수성 현상제는 습한 표면에 적용가능하다.

라. 비수성 현상제는 건조한 표면에 적용 가능하다.

[해설] 건식현상제와 속건식 현상제는 현상제를 적용하기 전에 시험편이 건조되어 있어야 하지만 습식 현상제는 젖어 있는 면도 가능하다.

해답 **44.** 다 **45.** 가 **46.** 라 **47.** 다

48_ 침투탐상 시험방법 및 침투지시모양의 분류(KS B 0816)에서 형광 침투액, 용제 제거제, 속건식 현상제를 사용할 때의 시험방법의 분류 표시로 올바른 것은?

가. FC-S

나. VB-A

다. VC-S

라. FB-A

49_ 침투탐상 시험방법 및 침투지시모양의 분류(KS B 0816)에 의한 결함 분류의 설명이다. 틀린 것은?

가. 독립 결함은 선상, 원형상의 2종류로 분류한다.

나. 선상 결함은 갈라짐 이외의 결함으로, 그 길이가 나비의 3배 이상인 것을 말한다.

다. 원형상 결함은 갈라짐 이외의 결함으로, 선상 결함이 아닌 것을 말한다.

라. 분산 결함은 정해진 면적 안에 존재하는 1개 이상의 결함을 말한다.

[해설] 독립결함은 선상결함, 원형상 결함, 갈라짐으로 분류한다.

50_ 보일러 및 압력용기에 대한 침투탐상검사(ASME Sec. V SE-165)에서 검사 보고서에 포함해야 될 내용이 아닌 것은?

가. 절차서 식별번호 및 개정 번호

나. 지시의 기록 혹은 도면

다. 검사 수행 일자 및 시간

라. 검사품의 제조일자 및 업체

51_ 보일러 및 압력용기에 대한 표준 침투탐상검사(ASME Sec. V SE-165)의 관찰에 대한 설명으로 틀린 것은?

가. 염색 침투액 사용 시 검사장소의 조도는 100ℓx 이상이다.

나. 조사 등의 강도는 자외선 강도계로 측정한다.

다. 형광 침투액 사용 시 암실에서는 시력 적응을 위해 최소 1분 이상이 지난 후 관찰하여야 한다.

라. 형광 침투액 사용 시 포토크로믹 렌즈나 안경을 착용해서는 안 된다.

해답   **48.** 가 **49.** 가 **50.** 라 **51.** 가

52__침투탐상 시험방법 및 침투지시모양의 분류(KS B 0816)에서 물 베이스 유화제를 사용할 때 물 스프레이로 예비세척을 하여야 한다. 이것은 어느 공정 전에 실시되어야 하는가?

가. 전처리   나. 유화처리

다. 건조처리   라. 현상처리

[해설] 전처리 - 침투처리 - 예비 헹굼 - 유화처리 - 세척처리

53__항공우주용 기기의 침투탐상 검사 방법(KS W 0914)에서 시험이 완료되어 적합하다고 인정된 검사물에 대해서는 부품에 영향을 주지 않는 범위 내에서 시험체에 규정대로 표시를 하여야 한다. 이때 요구되는 표시 방법이 아닌 것은?

가. 석필로 번호를 명기해 준다.

나. 애칭을 이용하여 표시한다.

다. 착색 또는 잉크 스탬프 한다.

라. 꼬리표를 붙인다.

54__54항공우주용 기기의 침투탐상 검사 방법(KS W 0914)에서 형광침투제로 현상제 없이 탐상할 때 허용되는 최대 침투액의 체류시간은?

가. 30분   나. 60분

다. 120분   라. 240분

[해설] 현상제를 사용하지 않는 경우 침투제의 체류시간은 최소 10분에서 최대 2시간으로 한다.

55__보일러 및 압력용기에 대한 침투탐상검사(ASME Sec. V Art .6)에 규정된 과잉의 수세성 침투제를 물분무로 제거할 때 수압과 수온으로 알맞은 것은?

가. 수압은 30psi, 수온은 80℉를 초과할 수 없다.

나. 수압은 30psi, 수온은 110℉를 초과할 수 없다.

다. 수압은 50psi, 수온은 80℉를 초과할 수 없다.

라. 수압은 50psi, 수온은 110℉를 초과할 수 없다.

해답   **52.** 나   **53.** 가   **54.** 다   **55.** 라

56_ 컴퓨터 제어장치의 구성요소 중 다음에 실행할 명령어의 주소를 기억하는 것은?

가. 프로그램카운터
나. 기억레지스터
다. 번지레지스터
라. 명령레지스터

57_ 웹 브라우저 프로그램에서 자주 방문하는 URL을 목록으로 모아서 관리하는 메뉴는?

가. Find
나. URL Info
다. URL List
라. Bookmark

58_ 인터넷에서 하이퍼텍스트 문서를 주고받기 위한 프로토콜은?

가. FTP
나. Telnet
다. HTTP
라. Explore

59_ 다음 중 인터넷 검색엔진의 종류가 아닌 것은?

가. Yahoo
나. Altavista
다. Naver
라. MIME

60_ 인터넷에서 사용하는 대표적인 스크립트 언어로서 웹과 데이터베이스를 연결하는 언어는?

가. Lisp
나. PL/1
다. PHP
라. Ada

해답   56. 가 57. 라 58. 다 59. 라 60. 다

침투(PT)탐상검사 문제 - 2005년 기능사

1_ 후유화제 침투탐상시험에서의 유화시간은?

가. 침투시간과 같다.
나. 침투시간의 반이다.
다. 과잉 침투제를 제거할 수 있는 최소한의 시간이다.
라. 현상시간과 같다.

2_ 현상법의 차이에 따라 건조처리의 시기가 다른데 다음 중 건조처리의 시기가 현상처리 이후인 현상법은?

가. 습식현상법   나. 건식현상법
다. 속건식현상법   라. 무현상법

3_ 다음 결함 중 발생 유형이 서로 다른 한가지는?

가. 피로 균열   나. 연삭 균열
다. 열처리 균열   라. 열간 터짐

4_ 염색침투탐상시험시 속건식현상제를 적용하는 방법으로 가장 일반적인 적용법은?

가. 분무법   나. 붓칠
다. 담금법   라. 헝겊사용

해답   1. 다   2. 가   3. 가   4. 가

5_ 다음 중 자연광에서 검사가 가능한 침투탐상시험법은?

가. 가시 염색침투탐상시험법
나. 수세성 형광침투탐상시험법
다. 후유화성 형광침투탐상시험법
라. 용제제거성 형광침투탐상시험법

6_ 현상 시간의 정의로 옳은 것은?

가. 현상제 적용 후 건조까지의 시간
나. 현상제 적용 후 관찰할 때까지의 시간
다. 침투제 적용 후 현상제 적용까지의 시간
라. 침투, 현상, 건조까지의 시간

7_ 후유화성 침투탐상시험시 유화처리는 언제하는가?

가. 전처리 전에   나. 세척처리 후에
다. 건조처리 전에   라. 침투처리 후에

8_ 침투탐상시험의 특성 중 단점에 해당하는 설명은?

가. 지시 판독이 간편하다.
나. 비철재료나 세라믹 등에도 적용 가능하다.
다. 제품의 크기에 구애 받지 않는다.
라. 검사체 온도에 영향을 받는다.

9_ 자외선등 기능의 정상 여부를 조사하는데 가장 알맞는 기구는?

가. 자외선 농도계   나. 자외선 강도계
다. 자외선 저항계   라. 자외선 비중계

해답   4. 가 5. 가 6. 나 7. 라 8. 라 9. 나

10_ 다음 중 수세성 형광침투액 성분과 관계되지 않는 것은?

가. 유화제

나. 유용성 유기 형광염료

다. 적색아조염료

라. 플로레세인(Fluorescein)

11_ 다음 중 침투탐상시험시 소형의 정밀한 부품에 알맞는 세척방법은?

가. 물세척

나. 알칼리세척

다. 초음파세척

라. 솔벤트세척

12_ 다음 중 전기가 없어도 검사가 가능한 비파괴시험은?

가. X선투과검사

나. 염색침투탐상검사

다. 자분탐상검사

라. 중성자투과검사

13_ 다른 침투탐상시험에 비해 형광 침투탐상시험의 장점은?

가. 전원이 필요하다.

나. 미세한표면결함 검출에 용이하다.

다. 밝은 곳에서도 검사가 용이하다.

라. 표면 바로 밑에 있는 결함 검출이 용이하다.

14_ 침투탐상시험시 습식현상제의 성능을 검사하는 기기는?

가. 점도 측정기

나. 비커

다. 원심분리기

라. 비중계

15_ 침투탐상시험에 사용되는 대비시험편이 아닌 것은?

가. 알루미늄 대비시험편

나. 니켈-크롬 도금균열 대비시험편

다. 침투탐상시스템 모니터 패널

라. 구리 대비시험편

해답　10. 다　11. 다　12. 나　13. 나　14. 라　15. 라

16__ 침투탐상시험시 소형 부품을 대량 세척할 때 가장 효과적인 세척장치는?

가. 트리클로로에칠렌 증기 세척장치

나. 초음파 세척장치

다. 수압이 5kg/㎠ 이하의 유수(流水)

라. 100mesh 정도의 모래분사(sand blasting)

17__ 형광침투탐상시험에 사용되는 자외선등의 일반적인 밝기는?

가. 38cm 거리에서 시험체 표면이 $100\mu W/㎠$ 이상

나. 40cm 거리에서 시험체 표면이 $200\mu W/㎠$ 이상

다. 40cm 거리에서 시험체 표면이 $400\mu W/㎠$ 이상

라. 38cm 거리에서 시험체 표면이 $800\mu W/㎠$ 이상

18__ 다음 결함중 통상적으로 가장 짧은 침투시간이 필요한 것은?

가. 단조겹침　　　　　　　　　　나. 라미네이션

다. 표면기공(피트)　　　　　　　　라. 열처리 균열

19__ 다음 중 시험물 표면에 방청유가 도포된 상태로도 검사가 가능하며 결과에도 큰 영향이 없는 비파괴검사는?

가. 방사선투과시험　　　　　　　　나. 자분탐상시험

다. 침투탐상시험　　　　　　　　　라. 누설검사

20__ 압력이 걸려있지 않은 대형 연료탱크 용접부의 누설가능 여부를 확인코자 할 때 다음 중 적합한 비파괴검사법은?

가. 침투탐상누설검사　　　　　　　나. 자분탐상검사

다. 와전류탐상검사　　　　　　　　라. 방사선투과검사

21_ 침투탐상시험시 미세한 표면균열을 검출하는데 가장 감도가 높은 방법은?

　가. 용제제거성 염색법　　　　　　나. 수세성 형광법
　다. 후유화성 형광법　　　　　　　라. 수세성 염색법

22_ 전자유도의 법칙을 이용해서 표면 또는 표면 가까운 부분(Sub-Surface)의 균열을 검사하는 시험법은?

　가. 자분탐상시험　　　　　　　　나. 방사선투과시험
　다. 초음파탐상시험　　　　　　　라. 와전류탐상시험

23_ 자외선조사장치는 자외선을 조사하여 지시모양을 뚜렷하게 식별할 수 있는 강도를 갖는 것이어야 하는데 이때 요구되는 자외선의 파장범위는?

　가. $2000 \sim 2550 Å$　　　　　　나. $2600 \sim 3250 Å$
　다. $3300 \sim 3900 Å$　　　　　　라. $4000 \sim 4550 Å$

24_ 어떤 부품의 침투탐상시험시 요구되는 침투시간이 10분이라면 이 시간은 무엇을 의미하는가?

　가. 최소 침투시간이다.　　　　　　나. 최대 침투시간이다.
　다. 평균 침투시간이다.　　　　　　라. 추정 침투시간이다.

25_ KS B 0816(2004년)에 의한 결함의 분류에 해당되지 않는 것은?

　가. 갈라짐　　　　　　　　　　　나. 라미네이션
　다. 연속 결함　　　　　　　　　　라. 분산 결함

26_ KS B 0816(2004년)에 의한 침투처리에서 시험체의 온도가 3.15℃인 경우 침투 시간은?

　가. 표준 침투시간보다 줄인다.　　나. 표준 침투시간 안에 하여야 한다.
　다. 표준 침투시간과 같다.　　　　라. 표준 침투시간보다 늘린다.

해답　21. 다　22. 라　23. 다　24. 가　25. 나　26. 라

27_형광침투탐상시험의 전처리 과정에서 부품에 묻어 있는 강한 산성물질을 씻어내지 않았을 경우 어떤 결과가 주원인으로 발생되는가?

가. 침투제의 침투력을 촉진시킨다.

나. 침투시간이 길어진다.

다. 침투제의 형광성을 감소시켜 결함 식별능력을 잃게 된다.

라. 얼룩이 오래동안 남아있게 된다.

28_KS B 0816(2004년)에서 건조처리시 세척액으로 제거한 경우 건조 방법으로 틀린 것은?

가. 자연 건조한다.　　　　　　　나. 종이 수건으로 닦아낸다.

다. 마른헝겊으로 닦아낸다.　　　라. 가열 건조한다.

29_KS B 0816(2004년)에 규정된 현상 방법의 분류에서 D라고 기록되어 있을 때 명칭으로 다음 중 맞는 것은?

가. 건식　　　　　　　　　　　나. 수용성 습식

다. 속건식　　　　　　　　　　라. 특수 용도용

30_KS B 0816(2004년) 침투탐상시험 방법 및 침투지시모양의 분류에서 잉여 침투액의 제거 방법이 C라고 되어 있을 때의 방법으로 맞는 것은?

가. 용제 제거에 의한 방법　　　나. 수세에 의한 방법

다. 물 베이스 유화제에 의한 방법　라. 기름베이스 유화제에 의한 방법

31_KS B 0816(2004년) 침투탐상시험 방법 및 지시모양의 분류 중 표시에 대한 설명이다. 전수검사인 경우 표시 방법에 해당되지 않는 것은?

가. 시험체에 P의 기호를 각인한다.

나. 시험체에 P의 기호를 황색으로 착색하였다.

다. 표시할 수 없어 시험기록에 기재하였다.

라. 부식에 의해 시험체에 P라는 기호를 표시하였다.

해답　**27.** 다　**28.** 라　**29.** 가　**30.** 가　**31.** 나

32_ KS B 0816(2004년)에서 규정된 시험보고서 기록시 포함시켜야 할 내용 중 아닌 것은?

가. 시험체의 표면 사항

나. 시험 결과

다. 시험체의 제조연월일

라. 시험 기술자

33_ KS W 0914에서 침투탐상전에 표면이 피복이 되어있는 경우 다음 중 검사를 하여도 무방한 것은?

가. 도금

나. 양극처리

다. 화성피막

라. 도료

34_ KS B 0816(2004년)에 규정된 형광침투탐상시험시, 암실의 밝기는 몇 [lx] 이하여야 하는가?

가. 20

나. 50

다. 100

라. 500

35_ KS W 0914의 타입 I 의 공정에 대한 설명 중 틀린 것은?

가. 검사하기 전 적어도 1분동안 암실에 적응해야 한다.

나. 자외선의 강도는 구성부품 표면에서 최소 $800 \mu W/cm^2$ 이상이어야 한다.

다. 영구 착색렌즈를 사용해서는 안된다.

라. 배경이 과잉으로 형광을 발하는 구성부품은 청정화하여 재처리하여야 한다.

36_ KS W 0914에 규정된 사용 중인 침투액은 형광휘도시험을 하였을 때 성능이 저하되면 폐기처리한다. 그 기준은?

가. 사용하지 않은 침투액 휘도의 95% 미만이었을 때

나. 사용하지 않은 침투액 휘도의 90% 미만이었을 때

다. 사용하지 않은 침투액 휘도의 85% 미만이었을 때

라. 사용하지 않은 침투액 휘도의 50% 미만이었을 때

해답　**32.** 다　**33.** 다　**34.** 가　**35.** 나　**36.** 나

37_ KS B 0816(2004년)에서 탐상제의 조합이 "FA-W"일 때 "F"가 의미하는 것은?

가. 형광 침투액　　　　　　　　　나. 염색 침투액
다. 건식 현상제　　　　　　　　　라. 속건식 현상제

38_ KS B 0816(2004년)에 의한 침투지시모양의 분류시 갈라짐에 의하지 않는 침투지시모양 중 그 길이가 나비의 3배 이상인 것을 나타내는 지시모양은?

가. 연속 침투지시모양　　　　　　나. 원형상 침투지시모양
다. 선상 침투지시모양　　　　　　라. 분산 침투지시모양

39_ KS B 0816(2004년)에서 세척처리와 제거처리시 형광침투액을 사용할 경우 특별한 규정이 없을 때의 수온은?

가. 5.20℃　　　　　　　　　　　나. 5.30℃
다. 10.40℃　　　　　　　　　　라. 10.50℃

40_ KS B 0816(2004년)에서 VC-S의 표시 중 C의 의미는?

가. 사용하는 침투액에 따른 분류　나. 현상방법에 따른 분류
다. 용제 제거방법에 따른 분류　　라. 현상시간에 따른 분류

41_ 정상적인 프로그램의 처리를 일시적으로 중지시키는 것은?

가. 스풀링(spooling)　　　　　　나. 인터럽트(interrupt)
다. 스케줄링(scheduling)　　　　라. 페이징(paging)

42_ 다음 중 현재 사용되는 인터넷 검색엔진이 아닌 것은?

가. 엠파스　나. 심마니
다. 네이버　라. 하늘이

해답　**37.** 가　**38.** 다　**39.** 다　**40.** 다　**41.** 나　**42.** 라

43_ 통신망의 구성요소인 통신망 접속카드(Network Interface Card)에 대한 설명은?

가. 방사형 통신망에서 사용한다.
나. 비슷한 종류의 통신망들끼리 연결해 준다.
다. 통신망의 연결점에서 컴퓨터를 접속시키는 요소이다.
라. 다른 종류의 통신망에 연결된 컴퓨터와 통신 가능하게 한다.

44_ 다음 중 인터넷의 기본적인 구조는?

가. Mianframe 중심 구조
나. Host 구조
다. Client/Server 구조
라. Client/Host 구조

45_ 외부 침입으로 인한 내부 네트워크를 보호하기 위해서 인증된 대상만 접근을 허용하기 위해 설치하는 것은?

가. 프락시 서버
나. 방화벽 서버
다. 백본 서버
라. 웹 서버

46_ 금(Au)에서 순금을 나타내는 것은?

가. 12K
나. 16K
다. 18K
라. 24K

47_ 침탄용 강(steel)이 구비해야 할 조건 중 틀린 것은?

가. 표면에 결점이 없어야 한다.
나. 고온에서 장시간 가열하여도 결정입자가 성장하지 않는 강이어야 한다.
다. 고탄소강이어야 한다.
라. 저탄소강이어야 한다.

해답 43. 다 44. 가 45. 나 46. 라 47. 다

48_ 단조용 재료를 가열할 때 주의사항이 아닌 것은?

    가. 균일하게 가열할 것   나. 너무 급하게 고온도로 가열하지 말 것
    다. 너무 오래 가열하지 말 것   라. 재료 내부는 가열하지 말 것

49_ 동소변태를 옳게 설명한 것은?

    가. 고체 내에서 결정격자의 변화   나. 고체 내에서 전자격자의 활동
    다. 액체 내에서 결정격자의 변화   라. 기체 내에서 결정격자의 활동

50_ 기계적 성질이 서로 비례하는 것은?

    가. 강도-경도   나. 취성-연성
    다. 경도-취성   라. 경도-인성

51_ 담금질한 강은 뜨임 온도에 의해 조직이 변화하는데 250.400작(繰)온도에서 뜨임하면 어떤 조직으로 변화하는가?

    가. 만(萬)-마텐자이트   나. 트루스타이트
    다. 솔바이트   라. 펄라이트

52_ 금속의 소성변형에 속하지 않는 것은?

    가. 단조   나. 인발
    다. 압연   라. 주조

53_ 다음 중 베어링용 합금이 아닌 것은?

    가. 배빗메탈   나. 화이트메탈
    다. 켈밋   라. 니크롬

해답   **48.** 라 **49.** 가 **50.** 가 **51.** 나 **52.** 라 **53.** 라

54_ Fe-C계 평형 상태도에서 만(瞞)-Fe이 만(蔓)-Fe으로 변하는 점은?

가. A2 변태점
나. A3 변태점
다. A4 변태점
라. 공정점

55_ 인장시험에서 시험 전 표점거리가 50mm의 시험편을 시험 후 절단된 표점거리를 측정하여 65mm가 되었을 때 시험편의 연신율은?

가. 10%
나. 20%
다. 30%
라. 40%

56_ 금속의 응고 과정을 가장 잘 설명한 것은?

가. 결정핵의 생성전(栓)결정의 성장전(栓)결정입계 형성
나. 결정의 성장전(栓)결정입계 형성전(栓)결정핵의 생성
다. 결정입계 형성전(栓)결정핵의 생성전(栓)결정의 성장
라. 결정핵의 생성전(栓)결정입계 형성전(栓)결정의 성장

57_ 강의 표준조직 작업(normalizing)이라 함은?

가. Ac3 또는 Acm 변태점 이상으로 가열하였다가 공기 중에서 냉각시키는 것
나. Ac3 또는 Acm 변태점 이상으로 가열하였다가 수중 급랭하여 담금질한 것
다. Ac3 또는 Acm 변태점 이하로 가열하였다가 공기 중에서 냉각시킨 것
라. A1 변태점 이상으로 가열하였다가 노속에서 냉각시킨 것

58_ 용접의 용착법에서 스킵법(Skip method)의 설명으로 다음 중 가장 적합한 것은?

가. 공작물을 가접 또는 지그로 고정하여 변형의 발생을 방지하는 법
나. 용접하기 전에 변형할 각도만큼 반대 방향으로 각을 주는 방법
다. 비이드를 좌우 대칭으로 하여 변형을 방지하는 방법
라. 용접 진행 방향으로 띔용접을 하여 변형을 방지하는 방법

해답　54. 나　55. 다　56. 가　57. 가　58. 라

59 _ 점용접 조건의 3요소가 아닌 것은?

    가. 전류의 세기   나. 통전시간
    다. 너켓(nugget)   라. 가압력

60 _ 15℃ 15기압 하에서 아세톤 30ℓ가 들어있는 아세틸렌 용기에 용해된 최대 아세틸렌의 양은?

    가. 30ℓ   나. 450ℓ
    다. 6750ℓ   라. 11250ℓ

61 _ 침투처리 과정을 거쳐 세척처리 후 현상제를 사용하지 않고 열풍 건조에 의해 시험체 불연속부의 침투액이 열팽창으로 인하여 시험체 표면으로 표출되어 지시모양을 형성하는 현상방법은?

    가. 건식 현상법   나. 습식 현상법
    다. 속건식 현상법   라. 무현상법

62 _ 침투탐상검사 시, 현상제를 적용한 후 관찰할 때까지의 시간을 무엇이라 하는가?

    가. 유화시간   나. 현상시간
    다. 침투시간   라. 검사시간

63 _ 형광침투탐상시험에서 건식 현상제를 사용할 때 형광을 내는 것은?

    가. 유화제   나. 현상제
    다. 침투액   라. 세척액

64 _ 다음 중 침투액의 침투시간에 크게 영향을 미치지 않는 인자는?

    가. 예측되는 결함의 종류와 크기   나. 침투액의 분량과 시험품 크기
        다. 시험품의 재질   라. 침투액의 종류

해답   **59.** 다 **60.** 라 **61.** 라 **62.** 나 **63.** 다 **64.** 나

65_ 수세성 침투제와 건식현상제를 사용하여 침투탐상시험을 할 경우 장치의 배열이 옳은 것은?

가. 전처리대 → 침투탱크 → 배액대 → 건조대 → 현상태크 → 세척대 → 검사대
나. 세척대 → 침투탱크 → 배액대 → 건조대 → 현상태크 → 검사대 → 전처리대
다. 전처리대 → 침투탱크 → 배액대 → 세척대 → 건조대 → 현상탱크 → 검사대
라. 세척대 → 전처리대 → 침투탱크 → 건조대 → 배액대 → 현상태크 → 검사대

66_ 침투탐상시험에 적용되는 원리에 해당되지 않는 내용은?

가. 침투액은 어떤 지시를 나태내기 위해 결함에 침투해야한다.
나. 모든 결함 부분은 블랙라이트로 비추면 결함마다 고유의 빛을 발산한다.
다. 조그만 결함에 대해서는 평소보다 많은 침투시간이 필요하다.
라. 결함속의 침투액이 모두 세척되면 결함에서도 지시가 나타나지 않는다.

67_ 공기 중에서 초음파의 주파수가 5㎒일 때 물속에서의 종파의 파장은? (단, 물에서의 종파 속도는 1500㎧이다.)

가. 0.1㎜   나. 0.3㎜
다. 0.5㎜   라. 0.7㎜

68_ 다음 중 "수세성 염색침투제-습식현상제" 사용시 필요 없는 장치는?

가. 현상조   나. 건조기
다. 유화조   라. 침투액조

69_ 침투탐상시험에서 시험조건과 현상제의 선택이 옳게 짝 지워진 것은?

가. 매우 매끄러운 표면은 건식현상제가 적당하다.
나. 매우 거친 표면은 습식현상제가 적당하다.
다. 소형의 고속작업에는 건식현상제가 적합하다.
라. 균열 검출에는 속건식현상제가 이상적이다.

해답   **65.** 나 **66.** 나 **67.** 다 **68.** 다 **69.** 라

70_ 다음 중 침투탐상시험 시 부적절한 세척에 의하여 놓치기 쉬운 결함은?

가. 단조 겹침
나. 깊이 패인 결함
다. 얕고 넓은 결함
라. 예리한 선모양의 표면 균열

71_ 침투탐상시험에서 염색침투액을 사용하는 것이 형광침투액을 사용하는 것보다 장점인 경우를 설명한 것은?

가. 형광침투액은 유독성인데 반하여 무독성이다.
나. 형광침투액에 비해 더 예민하다.
다. 침투성이 형광침투액 보다 우수하다.
라. 블랙라이트를 필요로 하지 않다.

72_ 침투탐상시험에서 현상(現像)이 잘 되었을 경우에 나타나는 결함지시모양의 크기는 실제 결함크기와 비교할 때 일반적으로 어떠한가?

가. 실제 결함크기와 똑같다.
나. 실제 결함크기보다 항상 작다.
다. 실제 결함크기보다 일반적으로 크다.
라. 실제 결함크기와는 무관하게 일정하지 않다.

73_ 침투탐상검사로 대량의 부품검사 시 침지법으로 건식현상제를 적용할 때 다음 중 탱크에 부착되어 있어야 하는 기구로 필수적인 것은?

가. 정전기 차아져
나. 교반기
다. 현상액 보충기
라. 배기 장치

74_ 침투탐상시험 시 건식 현상제에 의한 물리적 현상은 다음 중 어떤 효과를 이용한 것인가?

가. 삼투압현상
나. 모세관 현상
다. x-선 감광
라. 브롬화은에서 은의 석출

해답   **70.** 다 **71.** 라 **72.** 다 **73.** 라 **74.** 나

75_ 다음 중 유화제의 기능으로 올바른 설명은?

가. 표면에 있는 과잉침투액과 반응하여 수세성을 용이하게 한다.
나. 침튜액의 침투 능력을 도와준다.
다. 얕은 개구에 있는 침투액을 빨아낸다.
라. 현상제가 잘 도포될 수 있도록 도와준다.

76_ 다음 중 표면상태가 침투탐상검사에 유해한 영향을 미치는 요소가 아닌 경우는?

가. 젖은 표면   나. 거친 용접면
다. 기름기 있는 표면   라. 다듬질한 표면

77_ 형광침투탐상시험 시 현상제를 적용하기 전에 과잉 침투제가 완전히 세척되었는가를 확인하기 위해서는 보편적으로 어떤 방법을 사용하는가?

가. 자외선 등으로 비추어 본다.   나. 냄새를 맡아 본다.
다. 손가락으로 문질러 본다.   라. 확인할 필요까지는 없다.

78_ 와전류탐상검사를 설명한 것으로 가장 올바른 것은?

가. 표면 및 내부 결함 모두가 검출 가능하다.
나. 금속, 비금속 등 거의 모든 재료에 적용 가능하고 현장적용을 쉽게 할 수 있다.
다. 비접촉으로 고속탐상이 가능하다.
라. 미세한 균열의 성장유무를 감시하는데 적합하다.

79_ 비파괴검사법 중 침투탐상시험은 어떤 목적으로 사용되는가?

가. 시험재의 기계적 특성을 측정한다.
나. 시험재 표면의 불연속을 검출한다.
다. 비자성 시험재의 모든 불연속을 검출한다.
라. 시험재의 불연속의 길이, 넓이, 크기 등을 결정한다.

해답   **75.** 가 **76.** 라 **77.** 가 **78.** 다 **79.** 나

80_ 침투탐상시험에서 흰색의 미세한 가루를 휘발성의 유기 용제에 분산시킨 현상제는?

가. 건식현상제
나. 습식현상제
다. 속건식현상제
라. 여과입자분말

81_ 침투탐상검사의 일종인 윙크 자이글로법에 대한 사항 중 옳은 것은?

가. 후유화성 형광침투액으로만 침투처리를 해야 한다.
나. 지시모양을 관찰할 경우에도 부하를 걸어주어야 한다.
다. 침투액을 적용할 경우에만 부하를 걸어주어야 한다.
라. 습식 현상제를 사용해도 좋다.

82_ 침투탐상시험 시 다음 중 의사지시가 생기는 원인이 아닌 것은?

가. 부적절한 세척을 했을 때
나. 외부 물질에 의해 오염이 됐을 때
다. 현상제에 침투액이 묻었을 때
라. 방사선투과시험을 먼저 했을 때

83_ 일반적으로 사용되는 수세성 형광침투액에 대한 설명 중 옳지 않은 것은?

가. 형광 염료가 첨가되어 있다.
나. 유화제가 첨가되어 있다.
다. 저점도일수록 시험시간이 길어진다.
라. 수세성 염색침투액 보다 검출능력이 좋다.

84_ 침투탐상시험의 적심능(wetting ability)을 설명할 때 접촉각이라는 말을 쓴다. 접촉각에 대한 틀린 설명은?

가. 침투액은 가능한 한 접촉각이 큰 값을 갖도록 만단다.
나. 표면장력이 큰 수은은 접촉각이 90° 이상이 된다.
다. 접촉각이 90° 이상인 때에는 모세관의 내부에서 하향의 힘이 작용된다.
라. 액면에 작은 관을 세웠을 때 접촉각이 클수록 관내에 올라가는 높이가 작아진다.

해답 80. 다 81. 나 82. 라 83. 다 84. 나

85_ 후유화성 형광침투액과 습식 현상제를 사용하여 침투탐상 시험할 때 시험에 따른 탐상장치의 배열로 옳은 것은?

가. 전처리대 → 침투대 → 세척대 → 유화대 → 현상대 → 건조대 → 검사대
나. 전처리대 → 침투대 → 유화대 → 세척대 → 현상대 → 건조대 → 검사대
다. 전처리대 → 침투대 → 유화대 → 세척대 → 건조대 → 현상대 → 검사대
라. 전처리대 → 침투대 → 세척대 → 유화대 → 건조대 → 현상대 → 검사대

86_ KS 규격에 의한 유화제 적용 방법으로 부적당한 것은?

가. 분무(spraying) 나. 천에 묻혀 바름(Swabbing)
다. 침전(Dipping) 라. 솔질(brushing)

87_ KS B 0816에서 규정된 플라스틱의 갈라짐에 대한 침투처리후의 표준 현상시간은? (단, 온도 15~50℃ 범위)

가. 5분 나. 7분
다. 10분 라. 15분

88_ KS B 0816에 의한 다음 시험방법 중 암실이 필요하지 않은 방법은?

가. 수세성 형광액을 사용 나. 용제제거성 형광침투액 사용
다. 용제제거성 염색침투액 사용 라. 후유화성 형광침투액 사용

89_ KS B 0914에서 검사 기록에 대하여 최소한으로 요구하고 있는 사항이 아닌 것은?

가. 의뢰처 및 검사 장소
나. 사용한 개개 순서서의 인용
다. 결함 지시 무늬의 위치, 종류 및 조치
라. 검사원의 서명 및 기량 인정 레벨과 검사일

해답 85. 가 86. 라 87. 나 88. 다 89. 가

90__ KS B 0888 배관용접부의 비파괴시험 방법 중 A기준에 의한 경우 침투탐상시험에 대한 합격판정기준이다. 옳은 것은?

가. 독립침투지시모양은 독립하여 존재하는 개개의 침투지시모양으로 3종류로 구분한다.

나. 연속침투지시모양의 길이는 침투지시모양의 개개의 길이 및 상호의 간격을 더한 값으로 한다.

다. 독립침투지시모양 및 연속침투지시모양은 1개의 길이 10㎜ 이하를 합격으로 한다.

라. 분산침투지시모양에 대해서는 연속된 용접 길이 500㎜당의 합계점이 10점 이하인 경우를 합격으로 한다.

91__ KS B 0816에서 결함의 종류에 따른 침투시간이 가장 길게 되어 있는 결함은?

가. 유리의 갈라짐　　　　　　　　나. 강주조품의 갈라짐

다. 강단조품의 랩(lap)　　　　　　라. 강용접부의 융합불량

92__ KS B 0914에 따르면 염색침투 탐상장치(타입 II)의 관찰 장소 백색광 조도는 얼마 만에 점검하도록 규정하고 있는가?

가. 매일　　　　　　　　　　　　나. 주 1회

다. 월 1회　　　　　　　　　　　라. 년 1회

93__ KS B 0816에서 규정된 B형 대비시험편은 몇 종류로 되어 있는가?

가. 2종류　　　　　　　　　　　나. 3종류

다. 4종류　　　　　　　　　　　라. 6종류

94__ KS B 0816에서 규정한 침투지시모양의 관찰은 현상제 적용 후 얼마의 시간 사이에 하는 것이 바람직한가?

가. 시간의 제한은 없다.　　　　　나. 30분 이내

다. 7분~60분 사이　　　　　　　라. 7분 이내

해답　90. 나　91. 다　92. 나　93. 다　94. 다

95_ KS B 0816에 규정된 침투탐상제의 점검 내용으로 맞는 것은?

가. 침투액-부착상태 검사 　　나. 유화제-결함검출 능력검사
다. 건식현상제-겉모양 검사 　　라. 습식현상제-세척성 검사

96_ KS B 0816에서 속건식현상제를 사용한 용제제거성 염색침투탐상에 해당하는 시험방법의 기호는?

가. FC-S 　　나. VC-S
다. VC-A 　　라. FC-A

97_ KS B 0816의 잉여침투액 제거 방법에 따른 분류 중 틀린 것은?

가. 방법 A : 휘발성 세척액을 사용하는 방법
나. 방법 B : 기름베이스 유화제를 사용하는 방법
다. 방법 C : 용제제거에 의한 방법
라. 방법 D : 물베이스 유화제를 사용하는 방법

98_ KS B 0914에 따른 수세성 침투액의 제거 규정으로 맞는 것은?

가. 수세성 침투액은 자동 물 스프레이를 사용하여 제거하는 것을 원칙으로 한다.
나. 저감도가 요구되는 시험에서는 부품을 물에 담그고 물을 교반하여 제거해도 된다.
다. 물 스프레이로 세척할 때, 물의 수온은 10~52℃로 유지하여야 한다.
라. 물 스프레이로 1차 세척한 후, 표면에 남아 있는 침투액은 용제 세척제로 제거한다.

99_ KS B 0816에 규정된 A형 대비시험편은 가로가 75mm, 세로가 50mm인 판 및 조로 제조하는데 이때 판의 두께 범위로 올바른 것은?

가. 4~6mm 　　나. 8~10mm
다. 12~14mm 　　라. 16~18mm

100_ KS B 0816에 규정된 침투지시 모양의 분류가 아닌 것은?

가. 독립 침투지시 모양
나. 연속 침투지시 모양
다. 분산 침투지시 모양
라. 의사지시 모양

101_ 컴퓨터가 부팅(booting)된 후에 할 수 있는 작업에 대한 설명 중 맞지 않은 것은?

가. 명령 프롬프트(command prompt)에 시스템 명령을 입력할 수 있다.
나. 응용 프로그램을 통해 문서를 인쇄할 수 있다.
다. 컴퓨터를 꺼도 다시 부팅할 필요가 없다.
라. 프로그램을 실행할 수 있다.

102_ 인터넷 도메인 이름의 부여 원칙 중 기관분류 구분이 서로 틀리게 짝지어진 것은?

가. go-gov
나. co-com
다. ac-edu
라. re-net

103_ Windows에서 파일 삭제 시 휴지통에 버리지 않고 바로 삭제하려면?

가. Delete키를 누른다.
나. Alt키를 누른 상태에서 Del키를 누른다.
다. Ctrl키를 누른 상태에서 Del키를 누른다.
라. Shift키를 누른 상태에서 Del키를 누른다.

104_ 컴퓨터를 사용할 때 일반적으로 올바른 작업 자세가 아닌 것은?

가. 손등은 팔과 수평이 되도록 유지한다.
나. 무릎의 각도는 90도 이상을 유지하도록 한다.
다. 키보드의 위치는 심장보다 높게 위치해야 한다.
라. 화면보다 눈 높이가 조금 높아 화면을 약간 아래로 보는 것이 좋다.

해답 100. 라 101. 다 102. 라 103. 라 104. 다

105_ 인터넷 상에서 전화를 걸 수 있는 기술을 무엇이라고 하는가?

가. VOIP 　　　　　　　나. VOD
다. AOD 　　　　　　　라. ADSL

106_ 공석강의 탄소함유량은 약 얼마인가?

가. 0.15% 　　　　　　나. 0.8%
다. 2.0% 　　　　　　라. 4.3%

107_ 금속재료의 화학적 성질은 설명한 것 중 틀린 것은?

가. 수소보다 이온화 경향이 적은 금속은 산에 작용하기 힘들다.
나. 금속은 산과 작용해서 염을 만들고 염은 수용액 중에서 전리하여 양이온이
　　된다.
다. 이온화 경향이 큰 것은 화합물이 생기기 어렵고 화합물은 안정하다.
라. 금속의 산화는 온도가 높을수록, 산소가 금속 내부로 확산하는 속도가 클수
　　록 빨리 진행된다.

108_ 담금질의 주 목적을 설명한 것은?

가. 강을 Ac3-Ac1점 이하의 저온에서 서냉시키고 A1변태를 중지시켜 인성을
　　저하시킨다.
나. 강을 Ac3-Ac1점 이하의 고온에서 서냉시키고 A1변태를 중지시켜 경도를
　　저하시킨다.
다. 강을 Ac3-Ac1점 이하의 저온에서 급냉시키고 A1변태를 중지시켜 인성을
　　저하시킨다.
라. 강을 Ac3-Ac1점 이하의 고온에서 급냉시키고 A1변태를 중지시켜 경도를
　　저하시킨다.

해답　105. 가　106. 나　107. 다　108. 라

109_ 우라늄과 토륨은 무엇으로 사용하는가?

가. 강의 탈산제
나. 구리 합금
다. 도장 재료
라. 원자로용 1차 금속

110_ 철강에서 철 이외의 5대 원소는?

가. 질소, 황, 인, 망간, 크롬
나. 수소, 황, 인, 구리, 규소
다. 탄소, 규소, 망간, 인, 황
라. 수은, 규소, 니켈, 황, 인

111_ 샤르피 충격시험으로부터 알 수 있는 연성-취성, 천이현상에 대한 설명으로 맞는 것은?

가. 채심입방정(BCC) 금속에서 잘 나타나지 않고, 면심입방정(FCC) 금속에서 잘 나타난다.
나. 흡수에너지나 파면을 관찰하여 알 수 있다.
다. 천이온도보다 낮은 온도에서 연성파괴가 일어난다.
라. 결정립이 미세할수록 천이온도가 높아진다.

112_ 모넬메탈, 양백 등의 납땜에 가장 많이 사용되는 것은?

가. 금납
나. 은납
다. 황동납
라. 철납

113_ 강도와 경도가 큰 순서로 맞게 짝지어진 것은?

가. 마텐자이트 〉 트루스타이트 〉 소르바이트 〉 펄라이트 〉 오스테나이트
나. 마텐자이트 〉 소르바이트 〉 트루스타이트 〉 오스테나이트 〉 펄라이트
다. 마텐자이트 〉 트루스타이트 〉 오스테나이트 〉 펄라이트 〉 소르바이트
라. 마텐자이트 〉 소르바이트 〉 펄라이트 〉 트루스타이트 〉 오스테나이트

해답　109. 라　110. 다　111. 나　112. 나　113. 가

114_ 그림의 상태도에서 E점에서의 반응점은?

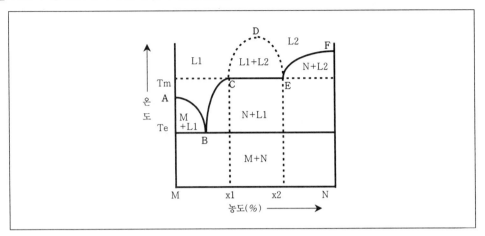

가. 공정점
나. 포석점
다. 편정점
라. 편석점

115_ 6.67%의 C(탄소)를 포함되었을 때 C와 Fe의 화합물은?

가. 시멘타이트
나. 페라이트
다. 오스테나이트
라. 마텐자이트

116_ 단면적이 2㎠의 철 구조물이 5,000kgf의 하중에서 균열이 발생될 때의 압축응력(kgf/㎠)은?

가. 1,000kgf/㎠
나. 2,500kgf/㎠
다. 3,500kgf/㎠
라. 4,000kgf/㎠

117_ 정육각기둥의 꼭지점과 위, 아래 면의 중심 그리고 정육각기둥의 형상을 하고 있는 6개의 정삼각기둥 중 1개 또는 삼각기둥의 중심에 1개씩의 원자가 있는 것은?

가. 체심입방격자
나. 면심입방격자
다. 조밀육방격자
라. 저심면방격자

해답 114. 다 115. 가 116. 나 117. 다

118_ 비금속 개재물이 원이이며 모서리, T이음 등에서 볼 수 있는 것으로 강의 내부에 모재 표면과 평행하게 층상으로 발생하는 균열은?

가. 라미네이션

나. 델라이네이션

다. 라멜라테어

라. 재열균열

119_ 다음 중 일반적인 가스용접 작업에 가장 적합한 범위인 차광유리(Filter Glass)의 차광도 규격번호인 것은?

가. 2~3

나. 4~7

다. 7~9

라. 9~12

120_ 저수소계 용접봉의 건조온도 및 시간으로 다음 중 가장 적당한 것은?

가. 70~100[℃]로 1시간 정도

나. 70~100[℃]로 2시간 정도

다. 300~350[℃]로 1시간 정도

라. 300~350[℃]로 2시간 정도

침투(PT)탐상검사 문제 - 2006년 기능사

1_ 수세성 형광침투탐상시험을 수행할 때 수세장치의 유량은 어느 정도여야 하는가?

가. 1~5[l/분]의 범위로 조절할 수 있어야 한다.
나. 6~10[l/분]의 범위로 조절할 수 있어야 한다.
다. 12~25[l/분]의 범위로 조절할 수 있어야 한다.
라. 30~40[l/분]의 범위로 조절할 수 있어야 한다.

2_ 형광침투탐상시험 시 현상제를 사용하기 전에 표면의 침투제가 완전히 제거되었는지의 여부를 확인하는데 가장 좋은 방법은?

가. 표면에 압축공기를 불어 본다.
나. 표면을 화학 부식시킨다.
다. 흡수지로 표면을 닦는다.
라. 자외선으로 표면을 검사한다.

3_ 수세성 침투탐상시험에서 너무 뜨거운 물로 세척 시 초래되는 주요한 결과는?

가. 결함속의 침투액을 제거시킨다.
나. 침투액으로부터 형광성 염료를 제거시킨다.
다. 미세한 결함 내에 물의 오염을 형성한다.
라. 뜨거운 물로 세척해도 아무런 관계가 없다.

4_ 다음 무관련 지시가 발생되는 것 중 발생 유형이 서로 다른 한 가지는?

가. 주조품의 거친 표면
나. 프레스 압입부
다. 키 홈부
라. 스플라인

해답 1. 다 2. 라 3. 가 4. 가

5_ 휴대용인 용제제거성 염색침투탐상시험의 구성 요건만으로 조합된 것은?

가. 세척제, 형광침투제, 현상제, 자외선등
나. 세척제, 염색침투제, 현상제, 자외선등
다. 세척제, 염색침투제, 현상제, 종이수건
라. 수세노즐, 염색침투제, 현상제, 소형건조기

6_ 다른 비파괴검사법과 비교했을 때 다음 중 와전류탐상시험의 장점이 아닌 것은?

가. 결함크기 변화, 재질변화 등의 동시검사 가능
나. 표면아래 깊숙이 위치하고 있는 결함의 검출용이
다. 비 접촉법으로 검사속도가 빠르고 자동화에 적합
라. 검사결과의 기록과 소모품비 등의 유지비가 저렴

7_ 침투탐상시험에서 트리클렌(trichlene)증기 세척장치는 다음 과정 중 어느 경우에 주로 사용되는가?

가. 전처리과정
나. 과잉침투액 제거과정
다. 후처리과정
라. 유화제 제거과정

8_ 수세성 침투액을 사용할 때 다음 중 가장 조심해야 할 내용은?

가. 마른 헝겊을 사용하여 깨끗이 세척되었는가를 확인한다.
나. 지시된 적용시간(dwell time)을 넘지 않는가 확인한다.
다. 시험체의 과도한 세척을 피한다.
라. 현상제를 너무 많이 사용하는 것을 피한다.

9_ 다음 중 침투탐상시험에서 모세관현상이 가장 많이 작용하는 단계는?

가. 침투와 전처리
나. 침투와 건조
다. 세정과 건조
라. 침투와 건식현상

해답 5. 다 6. 나 7. 가 8. 다 9. 라

10_ 다음 중 단조품에서 발생될 수 있는 결함은?

가. Cold Shut
나. Lap
다. Blow hole
라. shrinkage cavity

11_ 세정처리에 관한 설명으로 가장 올바른 것은?

가. 용제제거성 염색침투액의 세정은 물이 가장 좋다.
나. 용제제거성 형광침투액은 용제 세정제를 사용한다.
다. 세정제는 스프레이법으로 사용한다.
라. 세정처리제의 대표적인 것은 페인트이다.

12_ 검사품 내부의 기공 검출에 적합한 비파괴검사법은?

가. 방사선투과시험법
나. 와전류탐상시험법
다. 누설검사법
라. 자기탐상시험법

13_ 25℃를 화씨(℉)로 나타내면?

가. 13℉
나. 45.8℉
다. 77℉
라. 248.1℉

14_ 다음 중 대량의 열쇠구멍이나 나사에 대하여 적합한 침투탐상시험법은?

가. 용제제거성 형광침투탐상시험
나. 수세성 형광침투탐상시험
다. 후유화성 형광침투탐상시험
라. 후유화성 염색침투탐상시험

해답   10. 나 11. 가 12. 라 13. 다 14. 나

15_다른 침투탐상과 비교하여 수세성 형광침투탐상시험법의 장점이 아닌 것은?

가. 표면이 비교적 거친 시험편에도 검사가 가능하다.
나. 넓은 면적을 한번의 조작으로 탐상하기 쉽다.
다. 검사비용이 다른 방법에 비해 적게 든다.
라. 얇고 가는 결함의 탐상에 감도가 좋다.

16_가시성 염색침투액을 사용하여 시험할 경우 일반적으로 시험부의 온도는 몇 ℃ 이하로 떨어져서는 안 되는가?

가. 30℃   나. 15℃
다. 3℃   라. -3℃

17_다음 중 페인트칠이 되어있는 금속 표면을 침투탐상시험 할 때의 전처리 첫 단계는?

가. 증기 탈지법으로 세척, 전처리를 한다.
나. 비눗물로 전표면을 세척한 후 침투액을 살포한다.
다. 완전히 페인트를 표면으로부터 제거한다.
라. 전 표면에 있는 녹이나 기름을 닦아 낸다.

18_침투탐상 지시모양의 기록 사항이 아닌 것은?

가. 지시의 위치   나. 지시의 길이
다. 지시의 폭   라. 지시의 개수

19_다음 중 침투제의 특징이 아닌 것은?

가. 휘발성이 좋아야 한다.
나. 침투력이 좋아야 한다.
다. 큰 개구에도 잔류할 수 있어야 한다.
라. 탐상 후 과잉 침투액은 쉽게 제거되어야 한다.

해답   **15.** 나 **16.** 다 **17.** 다 **18.** 다 **19.** 가

20_ 다음 중 일반적인 침투탐상시험의 대상이 아닌 재료는?

가. 유리
나. 고무
다. 납
라. 알루미늄

21_ 침투탐시험 시 건조장치의 구비조건으로 다음 중 가장 필요한 것은?

가. 타이머(Timer)가 부착되어야 한다.
나. 온도 조절장치가 부가되어야 한다.
다. 팬(Fan)이 부가되어야 한다.
라. 항상 일정한 온도를 유지할 수 있는 릴레이가 부가되어야 한다.

22_ 다음 중 건식 현상제를 적용하지 않는 방법은?

가. 수세성 형광침투탐상 시험방법
나. 수세성 염색침투탐상 시험방법
다. 후유화성 형광침투탐상 시험방법
라. 용제제거성 형광침투탐상 시형방법

23_ 침투탐상시험시 현상제를 사용하는 주 목적은?

가. 침투제의 침투력을 증가시키기 위하여
나. 유화제가 남아 있는 것을 흡수하기 위하여
다. 결함 내부로부터 침투제를 흡수하여 잘 보이게 하기 위하여
라. 표면을 건조시키기 위하여

24_ X선의 성질에 대한 설명으로 옳지 않은 것은?

가. X선은 빛의 속도와 같다.
나. X선은 공기중에서 굴절된다.
다. X선은 전리 방사선이다.
라. X선은 생체를 파괴한다.

25_ 침투제를 분무할 때 분무노즐(Nozzle)의 가장 효과적인 분사각도는?

　가. 5도
　다. 45도

　나. 15도
　라. 75도

26_ KS B 0816에서 기름베이스 유화제를 사용 시 형광침투액을 쓸 때 유화시간의 규정으로 맞는 것은?

　가. 침투제 적용 후 즉시
　다. 유화제 적용 바로 직전

　나. 유화제 적용 전 3분 이내
　라. 유화제 적용 후 3분 이내

27_ 침투탐상검사에 합격한 각각의 구성 부품의 표시 방법을 규정한 KS W 0914의 내용으로 틀린 것은?

　가. 에칭 또는 각인에 의할 경우에는 기호를 사용하여야 한다.
　나. 특수용도인 것을 제외하고 전수검사에서 합격한 것을 표시하려면 기호 P를 사용한다.
　다. 착색에 의한 전수검사 합격 부품은 청색염료를 사용한다.
　라. 착색에 의한 샘플링검사 합격 부품은 노란색의 염료를 사용한다.

28_ 다음 중 KS W 0914에 따른 친유성 유화제의 성능 점검사항에 해당하는 것은?

　가. 제거성과 수분함유량
　다. 수분함유량과 농도

　나. 제거성과 농도
　라. 수분함유량과 감도

29_ KS B 0816에서 기름베이스 유화제를 사용하는 시험에서 염색침투액인 경우의 유화시간은?

　가. 30초 이내로 한다.
　다. 2분 이내로 한다.

　나. 1분 이내로 한다.
　라. 3분 이내로 한다.

해답　**25.** 다　**26.** 라　**27.** 다　**28.** 가　**29.** 가

30_ KS W 0914에 의해 침투탐상시험을 수행하기 전 도로나 바니시 등을 제거하기 위하여 적용되는 청정화 방법으로 적합한 것은?

가. 연마
나. 솔벤트 세척
다. 식각
라. 증기 세척

31_ 침투탐상검사에 대한 KS B 0816의 규정 내용으로 틀린 것은?

가. 암실을 이용할 경우 어둡기는 101x 미만이어야 한다.
나. 침투지시모양의 관찰은 현상제 적용 후 7~60분 사이에 하는 것이 바람직하다.
다. 잉여 침투액의 제거 시 흠 속에 침투되어 있는 침투액을 유출시키는 과도한 처리를 해서는 안된다.
라. 세척처리 시 수세성 및 후유화성 침투액은 물로 세척한다.

32_ KS B 0816의 침투탐상 시험방법 및 지시모양의 분류와 관련된 인용 규격이 아닌 것은?

가. KS B 0052 : 용접기호
나. KS B 0161 : 표면거칠기 정의 및 표시
다. KS D 5201 : 동 및 동합금의 판 및 띠
라. KS D 3709 : 니켈 크롬 몰리브덴 강재

33_ KS B 0816에서 탐상제는 침투액, 유화액, 세척액 및 현상제로 구성된다. 이때 용제 세척액이 필요한 경우로 다음 중 맞는 기호는?

가. FA, VA
나. FB, VB
다. FA, FB
라. FC, VC

34_ KS B 0816에 따른 침투탐상시험 시 샘플링검사의 경우 합격한 로트의 모든 시험체에의 표시 방법(착색)으로 올바른 것은?

가. 적색으로 착색한다.
나. 황색으로 착색한다.
다. 갈색으로 착색한다.
라. 청색으로 착색한다.

해답　30. 나　31. 가　32. 라　33. 라　34. 나

35_ '전처리-침투-제거-현상-관찰-후처리' 과정은 KS B 0816에 규정된 어떤 시험방법의 순서인가?

가. FB-A

나. VD-S

다. FA-D

라. VC-S

36_ KS B 0816에 의한 시험방법의 분류표시 중 FB-A는 무슨 현상법인가?

가. 속건식현상법

나. 습식현상법(수용성)

다. 습식현상법(수현탁성)

라. 건식현상법

37_ 압력용기를 침투탐상시험을 하였더니 그림과 같은 결함이 나타났다. KS B 0816에 의한 이 결함의 해석은?

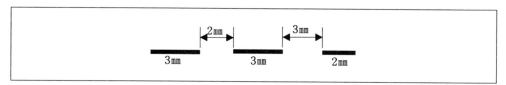

가. 3개의 결함 : 각각 3㎜, 3㎜, 2㎜

나. 2개의 결함 : 각각 8㎜, 2㎜

다. 1개의 결함 : 8㎜

라. 1개의 결함 : 13㎜

38_ KS B 0816에 의하면 시험체의 일부분을 시험하는 경우는 시험하는 부분에서 바깥쪽으로 몇 ㎜ 넓은 범위를 전처리 하도록 규정하고 있는가?

가. 12㎜

나. 15㎜

다. 20㎜

라. 25㎜

39_ KS B 0816에 의한 침투지시모양의 분류 중 결함으로 볼 수 없는 것은?

가. 선상침투지시모양

나. 연속침투지시모양

다. 재질경계지시모양

라. 갈라짐에 의한 침투지시모양

해답 **35.** 라 **36.** 나 **37.** 나 **38.** 라 **39.** 다

40_ KS B 0550에는 비파괴시험 용어가 정의되어 있다. 다음 중 결함(Defect)에 대한 설명인 것은?

가. 비파괴시험에서장치 위에 표시된 도형이나 수치 또는 시험체 위에 나타난 모양

나. 시험체의 평균적인 부분에 비해서, 비파괴 시험상에서 차가 있다고 판단되는 부분

다. 비파괴시험의 결과로부터 판단할 수 있는 불 연속부

라. 규격, 시방서 등에서 규정된 판정기준을 넘어 불합격되는 흠집

41_ 컴퓨터 사용 중 정전이 발생했을 경우 전원 공급을 일정시간 유지시켜 사용자가 작업 중인 데이터를 손실하지 않도록 해주는 장치는?

가. AVR

나. UPS

다. CVCF

라. ENIAC

42_ 다음 중 E-MAIL 주소표현으로 옳은 것은?

가. ftp://cs.swu.ac.kr

나. http://www.san.ac.kr

다. noname@sis.sun.ac.kr

라. telnet:family.swu.ac.kr

43_ 컴퓨터 네트워크 구성형태 중 그림과 같이 중앙에 메인컴퓨터를 두고 단말기들이 연결된 토폴로지(topology)는?

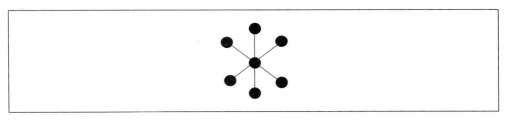

가. 성형(star)

나. 버스(bus)

다. 망형(mesh)

라. 트리(tree)

해답   40. 라   41. 나   42. 다   43. 가

44_ 다음 중 파일을 복사하는 기능을 내장하고 있는 것은?

가. 운영체제　　　　　　　　　　나. 어셈블러
다. 인터프리터　　　　　　　　　라. 워드프로세서

45_ 엑셀 프로그램의 워크시트 이름(화일명)에 관한 설명이다. 잘못된 것은?

가. 기본값은 sheet1 , sheet2 ... 등과 같이 표시된다.
나. 특수문자(W, /, *, ? 등)도 사용할 수 있다.
다. 공백(space)을 포함할 수 있다.
라. 한글과 영문을 혼용할 수 있다.

46_ 결정의 원자면을 나타내기 위하여 많이 사용하는 것은?

가. 밀러 지수　　　　　　　　　나. 와이스 변수
다. 에멜법　　　　　　　　　　　라. 마우러 조직도

47_ 마그네슘의 비중과 용융점(℃)은?

가. 0.8, 350℃　　　　　　　　나. 1.2, 550℃
다. 1.74, 650℃　　　　　　　라. 2.7, 780℃

48_ 강에서 탈산 및 탈황제로 첨가되는 성분으로 가장 적합한 것은?

가. Si　　　　　　　　　　　　나. Mn
다. P　　　　　　　　　　　　라. Cu

49_ 탄소강의 표준조직을 관찰하려면 어떤 열처리가 좋은가?

가. 노말라이징　　　　　　　　나. 풀림
다. 담금질　　　　　　　　　　라. 뜨임

해답　44. 가　45. 나　46. 가　47. 다　48. 나　49. 가

50_ 인(P)을 많이 함유한 주철 중에 나타나는 철, 인화철, 시멘타이트의 3원 공정조직은?

가. 스테아다이트   나. 아시큘라이트

다. 마그마나이트   라. 오스포나이트

51_ 라우탈은 Al-Cu-Si 합금이다. Cu를 첨가하여 향상되는 성질은?

가. 주조성   나. 내열성

다. 피삭성   라. 내식성

52_ 인장시험 전 시험편의 지름이 5mm이었을 때 이 시험편의 단면적은?

가. 약 7.9mm²   나. 약 15.7mm²

다. 약 19.6mm²   라. 약 22.6mm²

53_ 담금질성을 개선시키는 영향력이 큰 원소의 순서대로 나열된 것은?

가. Cu 〉 Mo 〉 Cr 〉 B   나. B 〉 Mo 〉 Cr 〉 Cu

다. B 〉 Cu 〉 Cr 〉 Mo   라. Cu 〉 B 〉 Cr 〉 Mo

54_ 탄소강의 담금질조직 중 최종 조직의 모상으로 작용하는 것은?

가. 오스테나이트   나. 마텐자이트

다. 트루스타이트   라. 소르바이트

55_ 자기변태에 대한 설명으로 틀린 것은?

가. 어느 온도에서 자성이 변화한다.   나. 결정격자의 모양이 변화한다.

다. 비가역적인 변태이다.   라. 큐리점이라고도 한다.

해답   50. 가   51. 다   52. 다   53. 나   54. 가   55. 나

56_ 공구강의 구비조건으로 틀린 것은?

가. 열처리 난이성이 클 것
나. 내마멸성이 클 것
다. 열처리변형이 적을 것
라. 상온 및 고온에서 경도가 클 것

57_ 강에 탄소량의 증가로 과공석강이 될 때 증가하는 것은?

가. 연신율 　　　　　　　나. 경도
다. 단면 수축율 　　　　　라. 충격값

58_ 직류용접 시 정극성과 비교한 역극성(Dcrp)의 특징 설명으로 올바른 것은?

가. 모재의 용입이 깊다
나. 비드폭이 좁다.
다. 용접봉의 용융이 느리다.
라. 주철, 고탄소강, 합금강 용접 시 적당하다.

59_ 전체 용접길이를 짧은 용접길이로 나누어서 간격을 두고 보기 그림과 같이 용접하는 방법을 무엇이라 하는가?

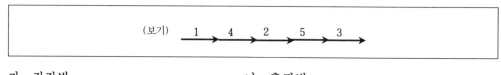

(보기)　1　　4　　2　　5　　3

가. 전진법 　　　　　　　나. 후퇴법
다. 대칭법 　　　　　　　라. 스킵법

60_ 가스용접에 사용되는 산소 충전가스 용기는 어느 색깔로 도색되어 있는가?

가. 백색 　　　　　　　　나. 청색
다. 회색 　　　　　　　　라. 녹색

해답　56. 가　57. 나　58. 라　59. 라　60. 라

61_ 침투탐상시험에서 유화제의 주된 역할은?

가. 형광 색소를 침투액에 첨가 시킨다

나. 침투액을 물로 씻을 수 있도록 한다.

다. 건식 현상제가 잘 붙도록 얇은 막을 만든다.

라. 깊고 미세한 결함 내에 침투액을 빨리 침투시킨다.

62_ 초음파탐상시험에 필요한 음향 임피던스를 옳게 나타낸 것은?

가. 음향 임피던스 = 초음파의 속도 × 재질의 밀도

나. 음향 임피던스 = 초음파의 파장 × 재질의 밀도

다. 음향 임피던스 = 초음파의 속도 × 재질의 탄성계수

라. 음향 임피던스 = 초음파의 파장 × 재질의 탄성계수

63_ 건식현상법을 염색침투탐상시험에 이용하지 않는 이유는?

가. 침투액과 반응하므로　　　　　나. 대비가 나빠서

다. 침투액을 과잉으로 빨아내므로　라. 가루가 날려서 위생상 나쁘므로

64_ 다음과 같은 침투탐상시험의 특징을 가지고 있는 검사법은 어느 것인가?

- 넓은 시험 면을 한 번의 조작으로 탐상이 가능
- 다량의 소형 부품을 신속히 탐상하는데 적합
- 다양한 재질, 크기 및 형상의 시험체와 여러 종류의 결함을 탐상하는데 적용
- 얕은 표면의 결함 검출에 신뢰성이 떨어짐.
- 전원, 수도설비, 자외선등이 필요함.

가. 용제제거성 형광침투탐상검사　　나. 후유화성 형광침투탐상검사

다. 솔벤트 세척형 형광침투탐상검사　라. 수세성 형광침투탐상검사

해답　**61.** 나　**62.** 가　**63.** 나　**64.** 라

65_ 다음 침투액 중 다른 검사방법에 비해 결함검출도가 가장 높은 방법으로서, 특히 깊이가 얕고 폭인 넓은 결함의 검출에 우수한 탐상액은 어느 것인가?

가. 수세성 형광침투액
나. 후유화성 형광침투액
다. 수세성 염색침투액
라. 용제제거성 형광침투액

66_ 대비시험편에 균열을 발생시키기 위하여 열처리를 실시한 다음 작업이 가장 효율적인 것은?

가. 가열된 시험편을 기름에 담근다.
나. 가열된 시험편을 뜨거운 물에 담근다.
다. 가열한 시험면에 차가운 물을 흘린다
라. 가열된 시험편을 공기 중에 놓아둔다.

67_ 침투탐상시험 시 침투재가 가져야 할 특성에 해당되지 않는 것은?

가. 미세한 틈 사이에도 침투할 수 있는 능력
나. 침투처리 시 비교적 큰 결함에도 남을 수 있는 능력
다. 침투처리 시 재빨리 증발할 수 있는 능력
라. 후처리 시에 표면으로부터 쉽게 씻겨 질 수 있는 능력

68_ 침투탐상시험 시 시험 표면의 유지류에 대한 전처리방법으로 가장 효과적인 방법은?

가. 세제 세척
나. 산 세척
다. 브러싱 세척
라. 증기 탈지

69_ 다음 중 방사선투과검사로 검출하기 곤란한 결함은?

가. 체적결함
나. 기공성 결함
다. 조사방향에 평행한 균열
라. 조사방향에 수직하게 깊이 차가 있는 균열

해답　**65.** 나　**66.** 다　**67.** 다　**68.** 라　**69.** 다

70_ 다음 그림 중에서 유화처리가 가장 잘된 것은? (단, 그림의 /// 부분은 침투액을 나타낸 것이며, ##부분은 침투액과 유화제의 혼합층을 나타낸 것이다.)

가.
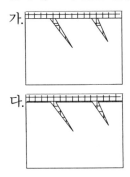

나.
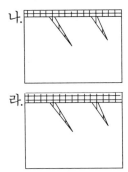

71_ 침투탐상시험으로 시험면이 개방되지 않은 시험체의 표면 아래 불연속을 검출하려 한다. 다음 중 옳은 설명은?

　가. 후유화성 형광침투액을 사용한다.
　나. 가시성 염색침투액으로 검사한다.
　다. 수세성 형광침투액으로 검사한다.
　라. 침투탐상시험으로는 검출하기 어렵다

72_ 형광침투탐상시험에서 자외선등은 어떤 목적 때문에 사용하는가?

　가. 침투제가 형광을 발하게 하기 위해서
　나. 침투제의 모세관현상을 도와주기 위해서
　다. 표면의 과잉침투제를 중화시키기 위해서
　라. 탐상부분의 표면장력을 줄이기 위해서

73_ 침투액의 침투성은 탐상면에 대하여 어떤 물리적 현상을 이용한 것인가?

　가. 밀도와 끓는점　　　　　　　나. 점성
　다. 표면장력과 적심성　　　　　라. 상대적 무게

해답　　**70**. 라　**71**. 라　**72**. 가　**73**. 다

74_ 전원 공급이 어려운 야외에서 침투탐상시험을 행할 때 휴대에 필요한 재료 및 장비로 알맞은 것은?

가. 세척제, 형광침투제, 현상제, 자외선등
나. 세척제, 염색침투제, 현상제, 걸레
다. 세척제, 후유화성침투제, 현상제, 자외선등
라. 세척제, 수세성 형광침투제, 유화제, 걸레

75_ 자외선등에 대한 자외선강도를 측정할 때 탐상면과 자외선 등사이의 거리는 얼마의 간격을 두고 측정하는가?

가. 18㎝   나. 38㎝
다. 48㎝   라. 62㎝

76_ 다음 중 의사지시모양(무관련 혹은 비관련 지시모양)은 현상제를 적용한 면에 어떤 것이 남았을 경우 나타날 가능성이 가장 높은가?

가. 침투액   나. 세척액
다. 유화액   라. 트리클렌

77_ 침투탐상시험에서 일반적으로 현상제를 백색으로 사용하는 주된 이유는?

가. 침투액과 혼합이 용이하기 때문에
나. 백색이 모든 색의 기본이기 때문에
다. 침투액과의 색 대비 효과를 높이기 때문에
라. 자외선등의 파장을 증가시키기 때문에

78_ 모세관 현상은 액체가 작은 틈으로 채워져 들어가는 현상을 이용한 것이다. 이러한 작용은 어떤 원리에 기인되는가?

가. 화학평형   나. 전자기력
다. 분자인력   라. 정전현상

해답   **74.** 나 **75.** 나 **76.** 가 **77.** 다 **78.** 다

79_ 현광침투탐상시험과 비교할 때 염색침투탐상시험의 장점으로 옳은 것은?

가. 자연광에서 검사가 용이하고 장비의 사용이 간편하다.

나. 형광침투탐상시험보다 미세 균열의 검출이 우수하다.

다. 형광침투제보다 침투력이 뛰어나다.

라. 형광침투제는 독성인 반면 염색침투제는 독성이 없다.

80_ 수세성 침투액을 시험편 표면에서 닦아낸 후 시험편을 건조시켜야 하는데 이때 건조온도는 250℉를 넘지 않아야 한다. 그 주된 이유는 무엇인가?

가. 시험편의 온도가 250℉를 넘으면 검사할 결함이 없어지기 때문이다.

나. 250℉이상이면 결함부위에 침투했던 과량의 침투액이 빠져 나오기 때문이다.

다. 250℉를 넘으면 침투액이 송상되어 탐상감도가 낮아지기 때문이다.

라. 250℉이상으로 가열하면 유독가스가 발생하기 때문이다.

81_ 비파괴검사를 수행하여 얻는 효과와 거리가 먼 것은?

가. 생산기술의 향상

나. 제품의 신뢰성 증가

다. 작업 공정의 자동화

라. 제품의 안전성 확보

82_ 다음 중 침투탐상시험을 적용하기 곤란한 부품은?

가. 다공성 물질로 만든 부품

나. 알루미늄 단조물

다. 플라스틱 제품

라. 주강품

83_ 침투탐상시험에서 전처리시 초음파 세척은 다음 중 어느 경우에 주로 이용되는가?

가. 대형 부품의 부분 세척을 위하여 이용된다.

나. 유화제를 제거하기 위하여 이용된다.

다. 정교한 부품의 세척을 위하여 이용된다.

라. 자외선등의 표면을 깨끗이 청소하기 위하여 이용된다.

해답 79. 가 80. 다 81. 다 82. 가 83. 다

84_ 다음 결함 중 발생 생성 요인이 다른 것은?

가. 텅스텐 혼입
나. 고온 균열
다. 용입 부족
라. 콜드 셧

85_ 다음 중 후유화성 염색침투탐상시험과 무관한 재료 또는 기구는?

가. 자외선등
나. 유화제
다. 현상제
라. 분사노즐

86_ 침투탐상 시험방법 및 침투지시모양의 분류에 규정된 A형 대비시험편에 대한 설명으로 잘 못 된 것은?

가. PT-A의 기호로 표시한다.
나. 재료는 A2024P로 한다.
다. 제작 시 가열은 분젠버너로 한다.
라. 한쪽 면만 흐르는 물에 급냉시켜 갈라지게 한다.

87_ 침투탐상 시험방법 및 침투지시모양의 Ⅰ분류에 의한 침투지시모양을 3종류로 분류할 때 이것에 해당되지 않는 것은?

가. 의사침투지시모양
나. 독립침투지시모양
다. 연속침투지시모양
다. 분산침투지시모양

88_ 침투탐상 시험방법 및 침투지시모양의 분류에서 현상방법을 분류할 때 기호 N이 의미하는 것은?

가. 건식현상제를 사용하는 방법이다.
나. 속건식현상제를 사용하는 방법이다.
다. 습식현상제를 사용하는 방법이다.
라. 현상제를 사용하지 않는 방법이다.

해답 84. 라 85. 가 86. 라 87. 가 88. 라

89_ 항공 우주용 기기의 침투탐상 검사방법에 따라 사용 중인 침투액에 대하여는 규정된 점검을 통해 성능이 불만족할 때는 침투액을 교환하든지 시정조치를 취해야 한다. 다음 중 용제제거성 형광침투액의 성능 점검 사항에 해당하는 것은?

가. 형광휘도와 제거성   나. 형광휘도와 감도

다. 수분함유량과 제거성   라. 수분함유량과 감도

90_ 비파괴검사-침투탐상검사 일반원리에 규정한 최대 표준현상시간은 보통 침투시간의 몇 배인가?

가. 1.1배   나. 1.2배

다. 1.5배   라. 2배

91_ 침투탐상 시험방법 및 침투지시모양의 분류에 의한 속건식 현상제를 적용하는 방법으로 가장 적합한 것은?

가. 현상제 속에 시험품을 침지시킨다.

나. 속건식이므로 같은 곳에 여러 번 반복 도포한다.

다. 분무를 이용하여 얇고 균일하게 도포한다.

라. 붓으로 여러 번 반복하여 두껍게 칠한다.

92_ 침투탐상 시험방법 및 침투지시모양의 분류에 규정된 시험기록 사항 중 시험시의 온도에 대한 설명으로 올바른 것은?

가. 시험 장소에서 침투액의 온도가 15~50℃일 때의 온도를 반드시 기록하여야 한다.

나. 시험 장소에서 기온이 15℃ 이하 또는 50℃ 이상일 때의 온도를 반드시 기록하여야 한다.

다. 시험 장소에서의 기온이 25~40℃일 때의 온도를 반드시 기록하여야 한다.

라. 시험 장소에서 기온이 20℃ 이하 또는 45℃ 이상일 때의 온도를 반드시 기록하여야 한다.

해답   **89.** 나 **90.** 라 **91.** 다 **92.** 나

93_ 침투탐상 시험방법 및 침투지시모양의 분류에 따라 A형대비시험편을 제조하기 위하여 판의 한 면 중앙부를 몇 도 정도로 가열하여 가열한 면에 흐르는 물을 뿌려 급냉시켜 갈라지게 하는가?

가. 300~310℃

나. 440~450℃

다. 530~530℃

라. 750~760℃

94_ 침투탐상 시험방법 및 침투지시모양의 분류에 의하여 침투액의 표준침투시간을 5~10분으로 할 수 있는 시험체와 침투액의 적정온도 범위는?

가. 3℃ 이하

나. 3~5℃

다. 15~50℃

라. 50℃ 이상

95_ 침투탐상 시험방법 및 침투지시모양의 분류에 규정된 분류기호 중 "VC-S"에서 C가 의미하는 내용은?

가. 현상액을 의미한다.

나. 잉여 침투액의 제거방법을 의미한다.

다. 침투액을 의미한다.

라. 침투탐상시험의 건조처리 방법을 의미한다.

96_ 침투탐상 시험방법 및 침투지시모양의 분류에서 침투액의 침투시간을 결정하는 인자와 거리가 먼 것은?

가. 현상 처리시간

나. 시험체의 재질

다. 예상 결함의 종류

라. 침투액의 종류

97_ 침투탐상 시험방법 및 침투지시모양의 분류에 규정된 시험에 대한 내용을 기록서에 작성할 때 시험체에 대하여 기재할 내용에 포함되지 않는 것은?

가. 시험체의 품명

나. 시험체의 제질

다. 시험체의 치수

라. 시험체의 무게

해답 93. 다 94. 다 95. 나 96. 가 97. 라

98_ 침투탐상 시험방법 및 침투지시모양의 분류에 따른 분류기호 "FB-W"의 시험절차로 옳은 것은?

가. 침투처리 → 전처리 → 유화처리 → 물세척처리 → 건조처리 → 건식현상처리 → 관찰 → 후처리

나. 전처리 → 침투처리 → 유화처리 → 물세척처리 → 습식현상처리 → 건조처리 → 관찰 → 후처리

다. 전처리 → 침투처리 → 유화처리 → 물세척처리 → 건조처리 → 건식현상처리 → 관찰 → 후처리

라. 전처리 → 침투처리 → 물세척처리 → 유화처리 → 습식현상처리 → 건조처리 → 관찰 → 후처리

99_ 수세성 형광 침투액을 사용하고 습식 현상제를 적용하는 경우를 "침투탐상 시험방법 및 침투지시모양의 분류"에서 어떤 분류기호로 표시하는가?

가. FB-W　　　　　　　　　　　나. FC-S

다. FA-W　　　　　　　　　　　라. FA-D

100_ 침투탐상 시험방법 및 침투지시 모양의 분류에서 전수검사에 의해 합격한 시험체에 표시를 하는 방법으로 올바른 것은?

가. 각인, 부식 또는 착색으로 시험체에 O의 기호를 표시

나. 각인, 부식 또는 착색으로 시험체에 P의 기호를 표시

다. 황색으로 착색하여 시험체에 P의 기호를 표시

라. 황색으로 착색하여 시험체에 O의 기호를 표시

101_ 인터넷에서 외부 네트워크로부터 내부 네트워크의 정보를 보호하기 위해서 설치하는 시스템은?

가. Firewall　　　　　　　　　나. Router

다. HUB　　　　　　　　　　　라. Bridge

해답　98. 나　99. 다　100. 나　101. 가

102_ 우리나라에서 인터넷 주소를 관장하는 곳은?

가. http://www.apnoc.net   나. http://www.krnic.net
다. http://www.ispnic.net   라. http://www.internic.net

103_ 인터넷에서 흔히 접할 수 있는 하이퍼텍스트 문서를 작성할 때 사용되는 언어는?

가. WWW   나. HTML
다. HTTP   라. FTP

104_ 은행의 온라인 거래처럼 데이터의 발생과 동시에 통신회선을 통해 즉시 처리하는 시스템으로 가장 적당한 것은?

가. 일괄 처리 시스템   나. 실시간 시스템
다. 다중 처리 시스템   라. 시분할 시스템

105_ 운영체제가 하는 일이 아닌 것은?

가. 데이터 관리   나. 스케줄 관리
다. 파일 관리   라. 컴파일

106_ 온도의 변호에 따라 선팽창 계수나 탄성률 등의 변화가 없는 불변강이 아닌 것은?

가. 인바   나. 엘린바
다. 슈퍼인바   라. 스테인리스강

107_ 시험체 표면에 딱딱한 물체를 낙하시켜 튀어 오르는 높이를 측정하여 사용하는 경도기는?

가. 쇼어 경도기   나. 비커즈 경도기
다. 로크웰 경도기   라. 브리넬 경도기

해답   102. 가 103. 나 104. 나 105. 라 106. 라 107. 가

108_ 상온에서 면심입방격자로만 구성되어 있는 것은?

가. Be, Fe, Cr

나. Co, Zn, Mo

다. Al, Cu, Ag

라. Cd, Ta, Mg

109_ 금속의 변태점을 측정하는 방법이 아닌 것은?

가. 비열법

나. 열 팽창법

다. 자기 탐상법

라. 전기 저항법

110_ 상온에서 비중이 약 1.75인 금속은?

가. Zn

나. Hg

다. Sn

라. Mg

111_ 수은을 제외한 금속재료의 일반적 성질을 설명한 것 중 옳은 것은?

가. 합금의 전기 전도율은 순수한 금속보다 좋다.

나. 순수한 금속일수록 열전도율은 떨어진다.

다. 금속은 상온에서 결정체이다.

라. 이온화 경향이 작은 금속일수록 부식되기 쉽다.

112_ Au의 순도를 나내는 단위가 K(carat)이다. 이때 18K로 표시된 금의 순도는 몇 %인가?

가. 55

나. 65

다. 75

라. 85

113_ 다음 중 강 자성체가 아닌 것은?

가. 철

나. 코발트

다. 금

라. 니켈

해답   108. 다   109. 다   110. 라   111. 다   112. 다   113. 다

114_ 탄소강 중에 포함되어 있는 망간의 영향으로 틀린 것은?

가. 고온에서 결정립 성장을 억제시킨다.
나. 주조성을 좋게 하고 황의 해를 감소시킨다.
다. 강의 담금질 효과를 저감시켜 경화능을 작게 한다.
라. 강의 연신율은 거의 감소시키지 않고 강도, 경도, 인성을 증가시킨다.

115_ 일반적인 서브머지드 용접의 특징 설명으로 틀린 것은?

가. 용입이 깊다.
나. 비드의 외관이 매우 아름답다.
다. 곡선 용접이 능률적이다.
라. 용융속도 및 용착속도가 빠르다.

116_ 베이나이트 조직은 강에 어떤 열처리를 함으로서 얻을 수 있는가?

가. 풀림 처리
나. 담금질 처리
다. 뜨임 처리
라. 항온 풀림 처리

117_ 공정 반응에서 많이 나타나며 정출된 두 금속 A, B가 층상의 형태를 이루는 것을 어떤 구조하고 하는가?

가. 라멜라 구조
나. 전위 구조
다. 핫티어 구조
라. 라미네이션 구조

118_ 점용접 조건의 3요소가 아닌 것은?

가. 전류의 세기
나. 통전시간
다. 너겟
라. 가압력

해답 114. 다 115. 다 116. 라 117. 가 118. 다

119_ 다음 중 절삭성을 향상시킨 특수황동은?

가. 납황동

나. 철황동

다. 규소황동

라. 주석황동

120_ 다음 용접 결함의 종류 중 구조상 결함이 아닌 것은?

가. 기공

나. 슬래그 혼입

다. 균열

라. 인장강도 부족

1__ 공기 중에서 초음파의 주파수가 5MHz일 때 물속에서의 파장은 몇 mm인가? (단, 물에서의 음속은 1500㎧이다.)

    가. 0.1   나. 0.3
    다. 0.5   라. 0.7

2__ 침투탐상시험에서 현상제를 적용한 후 관찰할 때까지의 시간을 무엇이라 하는가?

    가. 유화시간   나. 현상시간
    다. 침투시간   라. 검사시간

3__ 다음 중 침투탐상시험으로 표면결함을 탐상할 수 없는 대상물은?

    가. 유리   나. 목재
    다. 철강   라. 플라스틱

4__ 침투탐상시험에서 침투제와 혼합하여 수세가 가능하도록 하는 물질을 무엇이라 하는가?

    가. 유화제   나. 현상제
    다. 배액제   라. 세척제

해답   1. 나   2. 나   3. 나   4. 가

5__ 침투탐상시험에서 다음 중 침투시간과 관계없는 것은?

가. 현상 방법
나. 재질의 종류
다. 검출하려는 결함의 종류
라. 시험시의 온도 및 주위의 조건

6__ 침투탐상시험에서 시험편의 전처리로 샌드 블라스팅 한 다음 화학적 애칭(etching)을 하지 않은 경우 시험 상에 흔히 어떤 잘못이 예상되는가?

가. 결함을 매꾸어 버릴 우려가 있다.
나. 기름이나 오염물이 결함을 막을 우려가 있다.
다. 샌드 블라스팅 때 모래가 결함을 더 크게 할 우려가 있다.
라. 샌드 블라스팅을 하면 현상제의 사용을 어렵게 하여 또 다른 결함이 생길 수 있다.

7__ 침투탐상시험에서 탐상에 사용하는 탐상제의 성능 및 조작 방법의 적합 여부 조사에 사용되는 것은?

가. I.Q.I
나. 링 시험편
다. 대비시험편
라. 알루미늄 T형 시험편

8__ 침투탐상시험에서 현상(現像)이 잘 되었을 경우에 나타나는 결함지시모양의 크기를 실제 결함 크기와 비교하였을 때 다음 중 가장 적합한 것은?

가. 결함지시모양의 크기 = 실제 결함크기
나. 결함지시모양의 크기 〈 실제 결함크기
다. 결함지시모양의 크기 ≥ 실제 결함크기
라. 결함지시모양의 크기 ≤ 실제 결함크기

9__ 다음 중 침투탐상 시 시험장치 중 배액대의 역할은?

가. 현상액이 충분히 적용되도록 하는 역할
나. 침투액을 여과하는 역할
다. 시험체 표면에 있는 잉여 침투액을 제거하는 역할
라. 전처리시 오염물을 제거하는 역할

해답   5. 가 6. 가 7. 다 8. 다 9. 다

10_다음 중 성능이 우수한 침투액의 기능을 설명한 내용으로 틀린 것은?

가. 매우 빨리 증발한다.
나. 비교적 큰 개구부에도 잔류한다.
다. 매우 미세한 개구부에도 쉽게 침투한다.
라. 탐상 후 표면으로부터 용이하게 제거된다.

11_다음 중 자외선 조사장치에 사용되는 수은등에서 발생되는 광선이 아닌 것은?

가. X-선
나. 적외선
다. 자외선
라. 가시광선

12_다음 시험체 표면의 이물질 중 증기세척으로 제거하기 어려운 것은?

가. 녹
나. 중유
다. 그리스
라. 가시광선

13_다음 중 입자의 크기가 1㎚(nano miter)일 때 동일한 크기를 나타내는 것은?

가. 1×10^{-6}m
나. 1×10^{-9}m
다. 1×10^{-12}m
라. 1×10^{-15}m

14_다음 중에서 온도측정과 관련한 절대온도(K) 환산식을 바르게 나타낸 것은?

가. K = 273+℃
나. K = 273-℉
다. K = 460+℃
라. K = 273-℃

15_침투탐상 시험 시 현상조작 후 특별히 건조조작을 필요로 하는 현상법은?

가. 건식 현상법
나. 무현상법
다. 습식 현상법
라. 속건식 현상법

16_침투탐상시험으로 표면 바로 밑의 열려있지 않은 결함을 검출하는 경우의 설명으로 옳은 것은?

가. 용제 제거성 염색침투탐상시험법으로 검출한다.
나. 수세성 형광침투탐상시험법으로 검출한다.
다. 후유화성 형광침투탐상시험법으로 검출한다.
라. 침투탐상시험방법으로는 표면 밑의 결함은 검출할 수 없다.

17_후유화성 형광침투탐상시험-건식현상법을 조합하여 탐상할 때의 순서를 바르게 나타낸 것은? (단, 처리순서 중 전처리, 관찰, 후처리 부분의 기록은 생략 하였다.)

가. 침투처리 → 건조처리 → 유화처리 → 세척처리 → 현상처리
나. 침투처리 → 현상처리 → 유화처리 → 세척처리 → 현상처리
다. 침투처리 → 세척처리 → 유화처리 → 현상처리 → 건조처리
라. 침투처리 → 유화처리 → 세척처리 → 건조처리 → 현상처리

18_침투탐상검사의 일종인 윙크자이글로 법에 대한 설명 중 옳은 것은?

가. 형광 침투액으로만 부하를 걸어 현상처리를 한 후 침투처리를 해야 한다.
나. 침투처리 및 지시모양의 관찰 단계에서 부하를 걸어 주어야 한다.
다. 침투액을 적용한 경우에만 부하를 걸어 주어 세척처리를 한 후 관찰 단계에서 또 부하를 걸어 주어야 한다.
라. 습식 현상제를 사용할 때에는 반드시 유화처리를 한 후 부하를 걸어주고 관찰하여야 한다.

19_강자성체의 자기적 성질에서 자계의 세기를 나타내는 단위는?

가. wb(weber)
나. S(stokes)
다. A/m(amper/meter)
라. N/m(newton/meter)

해답 16. 라 17. 라 18. 나 19. 다

20_침투탐상검사용 시험장치에 대한 사용 방법의 설명이 올바른 것은?

가. 침지법에 사용하는 탐상장치는 용제 제거성 침투탐상에 적용한다.

나. 침지법에 사용하는 탐상장치는 대형 시험체의 국부적인 탐상에 적용한다.

다. 분무법에 사용하는 탐상장치는 침지법과 비교하여 장치가 간편하다.

라. 솔질법에 사용하는 탐상장치는 대형 시험체나 시험면적이 넓은 시험체에 적용한다.

21_환경 등의 안전을 고려하여 다음 중 침투탐상검사 시스템과 분리하여 설치해야 하는 장치는?

가. 전처리 장치   나. 침투장치

다. 유화장치   라. 현상장치

22_침투탐상 시험결과의 해석과 평가에 대한 올바른 설명은?

가. 염색 침투액을 사용하는 경우에는 자외선 아래에서 지시모양을 관찰 한다.

나. 형광 침투액을 사용하는 경우에는 백색조명 아래에서 지시모양을 관찰 한다.

다. 현상면에 나타나는 지시모양은 시간의 경과에 관계없이 일정한 속도와 크기로 형성된다.

라. 지시모양이 나타나면 그 지시가 관련지시인지 또는 무관련 지시인지를 먼저 해석한다.

23_다음 중 방사선투과시험에 필요한 물질과의 상호작용이 아닌 것은?

가. 반사 작용   나. 전리 작용

다. 형광 작용   라. 사진 작용

24_다음 중 지외선 조사장치는 어떤 침투탐상 시험방법에 사용되는가?

가. 형광침투탐상시험   나. 염색침투탐상시험

다. 비형광 침투탐상시험   라. 후유화성 염색침투탐상시험

해답   20. 다 21. 가 22. 라 23. 가 24. 가

25_ 다음 중 수세성 침투탐상 시험장치에 없어도 되는 것은?

가. 침투 탱크
나. 유화 탱크
다. 세척 탱크
라. 현상 탱크

26_ 침투탐상 시험방법 및 침투지시모양의 분류(KS B 0816)에서 현상방법에 따른 분류기호가 D로 기록되어 있을 때 이의 설명으로 맞는 것은?

가. 건식 현상법이다.
나. 습식 현상법이다.
다. 속건식 현상법이다.
라. 특수 현상법이다.

27_ 침투탐상 시험방법 및 침투지시모양의 분류(KS B 0816)에서 사용되는 A형 대비시험편의 기호 표시로 옳은 것은?

가. PT-A
나. MT-A
다. RT-A
라. UT-A

28_ 침투탐상 시험방법 및 침투지시모양의 분류(KS B 0816)에 규정된 유화제의 적용 방법으로서 다음 중 권장하고 있지 않은 경우는?

가. 침지
나. 붓기
다. 분무
라. 붓칠

29_ 침투탐상 시험방법 및 침투 지시모양의 분류(KS B 0816)에서 탐상제의 조합이 "FA-W"일 때 첫 번째인 "F"가 의미하는 것은?

가. 형광 침투액
나. 염색 침투액
다. 건식 현상제
라. 속건식 현상액

30__침투탐상 시험방법 및 침투지시모양의 분류(KS B 0816)에 의해 건식 현상제를 사용할 때 현상처리 전에 건조처리를 하여야 한다. 이때의 건조처리 온도 규정으로 옳은 것은?

가. 시험체가 놓여 있는 작업실의 실내 온도가 최고 20℃에서 3분 이내에 건조되도록 한다.

나. 시험체 표면의 온도를 최고 100℃로 하여 빠르게 건조한다.

다. 최고 250℃인 열풍 건조기를 이용하여 짧은 시간에 건조한다.

라. 시험체 표면의 수분을 건조시키는 정도로 한다.

31__침투탐상 시험방법 및 침투지시모양의 분류(KS B 0816)에 의한 물베이스 유화제를 사용하는 후유화성 침투탐상검사에서 유화제를 적용하는 단계는?

가. 전처리 후   나. 침투처리 후

다. 예비 세척처리 후   라. 세척처리 후

32__침투탐상 시험방법 및 침투지시모양의 분류(KS B 0816)에 의한 잉여침투액 제거방법의 분류기호가 "방법 C"일 때 어떤 방법을 의미하는가?

가. 수세에 의한 방법

나. 기름 베이스 유화제를 사용하는 후유화에 의한 방법

다. 물 베이스 유화제를 사용하는 후유화에 의한 방법

라. 용제 제거에 의한 방법

33__항공우주용 기기의 침투탐상 검사방법(KS W 0914)에서 특별한 지시가 없는 경우 과거에 실시한 청정화, 표면처리 또는 실제의 사용에 의해 침투탐상검사의 유효성을 저하시키는 표면상태를 생성하고 있는 징후가 인정되는 경우에 하는 것은?

가. 에칭   나. 물리적 청정화

다. 기계적 청정화   라. 용제에 의한 청정화

해답   30. 라 31. 다 32. 라 33. 가

34_ 침투탐상 시험방법 및 침투지시모양의 분류(KS B 0816)에 의한 탐상제의 품질관리 시험에 굴추계가 사용된다. 다음 중 굴추계는 무엇을 하기 위한 도구인가?

가. 습식현상제의 특성을 시험하기 위한 기구
나. 유화제 내의 규정 농도 측정을 위한 기구
다. 형광제 내의 형광물질 유무를 점검하기 위한 기구
라. 침투제 내의 이물질 오염 여부를 확인하기 위한 기구

35_ 침투탐상 시험방법 및 침투지시모양의 분류(KS B 0816)에서 분류된 결함에 대한 기록 중 포함되어야 할 내용이 아닌 것은?

가. 결함 길이   나. 결함 개수
다. 결함 깊이   라. 결함 위치

36_ 비파괴검사-침투탐상검사-제2부 : 침투탐상 제의시험(KS B ISO 3452-2)에 규정한 공정 관리 시험에서 수용성 현상제에 대하여 실시한 시험 내용이 아닌 것은?

가. 농도   나. 온도
다. 적심성 시험   라. 현탁액의 형광성

37_ 침투탐상 시험방법 및 침투지시모양의 분류(KS B 0816)에 규정된 시험체 재질이 플라스틱 일 때 결함의 종류가 갈라짐이라면 이에 대한 침투처리 후 표준 현상시간은? (단, 현상온도 는 15~50℃ 범위이다.)

가. 5분   나. 7분
다. 10분   라. 15분

38_ 침투탐상 시험방법 및 침투지시모양의 분류(KS B 0816)에서 스프레이 노즐에 의한 잉여 형광 침투액의 제거 시 물의 온도는 특별한 규정이 정해지지 않으면 몇 ℃를 넘지 않아야 하는가?

가. 20   나. 30
다. 40   라. 50

해답   34. 나 35. 다 36. 라 37. 나 38. 다

39_ 항공우주용 기기의 침투탐상검사방법(KS W 0914)에 의한 일반 요구사항의 관찰 조건에 대한 설명이 틀린 것은?

가. 염색 침투 탐상검사인 경우 조명 장치는 검사대상 구성 부품의 표면에 적어도 1000ℓx의 백색광을 방사하는 것이어야 한다.

나. 정치식 형광침투탐상검사인 경우 주위배경의 백색광은 20ℓx 이하이어야 한다.

다. 자외선 조사장치는 자외선 필터의 바로 앞면의 방사조도가 180μW/㎠ 이상이 되어야 한다.

라. 이동식 형광침투탐상장치를 사용하는 경우 검사 중 배경의 백색광을 암막 등으로 최저 가시레벨로 낮춘 상태에서 자외선 강도를 적절히 낮추어야 한다.

40_ 배관용접부의 비파괴시험방법(KS B 0888)에서 비파괴시험의 기술 구분이 B 기준 일 때 침투탐상검사의 합격 판정기준에 대한 설명이다. 틀린 것은?

가. 선형 침투지시모양은 모두 불합격으로 한다.

나. 연속 침투지시모양은 1개의 길이가 8㎜ 이하를 합격으로 한다.

다. 독립 침투지시모양은 1개의 길이가 8㎜ 이하를 합격으로 한다.

라. 분산 침투지시모양에 대하여는 침투지시모양을 분류 및 길이를 규정에 따라 평가하고 연속된 용접 길이 300㎜당의 합계점이 10점 이하인 경우 합격으로 한다.

41_ 다음 언어 중 기계에 가장 가까운 것은?

가. C

나. Basic

다. COBOL

라. Assembly

42_ 디지털 신호를 전화선을 통하여 직접 전달될 수 있도록 아날로그 신호로 바꾸어 주고, 전화선을 통해 전송된 아날로그 신호를 디지털 신호로 바꾸어 주는 장치는?

가. 프로토콜(protocol)

나. 에뮬레이터(emulator)

다. PS-232C

라. 모뎀(modem)

해답   39. 다 40. 가 41. 라 42. 라

43_ 사용자와 서비스 서버사이에 위치하여 사용자의 요구에 따라 원하는 정보를 가져오고 이를 사용자에게 전달해 주는 대리자 역할을 하는 서버 시스템은?

가. DNS 서버
나. 메일 서버
다. 프락시 서버
라. WWW 서버

44_ 다음 중 Windows XP가 자체적으로 지원하지 않는 기능은?

가. PnP
나. Multi-tasking
다. Virus 퇴치
라. System 복원

45_ 외부 침입으로 인한 내부 네트워크를 보호하기 위해서 인증된 대상만 접근을 허용하기 위해 설치하는 것은?

가. 데이트베이스 서버
나. 방화벽 서버
다. 백본 서버
라. 웹 서버

46_ 다음 중 이온화 경향이 가장 큰 금속은?

가. Cu
나. Ni
다. Fe
라. Mg

47_ 자기변태에 관한 설명으로 틀린 것은?

가. 결정격자의 변화이다.
나. 점진적이고 연속적으로 변한다.
다. 자기적 성질이 변한다.
라. 순철에서는 A2로 표시한다.

48_ 금속표면에 스텔라이트, 초경합금 등의 금속을 용착시켜 표면 경화층을 만드는 방법은?

가. 하드 페이싱
나. 전해 경화법
다. 금속 침투법
라. 금속 착화법

해답   43. 다   44. 다   45. 나   46. 라   47. 가   48. 가

49 금속의 결정 구조 중 단위격자의 각 꼭지점과 각 변의 중심에 한 개씩의 원자가 배열된 결정구조는?

가. 체심입방격자　　　　　　　　나. 면심입방격자
다. 백석형 정방격자　　　　　　　라. 조밀육방격자

50 순철을 가열하여 온도를 올릴 때 결정구조의 변화로 옳은 것은?

가. BCC → FCC → HCP
나. HCP → BCC → FCC
다. FCC → BCC → FCC
라. BCC → FCC → BCC

51 다음과 같은 실습순서에 의해서 경도 값을 측정하는 것은?

> • 시험편 지지대 이동 핸들을 돌려 압입자와 시험편을 밀착시킨다.
> • 배출 밸브를 닫고 레버를 작동하여 하중을 가한다.
> • 하중을 가하는 규정 시간이 경과되면 배출밸브를 천천히 열어 하중을 제거한다.
> • 계측 확대경으로 흔적의 지름을 측정한다.
> • 경도를 산출한다.

가. 브리넬 경도 시험기　　　　　나. 비커스 경도 시험기
다. 쇼어 경도 시험기　　　　　　라. 로크웰 경도 시험기

52 냉간 가공한 재료를 풀림하면 가공전의 상태로 되돌아간다. 이때의 과정으로 옳은 것은?

가. 재결정 → 회복 → 결정입자의 성장
나. 회복 → 결정 입자의 성장 → 재결정
다. 결정입자의 성장 → 재결정 → 회복
라. 회복 → 재결정 → 결정입자의 성장

해답　**49.** 나　**50.** 라　**51.** 가　**52.** 라

53__탄소강의 표준조직으로 Fe₃C로 나타내며 6.67%의 C와 Fe의 화합물은?

가. 오스테나이트(Austenite) 　　나. 시멘타이트(Cementite)

다. 펄라이트(Pearlite) 　　라. 페라이트(Ferrite)

54__마우러 조직도란 무엇인가?

가. C, Si의 양과 주철 조직의 상관도

나. 순철의 변태조직도

다. 강의 평형상태도

라. 강의 항온열처리도

55__다음 중 내식성 알루미늄(Al) 합금이 아닌 것은?

가. 하이스텔로이 　　나. 하이드로날륨

다. 알클래드 　　라. 알민

56__탄성율이 좋아 스프링 등 고탄성을 요하는 재료로 쓰이는 것은?

가. 인청동 　　나. 알루미늄청동

다. 니켈청동 　　라. 망간청동

57__Al-Cu-Ni-Mg 합금으로 내열성이 우수한 주물로서 공냉 실린더 헤드, 피스톤 등에 사용되는 합금은?

가. 실루민 　　나. 라우탈

다. 두랄루민 　　라. Y합금

58__테르밋 용접의 테르밋 이란 무엇의 혼합물인가?

가. 붕사와 붕산의 분말 　　나. 탄소와 규소의 분말

다. 알루미늄과 산화철의 분말 　　라. 알루미늄과 납의 분말

해답　53. 나　54. 가　55. 가　56. 가　57. 라　58. 다

59_ 여러 개의 돌기를 만들어 용접하는 저항 용접 법은?

가. 시임 용접

나. 프로젝션 용접

다. 점 용접

라. 펄스 용접

60_ 다층 용접 시 사용하는 용착법으로 가장 적합한 것은?

가. 전진법

나. 대칭법

다. 스킵법

라. 케스케이드법

3

용접 이론

I. 용접의 개요

1. 용접의 원리

원자 간의 인력이 작용하도록 원자들을 보통 10^{-8} cm(1Å)정도로 접근시켜 원자가 결합하는 것을 용접이라 한다.

① 기계적 접합법 – 볼트 이음, 리벳 이음과 같이 수시로 분해할 수 있는 것
② 야금적 접합법 – 용접, 압접, 납땜

2. 용접의 특징

(1) 장점

① 자재가 절약적이다.
② 공수가 감소한다.
③ 제품의 성능과 수명이 향상된다.
④ 이음효율이 향상된다(용접은 100%, 리벳은 80%).
⑤ 기밀, 수밀, 유밀성이 우수하다.

(2) 단점

① 품질검사가 곤란하다.
② 응력집중에 대하여 극히 민감하다.
③ 용접모재의 재질이 변질되기 쉽다.
④ 용접공의 기술에 의해서 이음부의 강도가 좌우
⑤ 저온취성파괴가 발생될 우려가 있다.
⑥ 유해광선, 폭발위험이 있다.

3. 용접의 분류

(1) 용접(fusion welding)

모재와 용가재가 서로 녹은 상태에서 접합한다.
① 아크용접
② 가스용접
③ 특수용접(테르밋용접, 일렉트로슬렉용접, 전자빔용접)

(2) 압접(pressure welding)

용접할 두 모재를 부분적으로 용융시켜 압력을 가하며 접합한다.
① 전기저항용접
② 초음파용접
③ 마찰용접
④ 냉간압접
⑤ 가스압접
⑥ 단접

(3) 납땜(brazing/soldering)

모재를 녹이지 않고 용가재만 녹여 접합한다.
① 연납(soldering)
② 경납(brazing) : 가스납땜, 노내납땜, 저항납땜, 담금납땜, 진공납땜, 유도가열납땜

II. 피복 아크 용접

1. 개요

피복제를 바른 용접봉과 피용접 물 사이에 발생하는 전기 아크열을 이용하여 용접, 아크열은 약 6000℃정도이며 실제 이용시 3500~5000℃정도이다.

(1) 용어(그림 참조)

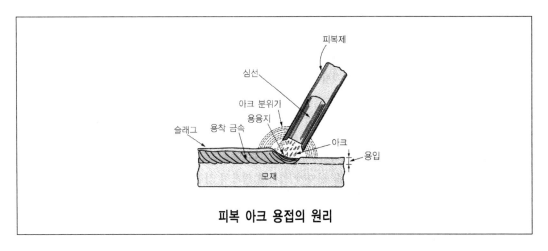

피복 아크 용접의 원리

① 용적(globule) : 용접봉이 녹은 쇳 방울
② 용융지(molten pool) : 용융 풀, 용접봉과 모재가 녹는 쇳물부분
③ 용입(penetration) : 아크열에 의해 모재가 녹은 깊이
④ 용착(weld metal) : 용접봉이 용융지에 녹아 들어가는 것이 응고된 금속이 용착금속
⑤ 피복제(fulx) : 비금속물질로 아크발생을 쉽게 하고 용접부를 보호하며 녹아서 슬래그가 된다.

(2) 용접회로

　　용접기 → 전극케이블 → 홀더 → 용접봉 및 모재 → 접지케이블 → 용접기

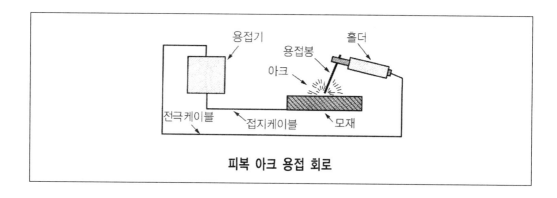

피복 아크 용접 회로

2. 아크의 성질

(1) 아크

용접봉과 모재사이에 70~80V의 전압을 걸면 청백색의 강한 빛을 내는 아크 발생한다.

① (직류)전압분포

양극과 음극 부근에서의 전압강화는 전극표면이 극히 짧은 길이의 공간에 일어나는 전압강하로 전극의 재질에 따라 변한다.

② (직류)온도분포

직류아크의 경우 양극 쪽에 발생하는 열량은 음극 쪽에 발생하는 열량에 비해 더 높아서 일반적으로 전체의 약 60~75%의 열량이 양극 쪽에서 발생한다.

(2) 극성효과

용접봉과 모재로 이루어지는 아크용접의 전극에 관련된 성질을 극성한다.

① 직류 정극성(DCSP)

모재가 +, 용접봉이 −로 연결된 극성, 모재의 용입이 깊다. 봉의 녹음이 느리다. 비드폭이 좁다. 일반적으로 많이 사용한다.

② 직류 역극성(DCRP)

모재가 −, 용접봉이 +로 연결된 극성, 용입이 얕다. 봉의 녹음이 빠르다. 비드폭이 넓다. 박판, 주철, 고탄소강, 합금강, 비철금속의 용접에 사용한다.

③ 교류

정극성과 역극성이 연속적으로 변하여 중간 정도의 반응을 보인다.

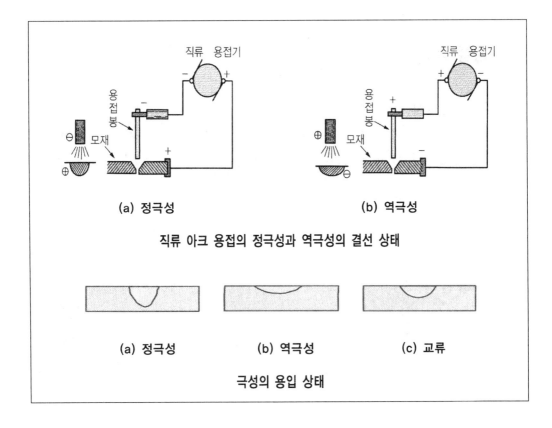

직류 아크 용접의 정극성과 역극성의 결선 상태

(a) 정극성   (b) 역극성   (c) 교류

극성의 용입 상태

(3) 용입입열(weld heat input)

외부에서 용접모재에 주어지는 열량으로 일반적으로 모재에 흡수되는 열량은 입열의
75~85%이다.

$$\text{입열공식 : 열량}(H) = \frac{60 \times \text{아크전압}(E) \times \text{아크전류}(I)}{\text{용접속도}(v)}$$

(4) 용융속도(melting rate)

용접봉의 용융속도는 단위시간당 소비되는 용접봉의 길이또는 무게로써 나타내는데 실
험결과에 의하면 아크전압과는 관계가 없다.

- 용융속도 = 아크전류 × 용접봉쪽의 전압강하

① 용적이행(globule transfer)
  ㉠ 다락형(short circuit transfer type) : 큰 용적이 용융지에 단락되어 표면 장력의
    작용으로 이행되는 형식으로 맨용접봉, 박피복용접봉에서 발생한다.
  ㉡ 스프레이형(spray transfer type) : 미세한 용적이 스프레이와 같이 날려 이행되
    는 형식으로 고산화티탄계, 일미나이트계 등에서 발생한다.
  ㉢ 글로블러형(globular transfer type) : 비교적 큰용적이 단락되지 않고 옮겨가는
    형식으로 서브머지드 아크용접과 같이 대전류 사용시에 나타나며 일명 핀치효과
    형이라고 한다.

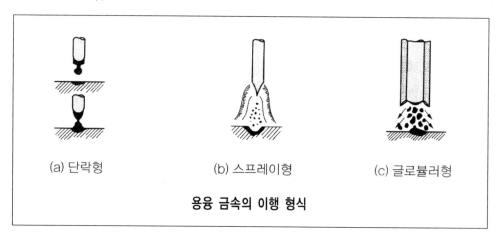

(a) 단락형   (b) 스프레이형   (c) 글로뷸러형

용융 금속의 이행 형식

(5) 아크 특성

① 부특성 : 전류가 작은 범위에서 전류가 증가하면 저항이 낮아져 아크전압 감소
② 절연회복특성 : 꺼졌던 아크가 보호가스에 의해 다시 일어나는 현상
③ 아크길이 자기제어 특성 : 아크전압이 높아지면 용접봉의 용융속도가 늦어지고 아크
  전압이 낮아지면 용융속도가 빨라져 아크길이를 제어하는 특성

(6) 아크쏠림(magnetic blow)

① 아크쏠림, 아크블로우, 자기불림 등은 모두 동일한 말이며 용접전류에 의한 아크주위
  에 발생하는 자장이 용접봉에 대하여 비대칭일 때 일어나는 현상이다.
② 방지대책
  ㉠ 직용접기 대신에 교류용접기를 사용한다.

ⓛ 아크길이를 짧게 유지한다.

ⓒ 접지점을 용접부로 멀리한다.

ⓔ 긴용접선에는 후퇴법을 사용한다.

ⓜ 용접부의 시·종단에 엔드탭을 사용한다.

3. 용접기(welder)

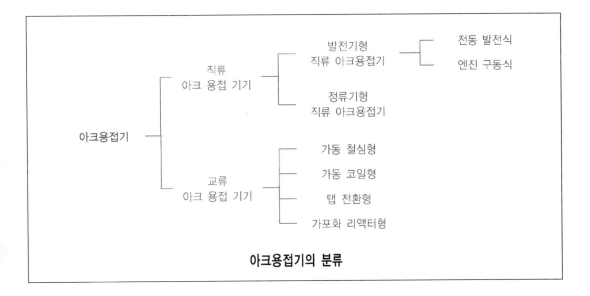

아크용접기의 분류

(1) 용접기 특성

① 수하특성 : 부하전류가 증가하면 단자전압이 저하하는 특성

② 정전압, 상승 특성 : 부하전류가 증가해도 단자전압이 일정 혹은 다소 높아지는 특성

③ 정전류 특성 : 아크길이에 따라 전압은 변하여도 전류는 변하지 않는 특성

(2) 직류아크 용접기(무부하 전압 40~60V)

① 발전기형

ⓖ 종류 : 엔진형 모터형

ⓛ 완전한 직류 얻음.

ⓒ 완전한 교류전원이 없는 장소임.

② 정류기형

ㄱ 구조가 간단함.   ㄴ 고장 적음.

ㄷ 보수가 쉬움.   ㄹ 소음이 적음.

ㅁ 완전한 직류 못 얻음.

(3) 교류아크 용접기

1차측은 200V, 2차측은 무부하 전압이 70~80V, 자기 누설 변압기를 써서 아크를 안정
시키기 위하여 수하특성

① 가동철심형 : 가동철심으로 누설자속을 가감하여 전류조정

② 가동형 코일형 : 1차, 2차 코일 중의 하나를 이동, 누설 자속을 변화하여 전류조정

③ 탭전환형 : 코일이 감긴 수에 따라 전류조정, 주로 소형

④ 가포화 리액터형 : 원격조작이 간단하고 원격제어가 된다.

(4) 교류아크 용접기의 규격

KS C 9602에 규정, AW 240에서 AW는 교류 용접기, 240은 정격 2차 전류[A]를 뜻하고
최고 2차 무부하 전압(개로 전압)은 AW 400까지는 85(V) 이하, AW 500 이상에서도
95(V) 이하로 규정한다.

(5) 역율, 효율

역율이 낮을수록 좋은 용접기이며, 역율이 높은 것은 효율이 나쁜 용접기이다.

- 정격사용율(%) = $\dfrac{\text{아크발생시간}}{(\text{아크발생시간 + 휴식시간})} \times 100$

- 허용사용율(%) = $\dfrac{(\text{정격 2차 전류})^2}{(\text{전체 용접 전류})^2} \times$ 정격사용율(%)

- 역율(%) = $\dfrac{(\text{아크전압} \times \text{전류}) + \text{내부손실}}{(\text{2차 무부하전압} \times \text{아크전류})} \times 100)$

- 효율(%) = $\dfrac{(\text{아크전압} \times \text{전류} \times 100)}{(\text{아크전압} \times \text{전류 + 내부손실})}$

(6) 부속장치

① 고주파 발생장치 : 교류 아크용접에 고주파를 병용시키면 아크가 안정되므로 작은
　전류로 얇은 판이나 비철금속을 용접할 때 아크가 불안정하게 되기 쉬울 때 이용한다.
② 전격 방지 장치 : 무부하 전압이 85~95V로 비교적 높은 교류 아크용접기를 휴지시간
　동안에는 2차 무부하 전압을 25V 이하로 유지할 수 있게 하는 장치이다.
③ 핫스타트장치 : 처음 모재에 접촉하는 순간 0.2~0.3초 정도의 순간적인 대전류를
　흘려서 아크의 초기안정을 도하는 장치로 일명 아크부스터라 한다.
④ 원격제어장치 : 용접기에서 멀리 떨어진 장소에서 전류와 전압을 조절할 수 있는
　장치

4. 용접기구

(1) 케이블

유연성이 좋고 캡타이어(가는 구리선을 꼬아서 만든) 전선을 사용한다.

(2) 필터렌즈

① 해로운 광선으로부터 눈을 보호한다.
② 번호가 크면 차광의 크기도 커진다.
③ 차광능력의 등급은 용접봉의 지름 및 용접 전류에 상관관계가 있다.

5. 피복아크용접봉

(1) 심선

① 대체로 모재와 동일한 재질의 것이 많이 쓰인다.
② 단면적 약 1~10mm이다.

(2) 피복제

① 피복제의 역할

ⓐ 산화질화를 방지한다.

ⓑ 아크를 안정시킨다.

ⓒ 급냉방지, 용착금속을 보호한다.

ⓓ 탈산정련작용을 한다.

ⓔ 합금원소의 첨가한다.

② 피복제성분

ⓐ 아크안정제 : 규산칼륨, 규산나트륨, 산화티탄, 탄산바륨 등

ⓑ 가스발생제 : 셀룰로이드, 석회석, 마그네사이트, 녹말, 목재, 톱밥 등

ⓒ 슬래그생성제 : 산화철, 루틸, 일미나이트, 이산화망간, 석회석, 규사, 장석, 형석 등

ⓓ 탈산제 : 페로망간, 페로실리콘

ⓔ 고착제 : 규산소다, 규산칼리, 아교

ⓕ 합금첨가제 : 페로망간, 페로실리콘, 페로크롬, 니켈, 구리

(3) 연강용 피복 아크 용접봉의 기호 – KS D 7004

```
    E          43          △          □  ← 피복제의 종류(극성에 영향)
    ↑           ↑           ↑
Electrode   용착금속의    용접자세(0, 1 전자세 2 아래보기 및 수평 3 아래보기
            저인장강도              4 전자세 또는 특정자세)
```

(4) 연강용 피복 아크 용접봉의 특징

① E 4301 : 일미나이트계 ~ 연강, 조선, 건축(100℃에서 1시간 건조 후 사용)
　　　　　　　　　　 ~ 작업성 우수, 용착금속의 기계적 성질 양호

② E 4303 : 라임티타나이계 ~ 구조물(피복이 두껍다. 박판용접이 용이)
　　　　　　　　　　 ~ 기계적 성질 우수, 비드 외관 곱다. 얇은 용입

③ E 4311 : 고셀룰로이스계 ~ 배관공사(식물성 유기물 함유)
　　　　　　　　　　 ~ 얇은 피복제, 강한 스프레이형, 깊은 용입, 많은 스패터, 거친 비드

④ E 4313 : 고산화 티탄계 ~ 균열위험, 아크 안정적, 적은 스패터, 얇은 용입

⑤ E 4316 : 저 수소계 ~ 후판, 큰 구조물(300-350℃, 1시간 건조 후 사용)
　　　　　　　　　　 ~ 기계적 성질 안 좋음. 비드 끝 모양이 좋다.

⑥ E 4324 : 철분 산화티탄계 ~ 저합금강, 중·고 탄소강(인장강도가 크다.)
　　　　　　　　　~ 적은 스패터, 고운 외관, 용입 얕다.

⑦ E 4326 : 철분 수소계 ~ 후판, 중·고 탄소강, 능률이 좋다. 적은 스패터, 고운
　　　　　　　　　비드

⑧ E 4327 : 철분 산화철계 ~ 후판, 스프레이형 아크, 깊은 용입, 고운 외관

⑨ 내균열성이 큰 순서
　저수소계 〉 일미나이트계 〉 고산화철계 〉 고셀룰로이스계 〉 고산화티탄계

(5) 보관 및 취급

① 용접봉은 건조하고 습기가 없는 장소에 보관한다.

② 보통 용접봉은 70~100℃에서 30~60분이다.

③ 저수소계는 300~350℃에서 1~2시간 건조 후 사용한다.

④ 편심율은 3% 이내인 것으로 한다.

6. 용접기법

(1) 아크길이(arc length)와 아크전압

좋은 용접을 하려면 짧은 아크를 사용하며 아크길이는 보통 심선 지름의 1배 이하 (1.5~4.0mm)정도, 아크길이가 변동하면 아크전압이 변하므로 발열량도 변화, 아크를 처음 발생시킬 때는 찬 모재를 예열하기 위해 긴 아크를 사용한다.

(2) 용접속도(welding speed)

모재에 대한 용접선 방향의 아크속도를 말하며 8~30cm/min이 적당하다.

(3) 크레이터(crater)

아크를 중단시키면 비드 끝에 생기는 움푹 들어간 곳, 불순물이나 편석이 남기 쉽고 냉각 중에 균열이 발생하기 쉬워 파괴나 부식의 원인이 되므로 반드시 채워야 한다.

III. 가스용접

1. 개요

가연 가스(아세틸렌, 수소, 도시, LP 등)와 산소와의 혼합가스의 연소열을 이용하여 용접한다.

(1) 장점

① 응용범위가 넓다.
② 운반이 편리하다.
③ 아크에 비해 유해광선 발생 저하된다.
④ 가열조절이 비교적 쉽다.
⑤ 설비비가 싸고 어느 곳에서나 설비가 쉽다.
⑥ 전기가 필요없다.

(2) 단점

① 아크 용접에 비해 불꽃의 온도가 낮다.
② 열효율이 낮다.
③ 열집중성이 떨어진다.
④ 폭발의 위험성이 있다.
⑤ 가열범위가 커서 응력이 크고 가열시간이 오래 걸린다.
⑥ 금속의 탄화 및 산화될 가능성이 많다.

가스(용접) 종류	혼합비(산소/연료)	최고 온도(℃)
산소 - 아세틸렌	1.1 ~ 1.8	3430
산소 - 수 소	0.5	2900
산소 - 프 로 판	3.75 ~ 3.85	2820
산소 - 메 탄	1.8 ~ 2.25	2700

2. 가스

(1) 아세틸렌

무색 무취의 기체, 비중 0.91(15℃, 1기압에서 1ℓ의 무게는 1.17g), 물에 1배, 석유에 2배, 밴젠에 4배, 알콜에 6배, 아세톤에 25배의 용해도
① 제법 : $CaC_2 + 2H_2O = C_2H_2 + Ca(OH)_2$ (1kg당 348ℓ의 아세틸렌가스 발생)
② 폭발성 : 406-408℃ 자연발화, 505-515℃ 이상 폭발, 780℃ 이상 산소 없이 자연폭
　　15℃에서 2기압 이상 압축 분해폭발, 산소 : 아세틸렌 비가 85:15에서 가장 위험,
　　구리합금(62% 이상 구리), 은, 수은 등에 접촉 폭발

(2) 프로판

프로판 : 산소의 혼합비는 1:45로 산소가 많이 소모되며 경제적, 쉽게 액화한다.

(3) 수소

산소 : 수소 1:2, 백심이 뚜렷이 없어 불꽃을 조절하기 어렵다, 납용접에만 사용한다.

(4) 불꽃

백심, 속불꽃, 겉불꽃으로 구성, 백심끝 2~3mm부분이 가장 온도(3200~3500℃)가 높아 이 부분으로 용접, 산화불꽃(온도가 가장 높고 산화 탈산된다), 탄화불꽃(백심주위에 연한 제3의 불꽃), 중성불꽃이 있다.

3. 용접장치

(1) 아세틸렌용기

기체 상태로의 압축은 위험하므로 아세톤을 흡수시킨 다공질(목탄+규조토) 물질을 넣고 아세틸렌을 용해 압축, 15℃ 15.5기압으로 충전 사용한다.
$$용적(V) = 905 \times (사용 전 병 무게 - 빈 병 무게)$$

(2) 산소용기

가스충전은 35℃, 150기압으로 충전시켜 24시간 방치 후 사용한다.

(3) 아세틸렌 발생기

카바이드 1kg이 물과 반응으로 500kcal의 열이 발생한다.
① 투입식 : 많은 물에 카바이드 투입, 가스조절이 용이, 온도상승, 불순가스 발생이 적다.
② 주수식 : 카바이드에 물(60℃ 주수), 연속적인 가스발생을 하기 쉽다. 과열되기 쉽다
③ 침지식 : 카바이드 덩어리를 물에 닿게 하여 가스 발생, 이동식에 많이 사용, 온도상승, 불순가스 발생이 많다.

(4) 청정기

발생가스의 불순물 제거, 팰트, 목탄, 코크스, 톱밥 등으로 여과한다.

(5) 안전기

역류, 역화, 인화시의 불꽃과 가스흐름을 차단, 토치 1개당 반드시 1개를 설치한다.

(6) 압력 조정기

산소 조정기는 산소를 $1.3kg/cm^2$ 이하로 조정하고 아세틸렌 조정기는 아세틸렌을 $0.1{\sim}0.5kg/cm^2$로 조정한다.

(7) 토치

① 팁의 능력에 따라
  ㉠ 독일식 : A형, 불변압식, 니들밸브가 없는 것으로 인화 가능성이 적다. 팁 번호가 용접가능한 모재의 두께를 표시한다.
  ㉡ 프랑스식 : B형, 가변압식, 니들밸브가 있어 유량조절이 쉽다. 팁 번호는 시간당 용접할 경우 소비되는 아세틸렌양으로 표시한다.
② 사용압력에 따라
  ㉠ 저압식 : 고압의 산소로 저압의 아세틸렌가스를 빨아내는 인젝터 장치를 가지고 있다.
  ㉡ 중압식 : 아세틸렌가스의 압력이 $0.07kg/cm^2$ 이상, 등압식 토치라고도 한다.

(8) 주의

① 역류 : 산소가 아세틸렌 호스쪽으로 흘러 들어가는 현상

② 역화 : 불꽃이 순간적으로 팁에 흡입되고 '빵'하면서 꺼졌다가 다시 나타나는 현상
③ 인화 : 혼합불꽃이 들어가는 현상
④ 원인 : 토치 팁이 과열, 가스압력과 유량이 부적당, 연결부의 조임 불량, 팁 막힘
⑤ 대책 : 물에 냉각하거나 팁의 청소, 유량조절, 체결을 단단히 하면 됨.

(9) 호스(관)

산소는 흑색, 녹색 아세틸렌은 황색, 적색

4. 용접재료

(1) 용접봉

KS D 7005에 규정, GA46의 46은 인장강도가 46kg/㎟ 이상이라는 것을 NSR은 용접한 그대로의 응력을 제거하지 않는 것, SR은 625℃정도로 풀림을 한 것, 아크용접봉의 심선과 같으나 인이나 황 등의 유해 성분이 극히 적은 저탄소강

$$D = T/2 + 1$$

D : 용접봉의 지름   T : 모재의 두께

(2) 용제(flux)

금 속	용 제	금 속	용 제
연 강	사용하지 않음	알루미늄	염화리듐 15%, 염화칼리 45% 염화나트륨 30%, 불화칼리 7% 염산칼리 3%
반경강	중탄산소다 + 탄산소다		
주 철	붕사 + 중탄산소다 + 탄산소다		
동합금	붕사		

5. 작업법

(1) 전진법(좌진법)

보통 5㎜ 이하의 얇은 판이나 변두리 용접에 사용, 소용 홈각도 80°

(2) 후진법(우진법)

두꺼운 판, 비드가 좋다. 소요 홈각도 60°

IV. 특수 아크 용접

1. 불활성 가스 아크 용접

(1) 장점

① 전자세 용접이 용이하고 고능률적이다.

② 청정작용이 있다.

③ 피복제 및 용제가 불필요하다.

④ 산화하기 쉬운 금속의 용접이 용이하고 용착부 성질이 우수하다.

⑤ 아크가 안정되고 스패터가 적으며 조작이 용이하다.

⑥ 강도, 기밀성 및 내열성이 우수하다.

  ㉠ 불활성 가스 텅스텐 아크 용접(TIG) – 불활성 가스(Ar, He) 분위기에서 텅스텐봉을 전극으로 써서 가스용접과 비슷한 조작방법으로 용가제를 아크로 융해하면서 용접, 텅스텐을 거의 소모하지 않으므로 비용극식 또는 비소모식 불활성 가스 아크 용접법

  ⓐ 직류 정극성 : 모재의 깊은 용입, 직경이 적은 전극에서 큰 전류를 흐르게 할 수 있다.

  ⓑ 직류 역극성 : 모재의 용입은 넓고 얕다. 가스이온이 모재표면에 충돌하여 산화막을 제거하는 청정작용으로 알루미늄, 마그네슘의 용접에 적합하다.

  ⓒ 교류 : 아크가 불안정하므로 고주파 발생 장치부착이 필요하다.

  ㉡ 불활성 가스 금속 아크 용접(MIG) – 용가재인 전극 와이어를 연속적으로 보내어 아크를 발생시키는 방법, 용극 또는 소모식 불활성 가스 아크 용접법이다.

  ⓐ 특징 : 용접전원은 직류 역극성, 청정작용, 전류밀도가 높고 고능률적 아크용접의 4-6배, TIG에 비해 2배 정도이다.

  ⓑ 용도 : 3mm 이상의 알루미늄, 스테인레스, 구리합금, 고탄소강 등이다.

2. 이산화탄소 아크 용접

불활성 가스 금속 아크 용접법과 같은 원리나 불활성 가스 대신에 이산화탄소를 이용한 용극식 용접법이다.

(1) 특징

직류 역극성, 기계적 성질 개선, 가격 저렴, 용접속도가 빠르고 깊은 용입

(2) 용도

교량, 철도차량, 건축, 전기기기, 자동차, 조선, 토목 등의 연강 용접시

3. 서브머지드 아크 용접법

자동 금속 아크 용접법으로 아크나 발생가스가 다같이 용제속에 잠겨져 있어서 보이지 않으므로 서브머지드 아크 용접법 또는 잠호 용접법이라 한다.

(1) 특징

① 장점 : 빠른 용접속도, 홈각도 적어도 됨, 고운 비드, 용접이음 신뢰성이 높다. 대량생산이 가능하다.
② 단점 : 아크가 보이지 않아 용접부의 적부를 확인해서 용접할 수 없다. 아래보기 자세용접 및 수평 필릿 용접에 한정, 정밀도가 좋아야 함, 설비비가 비싸다.

(2) 용제

용접부를 대기 중에서 보호하고 아크안정, 아크의 실드, 용융금속과 금속학적 반응 등의 역할이다.
① 용융형 : 1300℃ 이상으로 용융하여 응고시킨 다음 분쇄하여 입자를 고르게 한다.
② 소결형 : 300~1000℃ 정도의 낮은 온도에서 소정의 입도로 소결한 것이다.

(3) 용접작업

홈각도 ±5°, 루트간격 0.8㎜ 이하, 루트면 ±1㎜이다.

(4) 용도

조선, 교량, 차량, 철골구조, 가스터빈, 대형 변압 케이스, 대형 전송기 등이다.

4. 플라즈마 제트 용접

아크열로 가스를 가열하여 플라즈마상으로 토치의 노즐에서 분출되는 고속의 플라즈마 제트를 이용한 용접법(열적 핀치효과 이용)이다.

(1) 장점

① 에너지 밀도가 크고 안정도 높다.
② 비드 폭이 좁고 깊은 용입이다.
③ 속도가 빠르고 적은 변형, 적은 봉소모이다.

(2) 단점

① 용접속도가 크므로 가스보호가 불충분하다.
② 모재표면이 오염되었을 때 플라즈마 아크의 상태가 변화한다.
③ 용접부 경화현상이 일어난다.

5. 일렉트로 슬래그 용접

와이어와 용융슬래그 사이에 통전된 전류의 저항열을 이용, 연속주조방식에 의한 단층용접

(1) 특징

두께의 제한이 없다. 변형이 적다. 특별한 홈가공이 필요치 않다. 능률이 높다.

(2) 용제(용융슬래그)

SiO_2, MnO, Al_2O_3 등

(3) 용도

터빈축, 후판 보일러, 드럼, 대형 프레스, 대형 고압탱크, 조선, 차량 등

6. 일렉트로 가스 용접

슬래그 용제 대신 CO_2 또는 Ar가스를 보호가스로 사용하여 용접한다.

7. 원자수소

2개의 텅스텐 전극 사이에 아크를 발생시키고 수소가스 유출시 열해리를 일으켜 발생되는 열을 이용하여 용접~용융온도가 높은 금속 및 비금속재료 용접(니켈, 모넬메탈, 황동 등), 고도의 기밀, 유밀을 필요로 하는 용접이다.

8. 테르밋 용접

금속산화물이 알루미늄에 의하여 산소를 빼앗기는 반응인 테르밋 반응에 의해 생성되는 열을 이용~2800℃, 덧붙이기 용접에 많이 쓰임~큰 모재, 레일의 맞대기, 직경이나 환봉이다.

9. 아크 스터드 용접

볼트나 환봉, 핀 등을 직접. 강판이나 형강에 용접하는 방법이다.

10. 아크 점 용접

겹친 두 장의 강판에 아크를 0.5-5초 정도 국부적으로 융합시키는 용접이다.

11. 전자빔 용접

진공 중에서 고속의 전자빔을 형성시켜 그 전자류가 가지고 있는 에너지를 용접 열원으로 하는 용접법~기계적, 야금적 성질 양호, 적은 변형, 정밀용접 가능, 적은 용접 입열, 좁은 용접부, 깊은 용입, 활성금속 용접가능, 비싼 시설비, 두꺼운 판 용접가능, 에너지 밀도가 크다.

12. 레이저 빔 용접

강력한 에너지를 가진 집속성이 강한 단색 광선을 이용한 용접~진공이 필요치 않다. 미세 정밀 용접 및 전기가 통하지 않는 부도체 용접도 가능하다.

V. 전기 저항 용접법

1. 원리

용접부에 대전류를 직접 흐르게 하여 이때 생기는 줄열을 열원으로 하여 접합부를 가열하고 동시에 큰 압력을 주어 금속을 접합하는 방법이다.

(1) 장점

기능에 의한 우열이 적다. 짧은 용접시간. 대량 생산이 가능. 모재의 변형이 적다.

(2) 주울의 법칙

$$H = 0.238 \, I2Rt$$

2. 점용접

2개의 전극사이에 가압상태에서 전류를 통하면 접촉면의 전기저항에 의해 발열하며 이 저항열을 이용하여 용접~두께 0.4~3.0mm 얇은 판, 능률적으로 작업한다.

(1) 3대 요소

전류크기, 통전시간, 압력

(2) 장점

표면이 평형, 재료의 절약, 구멍 ×, 작업속도가 빠름, 숙련 ×, 변형 ×

3. 심 용접

원관형 전극사이에 용접물을 끼워 용접~수밀, 유밀이 필요한 곳이다.

(1) 통전방법

단속 통전법, 연속 통전법, 맥동 통전법

(2) 종류

① 매시 심 용접 : 겹쳐진 전폭을 가압하여 심
② 포일 심 용접 : 이음부에 같은 종류의 얇은 판을 대고 가압
③ 맞대기 심 용접 : 맞댄 면에 롤러로 통전시켜 접합

4. 프로젝션 용접

모재의 한쪽 또는 양쪽에 적은 돌기를 만들어 이 부분에 대전류와 압력을 가해 압접

(1) 특징

① 열용량이 다를 경우라도 양호한 열 평형, 높은 신뢰도, 동시에 여러 점용접, 속도가 빠르다.
② 수명이 길고 작업능률이 좋다.
③ 거리가 작은 점용접 가능하다.

5. 업셋 용접법

① 가열속도가 늦고 용접시간이 길다.
② 열영향부가 넓다.
③ 불꽃 비산 ×, 접합부에서 빠져 나오지 않는다.
④ 가격이 싸고 간다.

6. 플래쉬 용접법

① 용접강도가 크다.

② 정확하게 가공할 필요가 없다.

③ 전력이 적어도 된다.

④ 전력소비가 적다. 속도가 크다.

⑤ 업셋량이 적다.

VI. 납땜

1. 개요

용접모재보다 융점이 낮은 금속 또는 그들의 합금을 용가재로 하여 용가재만을 용융첨가시켜 두 금속을 이음하는 방법이다.

납땜에서는 원자간의 상호 인력이 고체와 액체사이에서 일어난다는 점이 다른 용접과 다른 점이다.

2. 납땜의 종류

① 연납 – 납땜 용융온도 450℃ 이하(납+주석)

② 경납 – 납땜 용융온도 450℃ 이상(은납땜, 황동납땜 등)

③ 땜납은 용접모재와 성질이 비슷한 것을 선택하는 것이 좋다(모재와 친화력이 좋은 것).

3. 용제

(1) 연납용

① 아연 : 아연 또는 아연도칠 판에 적합

② 염화아연 : 가장 보편적으로 사용(함석, 구리, 청동), 제거방법은 물 → 소다 → 물

③ 염화암모니아 : 땜 인두 청정용(철, 구리), 단독으로 사용하지 않음

④ 식물성 수지(비부식성 용제, 송진, 삼목지), 동물성 수지(부식성이 강함, 글리세린, 염화아연과 혼합사용) : 100℃부근 산화물제거, 납땜부 보호 작용, 전기부품

⑤ 인산, 염산

(2) 경납용

① 붕사 : 은납땜, 황동땜 외에는 다른 것과 혼합사용
② 붕산 : 용해도 878℃로 붕사와 혼합사용
③ 불화물, 염화물 : 용제의 유동성 증가
④ 알칼리 : 몰리브덴 합금강에 유용

(3) 경합금

염화리튬, 염화칼리, 염화나트륨, 불화수소산, 불화칼리, 불화나트륨

4. 납땜방법

(1) 인두납땜

구리제품의 인두, 세밀한 세공

(2) 침투납땜

석유통, 통조림통 납땜, 대량생산 적합

(3) 가스납땜

보통 가스불꽃은 약간 환원성, 용제는 접합면과 땜납에 발라서 사용

(4) 저항납땜

작은 물건이나 다른 종류 금속의 납땜에 적합

(5) 노내납땜

작은 물품의 대량생산에 적합

(6) 유도가열납땜

모재의 변질이나 산화가 적고 소비전력이 적게 든다. 대량생산

VII. 절단 및 가공

1. 아크 절단

보통 가스절단으로는 곤란한 금속 등에 많이 쓰이나 가스절단에 비해 절단면이 곱지 않다.

(1) 탄소아크 절단

탄소 또는 흑연 전극봉과 금속사이에서 아크를 일으켜 금속의 일부를 용융제거하는 절단법이다.
① 직류정극성(교류) 사용한다.
② 대전류를 필요(산화방지위해 표면에 구리도금), 300A 이상의 경우는 수냉식 홀더 사용한다.

(2) 금속아크 절단

탄소전극봉 대신 특수 피복제를 입힌 전극봉 사용한다.
① 피복봉 : 절단 중 3~5mm 보호통을 만듦(모재의 단락방지, 아크의 집중높임).
② 피복제 : 발열량이 많고 산화성이 풍부한 것

(3) 플라즈마제트 절단

① 고온의 플라즈마(10000~30000℃)를 이용한다.
② 금속재료나 내화물 절단, 작동가스(아르곤+수소의 혼합가스 사용), 공기 또는 질소 사용할 때 환기장치 설치한다.

(4) TIG 절단

비철금속재료 절단(알루미늄, 마그네슘, 구리 및 그 합금, 스테인레스 강 등)

(5) MIG 절단

절단부를 불활성 가스로 포위하고 금속전극에 대전류를 흐르게 하여 절단(산화에 강한 금속의 절단)

2. 아크 에어 가우징

탄소아크절단에 압축공기를 같이 사용한다.
용접부의 홈파기, 용접 결함부의 제거, 절단, 구멍뚫기이다.
강판 주강, 주물, 스테인레스 강, 경합금, 황동주물에 사용한다.

(1) 가스 가우징이나 치핑에 대한 장점

① 작업능률이 높다(가스 가우징의 2~3배).
② 조작이 간단하고 소음이 없다.
③ 모재에 나쁜 영향을 주지 않는다.
④ 속도가 빠르고 가열범위가 좁다.
⑤ 변형이나 균열이 없다

(2) (아세틸렌)가스 절단

강 또는 합금강의 절단에 널리 이용되며 비철금속에는 분말가스 또는 아크절단이 이용한다. 약 850~900℃로 될 때까지 예열한 후 팁의 중심에서 고압의 산소를 불어내어 철의 연소와 산화철의 용융과 동시에 절단한다.
① 절단장치 - 절단 토치의 팁은 절단하는 두께에 따라 임의의 크기의 것으로 교환할 수 있게 되어 있다.
  ㉠ 가스토치 ~ 저압식 , 중압식
    ⓐ 동심형 팁 : 프랑스식, 전후좌우, 곡선 자유롭게 절단한다.
    ⓑ 이심형 팁 : 독일식, 팁이 있는 방향만 절단, 작은 곡선 등의 절단곤란, 직선절단 능률적, 절단면이 곱다.
    ⓒ 절단 산소 분출구 : 직선형(팁의 공작이 용이), 다이버젠트형(공작이 곤란, 고속절단)

② 절단속도에 미치는 영향 – 산소압력, 산소의 순도, 모재의 두께, 모재의 온도, 강의 재질, 팁의 모양이다.

3. 산소-프로판(LP)가스 절단

산소 : LP = 4.5 : 1로 절단용 팁은 가스의 분출속도를 늦추고 예열불꽃의 구멍을 크게 수를 늘려 잘 꺼지지 않게 하며 슬리브를 약 1.5mm정도 가공면보다 길게 하여 둘러싼다.

아세틸렌	프로판
1. 점화하기 쉽다. 2. 중성불꽃을 만들기 쉽다. 3. 절단개시까지 시간이 빠르다. 4. 표면영향이 적다. 5. 박판절단 시 빠르다.	1. 절단상부 기슭이 녹는 것이 적다. 2. 절단면이 미세하며 깨끗하다. 3. 슬래그 제거가 쉽다. 4. 포갬 절단속도가 아세틸렌보다 빠르다. 5. 후판 절단시에 아세틸렌보다 빠르다.

4. 가스가공법

(1) 가스가우징

강재의 표면에 둥근 홈을 파내는 방법이다.
① 팁 : 슬로우 다이버젠트로 설계, 끝은 구부러져 있다.
② 속도 : 절단때의 2~5배 속도로 작업할 수 있다.
③ 상단한 숙련이 필요, 홈 깊이와 홈 나비는 1:1~1:3, 작업의 좋고 나쁨은 팁의 구조에 따라 다름(그림참조).

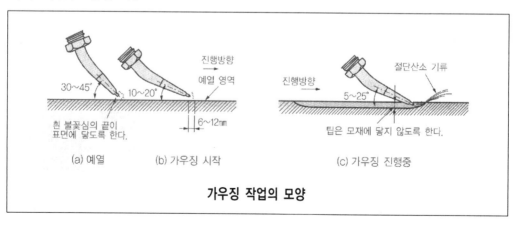

가우징 작업의 모양

(2) 스카핑

강괴, 강판, 슬래그, 기타 표면의 균열이나 주름, 주조결함 탈탄층의 표면 결함을 불꽃가공에 의해 제거하는 방법이다.

① 토치 : 가우징 토치에 비해 능력이 크다.

② 팁 : 슬로우 다이버젠트로 설계이다.

③ 용삭홈 모양 : 수동용(원형), 자동용(4각)

④ 속도 : 냉간재의 경우(5-7m/min), 열간재의 경우(20m/min)

5. 특수 가스 절단

(1) 분말절단

주철, 고합금강, 동, 알루미늄 등이다.

가스절단이 곤란한 금속절단부에 철분이나 용제의 미세한 분말을 압축공기나 압축질소로 자동연속적으로 분출 절단하는 것이다.

(2) 수중절단

침몰선의 해체, 교량의 개조 등에 사용한다.

수중에 넣기 전에 점화해 작업 중에는 불을 끄지 않도록 하는 것, 점화할 때 가스를 내기 전에 점화 팁을 가깝게 한 다음 가스를 천천히 방출한다.

(3) 산소창절단

산소호스에 연결된 밸브가 있는 구리관에 안지름 3.3~6mm, 길이 1.5~3mm정도의 강관을 틀어박은 장치이다.

모재의 시작점과 끝을 적열하고 산소를 천천히 방출시키면서 모재에 눌러 붙여서 산소와 모재의 화학반응에 의한 절단한다.

용광로, 평로의 구멍의 천공, 두꺼운 판의 절단, 주강의 슬래그 덩어리, 암석의 천공 등에 사용한다.

VIII. 용접시공

1. 일반적 준비

① 모재의 재질확인한다.

② 용접기의 선택한다.

③ 용접사의 선임한다.

④ 지그(부품을 조립하는데 사용하는 도구)결정한다.

> cf) **포지셔너** : 용접물을 용접하기 쉬운 상태로 놓기 위한 것이다.
> **용접 고정구** : 용접제품의 치수를 정확하게 하기 위해 변형을 억제하는 역할을 하는 것이다.

2. 조립순서

수축이 큰 맞대기 이음을 먼저하고 필릿용접 한다,
큰 구조물에서는 구조물의 중앙에서 끝을 향하여, 대칭으로 용접진행, 가접 시 약간 가는 용접봉 사용한다.

3. 홈 확인 및 보수

(1) 홈가공

피복아크용접의 홈각도 : 54~70°

(2) 피복아크용접

간격 16mm 이하일 때 한쪽, 양쪽 덧붙임, 6~16mm일 때 두께 6mm정도의 뒷받침, 16mm 이상 판의 전부 또는 일부(300mm)를 대체한다.

(3) 필릿용접

간격 1.5mm 이하 다리 길이로 용접, 1.5~4.5mm 그대로 용접하거나 넓혀진 만큼 다리 길이, 4.5mm 이상 라이너를 넣든지 300mm 이상을 잘라내어 대체한다.

(4) 서브머지드 아크

루트간격 0.8mm 이하, 루트면 7~16mm

4. 잔류응력 제거법

(1) 응력제거 열처리

용접물 전체를 로 중에서, 국부적으로 600~650℃ 가열하여 일정시간 유지한 다음 200~300℃까지 서냉하는 방법이다.

(2) 저온응력 완화법

용접선을 중심으로 하여 폭 150mm되는 부분을 150~200℃로 가열하고 바로 냉각하는 방법이다.

(3) 피닝법

용접부를 해머로 가볍게 때려 표면에 소성변형을 주어 수축힘 완화한다.

(4) 기계적 처리

잔류응력이 큰 경우 미끄럼 변형, 압축응력이 큰 경우 압축하여 수축시키는 방법이다.

5. 변형방지법

(1) 억제법

모재를 가접하거나 지그를 사용하여 변형발생 억제(잔류응력 발생할 우려)

(2) 역변형법

모재를 용접전에 변형의 방향과 크기를 예측하여 반대방향으로 굽혀 놓고 용접(시험편, 박판)

(3) 도열법

동편이나 물에 적신 석면 등을 받쳐 열을 흡수하는 방법

(4) 대칭법

비드를 좌·우 대칭으로 배열함으로서 변형방지

(5)후퇴법

용접전 길이를 적당하게 나누어 각 구간 용접방향을 전체 용접방향에 대해 후진하는 방법

6. 변형교정법

박판의 점 수축법, 형재의 직선 수축법, 가열 후 해머작업, 후판의 가열 후 압력을 가하고 수냉하는 방법, 롤러 가공, 피닝, 절단하여 변형 후 재용접이다.

7. 결함

결함	원인	방지책
기공 (블로우 홀)	봉에 습기가 있을 때 용착부가 급냉 아크길이, 전류의 부적당 모재속에 S이 많을 때	봉과 모재 건조 예열 및 후열 전류조정과 길이 짧게 저수소계 용접봉 사용
슬래그 섞임	슬래그 제거 불완전 운봉속도는 빠르고 전류가 낮을 때	슬래그 제거 철저히 운봉 속도와 전류 조정
용입불량	전류가 낮을 때 홈각도와 루트간격이 좁을 때 용접속도가 빠르거나 느릴 때	전류를 적당히 높임 각도와 루트간격 넓게 속도를 적당히 조절

결함	원인	방지책
언더컷	용접전류가 높을 때 운봉이 잘못되었을 때 부적당한 용접봉 사용시	전류를 약하게 운봉에 주의 적합한 용접봉 사용
오버랩	전류가 낮을 때 운봉이 잘못되었을 때 속도가 늦을 때	전류를 높임 운봉에 주의 속도를 알맞게
균열	용접부에 H_2가 많을 때 C, P, S 많을 때 모재의 이방성 이음의 급냉 수축 용접부에 기공이 많을 때	저수소계 용접봉 사용 재질에 주의 예열, 후열 충분히 기공방지에 주의
선상조직 은점	냉각속도가 빠를 때 모재에 C, S 많을 때 H_2가 많을 때 용접속도가 빠를 때	예열과 후열 재질에 주의 저수소계 용접봉 사용 용접속도를 느리게

IX. 용접설계

용접설계는 그림을 참조하여 용접이음의 종류와 기호를 익혀두길 바라며 안전율 응력식 정도를 숙지하기 바란다(용접기호는 KS B 0052 참조).

> ❖ **안전율**
>
> 용접 구조물에서 사용 응력과 재료의 허용 응력과의 사이에 적당한 균형을 유지할 수 있는 인자가 필요하게 된다. 이러한 관련성을 나타내는 지수를 안전율(안전계수 : Safety factor)이라 하고 다음과 같이 계산한다.
>
> $$안전율(S) = \frac{허용\ 응력}{사용\ 응력} = \frac{인장\ 강도(극한\ 강도)}{허용\ 응력}$$

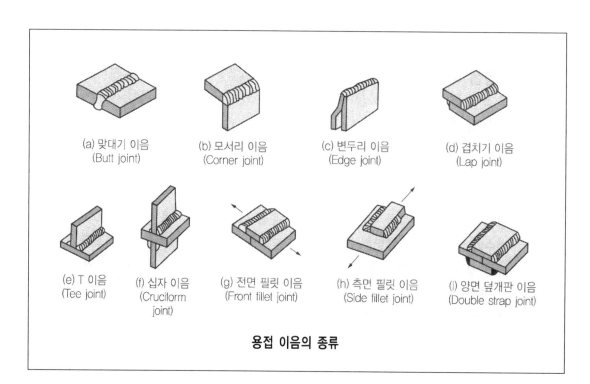

용접 이음의 종류

용접 이음의 기본 기호

번 호	명 칭	도 시	기 호
1	양면 플랜지형 맞대기 이음 용접[1]		⋏
2	평면형 평행 맞대기 이음 용접		‖
3	한쪽면 V형 맞대기 이음 용접		V
4	한쪽면 K형 맞대기 이음 용접		⊬
5	부분 용입 한쪽면 V형 맞대기 이음 용접		Y
6	부분 용입 한쪽면 K형 맞대기 이음 용접		⊬
7	한쪽면 U형 홈 맞대기 이음 용접 (평행면 또는 경사면)		Y
8	한쪽면 J형 맞대기 이음 용접		⊬
9	뒷면 용접		⌣
10	필릿 용접		◺

1) 판의 맞대기 이음 용접에서 완전히 용입되지 않는 경우에는 〈표 5〉와 같이 용입 깊이 S를 지시한 2번과 같은 기호로 표시한다.

번 호	명 칭	도 시	기 호
11	플러그 용접 : 플러그 또는 슬롯 용접		⊓
12	스폿 용접		○
13	심 용접		⊖
14	급경사면(스팁 플랭크) 한쪽면 V형 홈 맞대기 이음 용접		＼／
15	급경사면 한쪽면 K형 맞대기 이음 용접		ⱴ
16	가장자리 용접		‖‖
17	서페이싱		⌒⌒
18	서페이싱 이음		＝

번 호	명　　　칭	도　　시	기　　호
19	경사 이음		//
20	겹침 이음		⊇

대칭적인 용접부의 조합 기호(예)

명　　　칭	도　　시	기　　호
양면 V형 맞대기 용접 (X형 이음)		X
양면 K형 맞대기 용접		K
부분 용입 양면 V형 맞대기 용접 (부분 용입 X형 이음)		⅄
부분 용입 양면 K형 맞대기 용접 (부분 용입 K형 이음)		K
양면 U형 맞대기 용접 (H형 이음)		⅊

용접 이음의 보조 기호

용접부 및 용접부 표면의 형상	기 호
a) 평면(동일 평면으로 다듬질)	─
b) 볼록형	⌒
c) 오목형	⌣
d) 끝단부를 매끄럽게 함	⏝
e) 영구적인 덮개 판을 사용	M
f) 제거 가능한 덮개 판을 사용	MR

보조 기호의 적용 예

명 칭	도 시	기 호
한쪽면 V형 맞대기 용접 – 평면(동일면) 다듬질		
양면 V형 용접 볼록형 다듬질		
필릿 용접 – 오목형 다듬질		
뒤쪽면 용접을 하는 한쪽면 V형 맞대기 용접 – 양면 평면(동일면) 다듬질		
뒤쪽면 용접과 넓은 루트면을 가진 한쪽면 V형(Y 이음) 맞대기 용접 – 용접한 대로		
한쪽면 V형 다듬질 맞대기 용접 – 동일면 다듬질		[1]
필릿 용접 끝단부를 매끄럽게 다듬질		

1) 기호는 ISO 1302에 따름 : 이 기호 대신 √ 기호를 사용할 수 있음.

4

금속 이론

I. 금속재료 개요

1. 금속의 특성

① 고체상태에서 결정구조를 갖는다.
② 전기 및 열을 잘 전달하는 양도체이다.
③ 전성 및 연성이 크므로 변형하기 쉽다.
④ 금속 특유의 광택을 갖는다.
⑤ 비중이 크다.
⑥ 수은을 제외한 모든 금속은 상온에서 고체이다.

2. 합금

유용한 성질을 얻기 위해 한 금속 원소에 다른 금속 및 비금속을 첨가하여 얻은 금속이다.

(1) 제조방법

① 두 원소를 용융상태에서 융합
② 압축소결에 의한 합금
③ 고체상태에서 확산을 이용하여 부분적으로 합금(침탄 등)

3. 금속의 성질

(1) 비중

① 표준기압 4℃에서 어떤 물질의 질량과 같은 체적의 물의 질량과의 비
② 비중 4.5를 기준으로 하여 그 이상을 중금속(Cu, Fe 등의 대부분), 그 이하를 경금속 (Al, Mg, Na 등)

(2) 팽창계수

① 온도가 1℃ 올라가는데 따른 팽창율
② 팽창계수가 적은 인바, 초인바 등의 합금은 시계부품, 정밀측정자 등으로 사용, (−)치의 선팽창계수의 Fe-Pt합금

(3) 용융점

① 금속을 가열하여 액체가 되는 온도
② 상온에서 Hg(−38.87℃)는 액체, W는 금속중 용융점이 가장 높은 3410℃

(4) 전도율

① 불순물이 적고 순도가 높은 금속일수록 열이나 전기를 잘 전달(순금속〉합금)
② 전기전도율은 Ag을 100으로 했을 경우 다른 금속과의 비율로 나타낸다.

Ag 〉 Cu 〉 Au 〉 Al 〉 Mg 〉 Zn 〉 Ni 〉 Fe 〉 Pb 〉 Sb

(5) 비열

물질 1g의 온도를 1℃ 높이는데 필요한 열량

Mg 〉 Al 〉 Mn 〉 Cr 〉 Fe 〉 Ni 〉 Cu 〉 Zn 〉 Ag 〉 Sn 〉 Sb 〉 W

(6) 자성

① 강자성 : Fe, Ni, Co나 이들의 합금, 자석에 강하게 끌리고 자석에서 떨어진 후에도 자성을 띠는 물질
② 상자성 : K, Pt, Na, Al 등, 자석을 접근하면 먼 쪽에 같은 극, 가까운 쪽에는 다른 극
③ 반자성 : Bi, Sb 등, 상자성과 반대
④ 비자성 : Au, Ag, Cu 등, 자성을 나타내지 않는 물질

(7) 강도

금속의 강하고 약함으로 외력에 대해 저항하는 힘, 인장강도, 압축강도, 전단강도

(8) 경도

금속표면의 딱딱한 정도, 일반적으로 인장강도에 비례

(9) 전성

금속을 눌렀을 때 넓어지는 성질

$$Au > Ag > Pt > Al > Fe > Ni > Cu > Zn$$

(10) 연성

금속을 잡아 당겼을 때 늘어나는 성질

$$Au > Ag > Al > Cu > Pt > Pb > Zn > Ni$$

(11) 인성

충격에 대하 재료의 저항, 일반적으로 전·연성이 큰 것이 잘 견디며 주철과 같이 강도가 적고 경도가 큰 것은 인성이 적다.

(12) 이온화

이온화 경향이 클수록 화학반응을 일으키기 쉽고 부식이 잘 된다.

$$K > Ca > Mg > Al > Mn > Zn > Cr > Fe > Cd > Co > Ni > Sn > Pb$$

(13) 탈색

$$Au < Ag < Pt < Zn < Cu < Fe < Mg < Al < Ni < Sn$$

4. 금속의 결정구조

① 체심입방격자구조(Body Centered Cubic lattice)
  입방체의 각 모서리에 8개와 그 중심에 1개의 원자가 배열되어 있는 단위포의 결정구조
② 면심입방격자구조(Face Centered Cubic lattice)
  입방체의 각 모서리에 8개와 6개 면의 중심에 1개씩의 원자가 배열되어 있는 결정구조

③ 조밀육방격자구조(Close-Packed Hexagonal lattice)

육각기둥의 모양으로 되어 있으며 6각주 상하면의 모서리와 그 중심에 1개씩의 원자가 있고 6각주를 구성하는 6개의 3각주 중 1개씩 띄어서 3각주의 중심에 1개씩의 원자가 배열되어 있는 결정구조

결정구조	원자수	배위수	충진율	근접원자간거리	금속	성질
BCC	2	8	68%	$\sqrt{3}a/2$	Fe, W, Cr, Mn, Na, Mo	강도가 크고 융점이 높다. 전·연성이 작다.
FCC	4	12	74%	$\sqrt{2}a/2$	Au, Ag, Pb, Al, Pt, Ni, Cu	전기전도도가 크다. 전·연성이 크다.
CPH	2	12	74%	$a , \sqrt{a^2/3+4}$	Mg, Co, Zn, Be, Cd, Zr	결합력이 적다. 전·연성이 불량하다.

5. 금속의 응고

(1) 응고과정

결정핵 생성 → 결정핵 성장 → 결정립계 형성 → 결정입자구성

(2) 응고조직

① 과냉 : 융점이하로 냉각하여도 액체 또는 고용체로 계속되는 현상(Sb, Sn은 과냉도 ↑)

② 수지상 : 응고과정에서 결정핵이 성장할 때 Qy족한 부분이 생기면 그 부분은 핵성장이 촉진되어 연이어 성장하는데 이러한 나뭇가지 모양의 성장을 말한다.

③ 주상정 : 주형에 접촉된 부분부터 중심을 향하여 가늘고 긴 결정이 성장하여 중심부로 방사(라운딩, 냉각속도를 느리게 함으로 예방)

④ 편석 : 주상정의 경계에 모여 메지고 취약하게 하는 불순물

⑤ 고스트라인 : 편석이 있는 강괴를 압연하여 판, 봉, 관으로 만들 때 편석부분이 늘어나 긴 띠 모양을 이룬 것

⑥ 라운딩 : 편석을 막기 위하여 주형의 모서리 부분을 둥글게 하는 것

6. 금속의 변태

① 동소변태 - 같은 원소이지만 고체상태내에서 결정격자의 변화가 생기는 것(동소체)
② 자기변태 - 원자의 배열 즉 결정격자의 변화는 생기지 않고 자기의 크기만 변화하는 것
③ 변태점 측정은 열분석법, 열팽창법, 전기저항법, 자기반응법 등으로 측정한다.

7. 금속의 변형과 재결정

① 탄성변형 - 외력이 제거됨에 따라 원 상태로 돌아오는 변형
② 소성변형 - 외력이 지나치게 클 때에 변형이 복귀하지 못하고 영구적으로 변형
③ 슬립(Slip) - 외력에 의해 변형될 때 일정면에 따라 미끄러지는데 이 미끄럼을 말함, 슬립면은 원자밀도가 가장 조밀한 면에서 일어나고 슬립방향은 원자 간격이 가장 작은 방향에서 일어난다.
④ 쌍정(Twin) - 소성변형시 변형전과 변형후의 원자배열이 대칭적인 배열, 원자의 이동이 원자 간격보다 작으므로 큰 영구변형은 슬립에 의해 일어난다.
⑤ 전위(Dislocation) - 금속의 결정격자에 결함이 있을 때 외력에 의해 결함이 이동되는 것
⑥ 가공경화 - 변형에 의한 응력이 축적됨에 따라 경도가 증가하는 현상
⑦ 냉간가공에 의해 가공경화 된 금속의 열처리과정
　　- 회복 : 내부응력이 감소하는 단계
　　- 재결정 : 내부응력이 없는 새로운 결정의 핵 생성, 변형전의 결정립이 작을수록 재결정 온도는 낮다. 결정립의 크기는 재결정전의 존재한 변형량이 클수록 미세하다.
　　- 결정성장 : 재결정의 성장

금속	Fe	Al	Cu	Ni	W	Mo	Zn	Pb
재결정온도	450	290	200	600	1000	900	18	-3

8. 평형상태도

① 자유도 - 계에 나타난 상을 변경시키지 않고 임의로 변화될 수 있는 변수의 수
$$F = n - P + 2(n : 성분수 \quad P : 상수)$$

② 고용체 – 고체상태에서나 액체상태에서 한 성분금속에 다른 성분의 금속이 융합되어 하나의 상을 이룬 것(치환형, 침입형, 규칙격자형)

③ 금속화합물 – 친화력이 클 때 2종 이상의 금속원소가 간단한 원자비로 결합되어 성분금속과 다른 독립된 화합물을 만들 때

④ 공정형 – 용해된 상태에서는 균일한 용액으로 완전히 융합되지만 응고후 고체상태에는 성분금속이 각각 결정으로 분리되어 동시에 정출되는 것(용액 ↔ A결정 + B결정)

⑤ 공석형 – 고체상태내에서 공정형 상태도와 같은 반응을 함(γ 결정 ↔ α 고용체 +B)

⑥ 포정형 – 액체상태에서는 두 금속이 완전히 융합하나 고체상태에서는 어느 일부분만 융합하는 경우(α 고용체 + 용액 ↔ γ 고용체)

⑦ 편정형 – 일종의 용액에서 고상과 다른 종류의 용액을 동시에 생성하는 반응(액상 ↔ 고상(순 A) + 액상(B))

9. 재료의 시험

(1) 조직시험

① 육안시험

파면검사(재료의 성분, 열처리 판단), 육안조직검사(가공방법의 양부, 조직 및 성분의 불균일, 내부결함의 유무 판단), 설퍼프린트법(유황의 분포상태를 검출) 등이 있다.

② 현미경 조직검사

시험편 채취 → 시험편 연마 → 정마 → 부식 → 관찰

재료	부식제
철강	피크린산알콜 용액, 질산알콜 용액
Cu 및 그 합금	염화 제2철 용액
Ni 및 그 합금	질산초산 용액
Al 및 그 합금	수산화나트륨 용액, 불화수소산

(2) 강도시험

① 만능시험기 : 인장강도, 압축강도, 연신율, 단면수축율, 굽힘 등 측정

② Hooke의 법칙 $\sigma = E_\varepsilon$(σ : 응력, E : 영률, ε : 연신율)

③ 인장강도 $\sigma = P_{max}/A_o$(P_{max} : 최대하중, A_o : 원단면적)

(3) 경도시험

① 브리넬경도 $H_B = \dfrac{2P}{\pi D(D - \sqrt{D^2 - d^2})}$ (D : 강구의 지름, d : 들어간 지름)

하중시간은 15-30초, 얇은 재료나 침탄강, 질화강 등의 표면을 측정하기에는 부적당

② 로크웰경도 B스케일의 경우 : HRB = 130~500h

C스케일의 경우 : HRC = 100-500h

B스케일은 특수강구(1.588mm), C스케일은 꼭지각 120°인 다이아몬드 원뿔의 압입자

③ 비커즈경도 H_v = 1.854P/d_2(d : 다이아몬드 압입자국의 대각선 길이)

136o인 사각뿔 다이아몬드의 압입자 사용, 단단한 재료나 연한 재료, 얇은 재료나 침탄, 질화층 같은 엷은 부분의 경도로 정확히 측정, 압입부의 흔적이 적으므로 경화재료에는 부적당

④ 쇼어경도 Hs = 10000h/65ho

일정 높이에서 자유 낙하시켜 낙하체가 시험편에 부딪쳐 튀어 오르는 높이에 의해 측정 시험편에 자국이 생기지 않으므로 완성된 기어나 압연, 롤 등에 사용

(4) 충격시험

시험편에 충격적인 하중을 가해 시험편의 파괴시의 충격값을 구하는 동적시험이다. 샤르피 충격시험과 아이조드 충격시험

$$E = WR(\cos \beta - \cos \alpha)$$

(W : 해머무게, R : 해머중심에서 축 중심까지 거리)

$$충격값(U) = E/A$$

(α : 해머의 낙하 전 올려진 각도, β : 파괴 후 각도)

(5) 피로시험

하중이 계속적으로 반복 작용하면 파괴하중보다 더 작은 하중으로 파괴되는 피로파괴를 측정하는 시험

(6) 크리프시험

고온에서 시간의 경과에 따라서 외력에 비례한 만큼 이상의 변형이 일어나는 크리프현상을 측정하는 시험

II. 순철

1. 철강의 제조

(1) 제선공정

원료(철광석, 용제, 연료) → 용광로(고로) : 선철(약 93% Fe)

(2) 제강공정

① 전로제강 : 연료비가 절약, 연속조업에 의한 대량생산, 강질은 좋지 않다.
   산성 내화제를 사용하는 산성법은 P, S의 제거가 곤란하여 선철내에 P, S의 함량이
   적어야 한다.
   염기성내화물(MgO)을 사용하는 염기성법은 P, S의 함량이 많은 선철도 조업가능
② 평로제강 : 지맨스-마틴 법, 축열식 반사로, 선철과 고철의 혼합물을 용해, 현재
   생산되고 있는 강철의 대부분이 이 방법에 의한 것, 산성법, 염기성법이 있다.
③ 전기로제강 : 온도가 높고 자유로이 조절가능, 합금원소를 정확히 첨가하여 좋은
   강을 얻을 수 있다. 전력비가 많이 들고 탄소전극의 소모가 많다.
④ 도가니 및 유도로 : 정련을 목적으로 하는 것이 아니고 단순히 녹여서 순도가 높은
   강 또는 합금을 제조, 도가니 크기는 1회 용해할 수 있는 구리의 중량으로 표시

(3) 강괴제조

제강로에서 정련된 용강은 레이들에 받아 탈산제를 첨가하여 탈산 후 금형에 주조하여
강괴로 제조
① 킬드강 : 강한 탈산제(Fe-Si, Fe-Mn, Al 등)으로 완전히 탈산한 강, 기포가 없으나
   중앙 상단에 수축관이 생성되고 이 수축공은 가공전에 잘라내야 한다. 고급강
② 림드강 : 불완전 탈산강이고 수축관이 생기지 않아 강괴 전부를 사용하나 내부에
   많은 기로 형성, 보통 일반압연강재

③ 세미킬드강 : 킬드강과 림드강의 중간 정도 탈산

2. 순철(Pure Iron)

① 순도가 약 99.8% 이상의 철, 비중 7.87이며 전연성이 풍부하고 용접성이 좋으나 강도 및 경도가 너무 작다. 투자율이 높기 때문에 변압기, 발전기용 박철판으로 사용한다.

② 순철의 변태

$$A2변태(768℃) \qquad A3변태(910℃) \qquad A4변태(1400℃)$$

$$\alpha-Fe(bcc, 강자성) \rightarrow \alpha-Fe(bcc, 상자성) \rightarrow \gamma-Fe(fcc) \rightarrow \delta-Fe(bcc)$$

cf) 순철에서는 A0, A1변태가 없다.

III. 탄소강(Carbon steel)

탄소강은 0.03-1.7%의 탄소함량을 갖는 철합금이며 Mn, Si, P, S 등의 원소가 함유된다.

1. Fe-C계 상태도

(1) 포정점

1492℃에서 0.1%C의 δ 고용체와 0.51%C의 액상이 반응하여 0.16%C의 γ 고용체가 형성

$$\delta(0.1\%C) + L(0.51\%C) \leftrightarrow \gamma(0.16\%C)$$

(2) 공정점

1130℃에서 4.3%C의 조성을 가진 액상이 γ 고용체(1.7%C)와 Fe_3C(6.67%C)로 동시에 정출

$$L(4.3\%C) \leftrightarrow \gamma(1.7\%C) + Fe_3C(6.67\%C)$$

(3) 공석점

723℃에서 0.8%C의 γ 고용체가 0.02%C의 α 고용체와 Fe_3C로 동시에 석출되는 반응

$$\gamma(0.8\%C) \leftrightarrow \alpha(0.02\%C) + Fe_3C(6.67\%C)$$

cf) 0.8%C의 강을 공석강, 0.02-0.8%C의 강을 아공석강, 0.8-1.7%C의 강을 과공석강

2. 탄소강의 조직

(1) 페라이트(Ferrite)

α -Fe ~ 전연성이 매우 풍부한 조직으로 철강조직 중 가장 전연성이 크다.

(2) 오스테나이트(Austenite)

C를 고용한 γ -Fe~비자성체, 인성이 풍부하며 가공하기 쉽다.

(3) 시멘타이트(Cementite)

금속간화합물 Fe_3C~철강조직 중 가장 경도가 높다.

(4) 펄라이트(Pearlite)

α-Fe와 Fe_3C의 혼합 공석조직~W표준조직 중 가장 강인성이 크다.

(5) 레데뷰라이트(Ledeburite)

723℃ 이상에서 존재하는 γ-Fe

3. 탄소강의 5대 원소

(1) 규소(Si)

강의 인장강도, 경도를 높여주고 연신율, 충격값을 감소, 냉간가공성을 해침.

(2) 망간(Mn)

연신율을 감소시키지 않고 강도를 증가, MnS생성하여 고온취성 방지

(3) 황(S)

Fe와 화합하여 저융점화합물인 FeS를 형성, 고온취성을 일으킴, Mn으로 방지

(4) 인(P)

Fe와 화합하여 Fe_3P의 편석대인 고스트라인 형성, 상온취성을 일으킴.

(5) 탄소(C)

흑연으로 존재시에는 재질이 연하고 약하여 절삭성이 좋지만 Fe_3C로 존재시에는 재질이 단단하고 메지며 절삭이 어려움.

(6) 기타

H_2는 헤어크랙을 일으키고 O_2는 고온취성의 원인이며 N_2는 석출경화로 시효경화됨. Cu는 강도와 경도를 향상시키고 내식성을 증대시키지만 냉간가공을 떨어뜨림.

4. 탄소강의 성질

(1) 물리적 성질

탄소량의 증가에 따라 비중, 열팽창계수, 열전도도, 온도계수는 감소하나 비열, 전기저항, 항장력은 증가한다.

(2) 기계적 성질

① C에 량 : 함량이 증가하면 인장강도와 경도 증가, 연신율과 충격값 감소, 공석점(0.8%) 이상이 되면 시멘타이트가 망상조직으로 되어 경도는 증가하나 인장강도는 감소한다.
② 온도 : 200~300℃에서 인장강도와 경도가 최대가 되고 연신율이 최소가 되는 청열취성이 나타나고 이런 현상이 저온취성이라는 영하온도에서도 일어난다.

5. 탄소강의 가공

(1) 고온가공(Hot working)

재결정온도 이상(공석점 온도 이상)에서 가공하는 것, 상온가공에 비해 가공성이 좋지만 고온으로 인해 표면이 산화되고 부피변화가 생길 수 있다.

(2) 상온가공(Cold working)

재경정온도 이하에서 가공하는 것, 여리고 취약해지므로 풀림에 의한 연화가 필요하다.

6. 탄소강의 종류

(1) 구조용 탄소강

일반구조용강(0.15~04%C)은 철도, 차량, 교량 및 일반구조물, 기계구조용강(0.4~0.6%C)은 기계부품

(2) 판용강

후판은 성분이나 성질이 구조용강, 박판은 탄소함량이 0.12% 이하로 다소 특수

(3) 선제강

연강선제(0.06~0.25%C)는 철선, 철망 등, 경강선제(0.25~0.8%C)는 인발가공하여 만들어진다. 피아노선(0.55~0.95%C)은 강인한 소르바이트조직으로 스프링, 와이어로프

(4) 쾌삭강

보통강보다 P, S의 함량을 많게 하거나 Pb, Se, Zr을 첨가

(5) 스프링강

소르바이트조직(0.4~1.12%C)으로 P, S의 양이 적은 양질의 킬드강

(6) 레일강

마모를 적게 하기 위해 강인하고 경도가 높아야 한다. 탄소함량(0.35~0.6%)

(7) 탄소공구강

고탄소강(0.6~1.5%C)이 쓰이며 C량이 많은 것은 경도가 크고, 적은 것은 점성이 크다.

(8) 주강

가공이 곤란한 경우, 주철로는 강도가 부족할 때 강을 주형에 주입하여 사용

IV. 강의 열처리와 표면경화

1. 열처리개요

열처리란 고체 금속을 적당한 온도로 가열한 후 적당한 속도로 냉각시켜서 그 기계적 성질을 향상 및 개선하는 조작

변태	온도(℃)	반응
A0	210	시멘타이트의 자기변태, Curie Point
A1	723	공석변태, 오스테나이트↔펄라이트
A2	768	철의 자기변태
A3	910	α-Fe ↔ γ-Fe
A4	1400	γ-Fe ↔ δ-Fe
Acm	723-1145	과공석강의 시멘타이트가 고용, 석출
Ae		평형상태하에서 일어나는 변태

(1) 항온냉각변태곡선

오스테나이트상태에서 A1점 이하의 일정온도까지 급냉하여 이 온도에서 항온유지할 때 일어나는 변태를 나타낸 곡선으로 C곡선, TTT곡선이라고도 한다.

(2) 연속냉각변태곡선

오스테나이트상태에서 여러 가지 속도로 연속냉각한 때에 각종 냉각속도에 의한 오스테나이트의 변형개시 및 종료를 나타낸 곡선으로 CCT곡선이라 함.

2. 담금질(소입, Quenching)

강을 A1-A3변태점 이상의 고온인 오스테나이트 상태에서 급냉하여 A1변태가 저지되어 경도와 강도를 증가시키는 조작

(1) 오스테나이트(Austenite)

고탄소강을 수중에 급냉하였을 때 나타나는 조직의 일부이며 전부 오스테나이트로 되는 일은 없다. 강인하며 비자성체

(2) 마르텐사이트(Martensite)

오스테나이트에 고용되었던 탄소가 페라이트에 억지로 고용된 과포화 고용된 조직, 경도가 열처리 조직 중 최고이지만 취성이 있다. 강자성체이며 내식성이 크고 비중은 오스테나이트나 펄라이트보다 작다.

(3) 트루스타이트(Troostite)

마르텐사이트 조직보다 냉각속도를 조금 적게 하여 α -Fe와 시멘타이트가 극히 미세하게 혼합되어 있는 조직, 강도와 경도는 마르텐사이트보다 조금 작으며 인성과 연성이 다소 있고 큰 경도와 약간의 충격값을 요하는 부분에 쓰임.

(4) 소르바이트(Sorbite)

트루스타이트보다 냉각속도를 조금 적게 하여 트루스타이트보다 조대한 조직. 트루스타이트보다 연하나 펄라이트보다는 경도 및 강도가 크다. 철강조직 중 가장 강인성이 큰 조직

(5) 베이나이트(bainite)

마르텐사이트와 트루스타이트의 중간상태 조직, 열처리에 따른 변형이 적고 강도가 높고 인성이 크다. 마르텐사이트에 비해 시약에 잘 부식

(6) 담금질 질량효과

질량이 큰 재료는 내부가 급냉되지 못하므로 온도차가 생겨 외부는 경화하여도 내부는 경화하지 않는 현상, 경화능 측정방법에는 주로 조미니법

(7) 담금질 팽창

오스테나이트가 마르텐사이트로 변화할 때는 γ 고용체가 α 고용체로 변화하는 것이므

로 대단히 팽창되며 α 고용체로부터 고용 탄소가 Fe$_3$C로 변할 때는 수축하게 된다.

마르텐사이트 〉 트루스타이트 〉 소르바이트 〉 펄라이트 〉 오스테나이트

3. 뜨임(소려, Tempering)

담금질 후 A1변태점 이하로 재가열하여 경도는 다소 작아지나 인성을 증가시켜 강인한 조직으로 만드는 열처리

(1) 뜨임취성

뜨임조작시 때로는 충격값이 저하하는 경우가 있다. 저온뜨임취성(300℃)은 방지할 수 없으므로 이 온도에서의 뜨임은 피해야 하지만 제1, 2차 뜨임취성(450−525−600℃)은 Ni−Cr강에 나타나는 특이한 현상으로 소량의 Mosk W을 첨가하면 방지된다.

(2) 뜨임색

200℃	220℃	240℃	260℃	280℃	290℃	300℃	320℃	350℃	400℃
엷은 황색	황색	갈색	자주색	보라색	짙은 청색	청색	엷은 회청색	청회색	회색

(3) 심냉처리(Sub−Zero Treatment)

담금질한 강을 영하의 온도로 냉각하여 잔류오스테나이트를 마르텐사이트로 변태시켜 주는 처리

4. 불림(소준, Normalizing)

A3−Acm변태점 이상 30~50℃의 온도범위로 일정시간 가열해서 미세하고 균일한 오스테나이트로 만든 후 공기중에서 서냉시키면 미세한 α−고용체와 시멘타이트의 표준조직이 되어 기계적 성질이 향상된다. 이러한 열적 처리를 말함.

5. 풀림(thens, Annealing)

담금질과 반대로 열처리에 의한 경화나 가공경화된 재료의 경도를 저하시켜 연하게 하고 내부응력을 제거시키며 고온가공으로 불균일하고 거칠어진 조직을 균일하고 미세화시키는 열처리

(1) 완전풀림

열처리에 의하여 경화된 재료의 완전 연화를 목적으로 A1-A3 변태점 이상 30~50℃범위로 일정시간 가열한 다음 노냉으로 서서히 냉각시키는 열처리

(2) 저온풀림

응력제거풀림, 주조, 단조, 냉간가공 후에 존재하는 내부응력제거, 500~600℃로 가열 후 서냉하는 풀림

(3) 확산풀림

황화물의 편석을 제거하는 목적, 1100~1150℃로 가열하며 안정화 풀림

6. 항온 열처리(Isothermal heat treatment)

연속적으로 냉각하지 않고 열욕 중에 담금질하여 그 온도에서 일정시간 항온 유지하였다가 냉각하는 열처리(온도-시간 그래프를 잘 기억해 둘 것)

(1) 항온풀림(Isothermal annearling)

노우즈보다 조금 높은 온도까지 열욕에 냉각시켜 그 온도에서 항온변태

(2) 항온담금질(Isothermal quenching)

① 오스템퍼 : 노우즈와 Ms점 중간온도의 열욕에 냉각시킨 후 일정시간 유지, 베이나

이트 조직을 형성

② 마르퀜치 : Ms점보다 다소 높은 온도의 열욕에 담금질 한 후 뜨임하는 방법

③ 마르템퍼 : Ms선이하의 열욕에서 항온유지한 후 공냉하는 방법

④ Ms퀜치 : Ms점보다 약간 낮은 온도의 열욕에 담그질한 후 급냉하는 방법

(3) 항온뜨임 – 뜨임에 의하여 2차경화 되는 고속도강이나 다이스강 등의 뜨임에 이용

7. 강의 표면경화

내부를 강인하게 표면은 경도를 높혀 내마모성을 부여하는 것

(1) 물리적 표면경화

① 화염경화법 : 산소–아세틸렌 불꽃을 사용하여 강 표면을 급히 가열하고 물을 분사하여 급냉시켜 표면만 경화하는 방법

② 고주파경화법 : 표면에 고주파 유도전류에 의해 표면을 급히 가열한 후 물을 분사하여 급냉하는 방법

(2) 침탄법

저탄소강(0.2%)의 표면에 탄소를 침투하여 표면만 고탄소강으로 한 다음 열처리하여 표면만 경화시키는 방법, 침탄하지 않을 부분은 구리도금

① 고체 침탄법 : 침탄제로 목탄, 코크스, 골탄 등인 고체 이용하고 침탄촉진제로 탄산바륨($BaCO_3$), 탄산나트륨(Na_2CO_3) 등을 사용하여 침탄시킨다.

② 액체침탄법 : 침탄제로 시안화칼륨(KCN), 시안화나트륨(NaCN) 등을 침탄촉진제로 염화나트륨, 염화칼륨, 탄산나트륨 등을 사용하여 침탄, 시안화법, 청화법이라고도 한다. 침탄과 질화가 동시에 진행된다.

③ 기체침탄법 : 침탄제로 메탄, 에탄, 프로판 등을 사용

(3) 질화법

가열된 강에 질소를 침투시켜 Fe_4N과 Fe_2N의 질화철을 만든다.

부 분	침 탄 법	질 화 법
경 도	낮다	높다
열 처 리	반드시 필요하다	필요없다
소용시간	짧다	길다
변 형	크다	작다
고온경도	낮아진다	낮아지지 않는다
사용재료	제한이 적다	질화강이라야 한다

(4) 기타

① 초경침투법 : WC와 같은 초경 탄화물을 소결 부착

② 숏 피닝법 : 강이나 주철제의 작은 볼을 고속으로 분사하여 표면층을 가공경화

③ 방전경화법 : 방전현상을 이용하여 강의 표면을 침탄, 질화시키는 방법

(5) 금속침투법

모재와 다른 종류의 금속을 확산침투시켜 합금 피복층을 얻는 방법

① 세라다이징 : Zn을 재료표면에 침투시키는 방법, 내식성 향상과 표면경화층을 얻음.

② 크로마이징 : Cr을 침투, 내식, 내열성 및 내마모성이 향상

③ 칼로라이징 : Al을 침투, 내식성 향상

④ 실리코나이징 : Si를 침투, 내산성을 향상

⑤ 보로나이징 : B를 침투, 표면경도를 향상

V. 특수강

1. 특수원소

(1) 니켈

펄라이트가 미세하게 되고 페라이트가 강인해지며 저온취성이 생기지 않는다.

(2) 크롬

담금질성을 개선하는 효과가 니켈보다 우수, 강도증가, 내식성, 내마모성, 내열성향상

(3) 망간

담금질성 향상에 가장 효과적인 원소, 0.1%이상 첨가되면 취성이 증가, 고온취성(적열메짐) 방지 효과

(4) 몰리브덴

고온경도를 개선하며 인성이 양호해지고 특히 뜨임취성을 방지

(5) 텅스텐, 코발트

고온에서도 인장강도와 경도가 저하되지 않아 고온절삭성을 크게 한다.

2. 특수강의 상태도와 조직

(1) 오스테나이트 구역 확대형

Ni, Mn 등, 오스테나이트의 변태온도를 저하하는 한편 변태속도를 느리게 하여 오스테

나이트 구역을 확대하는 원소

(2) 오스테나이트 구역 폐쇄형

Cr, W, Mo, V 등, 오스테나이트의 변태온도가 상승되나 변태속도는 점차로 느리게 된다.

(3) 자경성

오스테나이트 구역 확대형 원소는 변태속도를 감소시킴에 의해 오스테나이트구역 폐쇄형 원소는 탄화물을 형성하고 탄소의 확산을 막으며 냉각변태를 감소시킴에 의해 임계냉각속도를 감소시켜 경화능을 증가시킨다.

(4) 수인법

고Mn강이나 18-8스테인레스 강 등과 같이 첨가원소가 다량인 것은 변태온도가 더욱 저하되어 있으므로 서냉시켜도 그 조직이 오스테나이트로 된다. 이러한 것들은 1000℃ 에서 수중에 급냉시켜서 완전한 오스테나이트로 만드는 것이 오히려 연하고 인성이 증가되어 가공하기가 용이하다. 이러한 열처리법을 수인법.

3. 구조용 특수강

(1) 강인강

탄소강보다 강도가 크고 인성이 커야 한다. Ni, Cr, Mo, W, V, Ti 등 첨가
① 니켈강 : 인장강도, 탄성한도를 증가시키며 연신율을 그다지 감소시키지 않음(보통 1.55.0% Ni). 자동차, 선박, 교량 등에 사용되고 자경성이 크다.
② 크롬강 : 탄소강과 기계적 성질이 비슷한 자경성이 커서 열처리 후에 강도, 내마모성이 양호, 볼트, 축, 기어 등
③ 니켈-크롬강 : Ni와 Cr강의 장점을 조합해서 만든 특수강. 강인하고 점성이 크며 담금질 효과도 커서 널리 사용, 주괴제조시 수지상이나 백점, 뜨임취성이 생기기 쉽다.

④ 니켈-크롬-몰리브덴강 : 구조용 특수강 중 가장 우수하고 대표적인 강(Ni-Cr강에 05% 이하의 Mo첨가), 강한 소르바이트 조직, 병기재료, 크랭크축, 기어 피스톤 등

⑤ 크롬-몰리브덴강 : Cr강에 0.15-0.35% Mo첨가, Mo의 첨가로 뜨임취성이 없고 용접이 쉬우며 열간가공이 쉽고 특히 고온강도가 큰 장점, 고압터빈, 압연 롤 등

⑥ 저망간강 : 고장력강 또는 듀콜강이라고도 하며 인장강도가 크며 용접성이 우수, Mn의 첨가량은 1.0-2.5%정도로 상온에서 펄라이트 조직이 되어 펄라이트 강이라고도 함.

⑦ 고망간강 : 고탄소강에 10-14%의 Mn을 합금시킨 강으로 헤드필드강이라고도 하며 상온에서 오스테나이트 조직이므로 오스테나이트 망간강이라고도 한다. 수인법으로 열처리하고 인성 및 내마모성이 매우 커 철도레일의 교차점이나 칠드롤 불도져 등에 사용

(2) 스프링강(SPS) - 고탄소강(0.5-1.0%C) 및 Si-Cr강, Cr-V강, Mn강 등의 특수강이 열간가공으로 만들어지며 강철선, 피아노선, 띠강 등은 냉간가공

4. 특수공구재료

(1) 합금공구강(STS)

① 절삭용 합금공구강 : 경도를 크게 하고 절삭성을 좋게 하기 위하여 탄소량을 높이고 Cr, W, V 등을 첨가한 공구강, Cr강, W강, W-Cr강

② 내충격용 합금공구강 : 내충격이 필요한 공구는 인성이 커야 하므로 절삭용 공구에 비해 탄소량이 낮고 Cr, W, V 등을 첨가해야 한다.

(2) 고속도강(SKH)

절삭공구강의 대표적인 강으로 하이스(HSS)라고도 한다.

① W계 고속도강 : 18%W-4%Cr-1%V로 된 18-4-1형과 14-4-1형이 있다.

② Co계 고속도강 : 고온경도증가로 강력한 절삭공구로 적당하며 고급 고속도강이라 한다. 단점은 단조가 곤란하며 균열이 생기기 쉽다.

③ Mo계 고속도강 : Mo 5-8%를 첨가시킨 고속도강

(3) 스텔라이트

스텔라이트는 강이 아니고 Co를 주성분으로 합금으로 단련이 불가능하므로 금형에서

주조한 것을 필요한 형상으로 연마하여 사용하는 주조경질 합금, 열처리를 하지 않으며 600℃이상에서는 고속도강보다 경도가 크므로 절삭능력이 좋으나 충격에 약하다. 밀링 커터, 드릴, 다이스 등

(4) 소결 초경합금

금속 탄화물의 분말에 결합제의 분말을 혼합하여 분말야금법으로 제조한 공구강, 결합 제로는 Co, 미디아, 비디아, 마볼로이, 텅갈로이 라는 상품명

5. 특수용도 특수강

(1) 쾌삭강

S, Pb 또는 흑연을 첨가시킨 강

(2) 스테인레스강(SUS)

Cr 및 Ni을 다량 첨가하여 내식성을 크게 향상시킨 강으로 녹이 슬지 않는다고 하여 불수강이라고도 한다.
 ① 크롬계 스테인레스강 : 유기산이나 질산에도 침식되지 않으나 황산, 염산에는 침식되 기 쉽다.
 ② 크롬-니켈계 스테인레스강 : 크롬계 스테인레스강보다 내식성, 내산성이 현저히 크며 오스테나이트 조직으로 비자성체, 18-8스테인레스강

(3) 내열강(HRS)

고온에서 장시간 견딜 수 있는 재료, 페라이트 내열강, 페라이트 내열강 중에서 Si를 첨가하여 내산성의 저하를 보충한 실크롬강, 18-8 스테인레스강에 Ti, Mo, Ta, W 등을 첨가한 오스테나이트 내열강 등

(4) 불변강

온도가 변하더라도 열팽창계수 및 탄성계수가 변하지 않는 강

인바, 초인바, 엘린바(거의 변화가 없다), 플래티나이트(유리 및 백금과 거의 동일, 유리와 금속의 봉착재료)

6. 기타 특수강

(1) 규소강

발전기, 변압기 등에 사용, 대표적인 종류가 샌더스트로서 Fe-Si-Al계 합금

(2) 자석강

KS강, MK강, MT강, OP강, 알코니 등

(3) 베어링강

내충격, 탄성한도 및 피로한도가 큰 강, 고탄소크롬베어링강재

(4) 게이지강

블록게이지, 와이어게이지 등 정밀기구에 사용

VI. 주철

탄소량이 1.7~6.67%인 철합금으로 주형에 주입하여 주물로 만들 수 있는 것을 말한다.

【장점】

① 주조성이 우수하여 크고 복잡한 형태의 부품도 쉽게 만들 수 있다.

② 내마모성이 우수하다.

③ 압축강도가 크다.

④ 주철내의 흑연에 의해 내식성이 탄소강에 비해 우수하다.

【단점】

① 인장강도가 매우 작다.

② 취성이 매우 크다.

③ 소성가공이 불가능하다.

1. 마우러 조직도

주철에 흑연이 많을 경우에는 파단면이 회색을 띠는 회주철이 되며 흑연의 양이 적고 대부분의 탄소가 시멘타이트의 화합탄소로 존재할 경우에는 그 파면이 흰색을 띠는 백주철로 된다. 회주철과 백주철이 혼합된 조직을 반주철이라고 한다.

① 마우러 조직도 - 주철에서 Si는 흑연의 정출 또는 석출에 큰 영향을 준다. C와 Si의 양에 따른 주철의 조직관계를 표시한 대표적인 조직도

② 흑연 생성 촉진 원소 - Si, Ni, Al 등

③ 연 생성 방해 원소 - Cr, S, Mn 등

2. 주철의 성질

(1) 기계적 성질

주철의 인장강도는 흑연의 형상, 분포상태 등에 따라 좌우된다. 경도는 페라이트주철

〈 펄라이트주철 〈 합금주철 〈 백주철의 순서이고 충격치는 C와 Si의 양이 증가하면 흑연이 많아져서 점차 저하하지만 페라이트 조직의 주철이 펄라이트 주철보다 충격치가 높다.

(2) 화학성분

① C : 주철 중에 시멘타이트 또는 흑연의 상태로 존재, 흑연은 냉각속도가 느릴수록 또는 Si의 양이 많을수록 많아지며 흑연의 양이 많아지면 주철은 무르고 강도가 낮으나 그 분포상태 및 형상이 미세할수록 강도가 높아진다.

② Si : Si는 주물의 유동성을 좋게 하고 주물의 두께가 얇을수록 냉각속도가 빠르고 C가 시멘타이트로 되기 쉬우므로 얇은 주물일수록 Si를 다량 첨가해야 한다.

③ P : P가 첨가되면 유동성이 매우 좋아지지만 많으면 스테다이트라는 조직이 되어 주철을 단단하고 여리게 하여 해롭다.

④ Mn : 흑연의 생성을 방해하는 원소이므로 소량 첨가

⑤ S : 주물의 유동성을 나쁘게 한다.

(3) 주철의 성장

시멘타이트의 흑연화, 규소의 산화, 가열과 냉각에 따른 균열성장, 기공의 팽창 등에 의해 보통 고온으로 가열과 냉각을 반복하면 차례로 팽창하여 강도나 수명을 저하시키는데 이것을 주철의 성장이라 한다.

3. 주철의 종류

(1) 보통주철

편상흑연과 페라이트의 조직, 주조가 쉽고 가격이 저렴

(2) 고급주철

기지조직을 펄라이트로 하고 흑연을 미세화시며 인장강도와 충격값을 향상, 랜쯔주철, 엠멜주철, 미히나이트주철, 코르살리주철 등, 미히나이트주철은 저탄소, 저규소의 용융

주철에 Ca-Si분말을 첨가하여 흑연을 미세하고 균일하게 분포시킨 것(접종)

(3) 합금주철

① 합금원소 : Cr은 흑연화를 방지하고 탄화물을 안정, Ni는 비자성인 오스테나이트 주철로 얇은 부분의 칠(Chill)방지, Mo는 흑연을 미세화, Ti는 강탈산제, V는 흑연과 펄라이트를 미세화, Cu는 내식성 및 내마모성을 향상시키는 역할을 한다.

원소명	Si	Al	Ni	Cu	Mn	Mo	Cr	V
흑연화 값	1	0.5	0.3-0.4	0.35	−0.25	−0.35	−1	−2

② 기계구조용 합금주철 : Ni주철, 소량의 Cr 및 Mo을 첨가, 자동차용 엔진의 크랭크축
③ 내마모용 주철 : Ni-Cr주철은 마르텐사이트조직, Ni, Cr외에 Mo, Cu 등을 첨가한 침상 어시큘러 주철은 흑연과 베이나이트 조직으로 된 내마모용 주철.
④ 내열 및 내산 주철 : Ni를 다량 함유한 오스테나이트계는 니레지스트주철, 니크로실 랄주철, 노마그주철 등이 있고 내산, 내열성이 높고 비자성체이고 고크롬주철은 풀림 상자나 노재용으로 사용되며 듀리론, 코로실론 등이 있으며 고규소주철은 내산주철 로 유명하며 실랄주철이 있다.

(4) 구상흑연주철

주철내의 흑연을 구상화함으로써 연성을 부여한 주철로 연성주철, 노듈러주철 또는 강 인주철이라 한다. 실린더라이너, 크랭크 축, 압연롤, 주철관, 피스톤링

(5) 칠드주철

규소가 적은 용융주철에 소량의 Mn을 첨가하여 금형에 접촉된 부분은 급냉되고 단단한 백주철 층인 칠층을 형성시킨 주철

(6) 가단주철

백주철을 장시간 가열탈탄시키거나 흑연화시켜 가단성을 부여한 주철
① 흑심가단주철 : 백주철을 장시간 풀림처리하여 시멘타이트를 분해시켜 입상으로 석 출시킨 주철로 시멘타이트가 분해되어 흑연과 오스테나이트가 되며 자동차부품, 이

음류, 캠, 차량의 프레임 등에 이용되며 강재의 대용물로도 쓰인다.

② 백심가단주철 : 장시간 탈탄시켜 제조한 주철로 흑심보다 강도는 높으나 연신율이 작으며 자동차부품, 방직기 부품 등에 쓰인다.

③ 펄라이트가단주철 : 흑연화를 완전히 하지 않고 제 1단 흑연화가 끝난 후 약 800℃에서 일정시간 유지 후 급냉하여 펄라이트가 적당히 남게하여 인장강도가 크며 연신율은 다소 감소된 주철로 다소 강도가 높은 기어, 밸브, 공구 등에 쓰임.

VII. 비철금속재료

1. 구리(銅, copper)

① 전기, 열의 양도체이다.
② 유연하고 전연성이 좋으며 가공이 쉽다.
③ 화학적 저항력이 커서 부식에 강함.
④ Zn, Sn, Ni, Ag등과 쉽게 합금을 함.

(1) 구리의 성질

① 물리적 성질

    ㉠ 전기 전도성이 좋다(비중: 8.96. 융접 : 1083°).

② 화학적 성질

내식성에 있어서 Cu는 좋고 대기중에서 부식속도가 느리며 표면은 약간 흑색 피막이 덮여 있다.

③ 기계적 성질

    ㉠ 인장강도 : 22.7~24.1 Kg/㎟
    ㉡ 연신율 : 49~60%
    ㉢ 상온가공시 인장강도 증가하며 연신율 감소
    ㉣ 가공한 재료를 풀림시

        100~150° = 약간 연화
        150~250° = 재결정이 이루어짐.
        350° = 거의 가공전 상태로 되돌아감.
        600~950°가 가장 완전한 풀림온도다.

2. 황동(brass)

① Cu와 Zn의 합금 및 다른 원료를 첨가한 합금
② Zn의 함유량이 낮은 것 : 미술공예품, 장식품에 사용
③ Zn의 함유량에 따라 구분됨.

(1) 황동의 성질

① 황동의 빛깔은 Zn의 함유량에 따라 변화함.
② 최대의 연신율 : 30% Zn부근에서
③ 인장강도 최대치 : 45% Zn부근에서
④ 50% 이상 아연은 여려서 구조용에 부적합
⑤ 화학적 부식에 대한 저항력이 크고 고온에서 별로 산화하지 않으며 산화 피막이 탈락하지 않는다.
⑥ 화학적 성질
　　㉠ 탈아연 부식 : 불순한 물, 부식성 물질이 녹아있는 수용액의 작용에 의해 황동의 탈아연 현상(염소를 사용한 수도관)
　　　☞ 방지책 : 아연 30% 이상의 α 황동을 쓰거나 1% 정도의 sn첨가
　　㉡ 자연균열 : 응력부식 균열로 잔류응력에 기인되는 현상이며 자연 균열을 일으키는 원소는 수은, 암모니아, 산소, 탄산가스
　　　☞ 방지책 : 도료 및 Zn도금 잔류응력제거
　　㉢ 고온탈아연 : 고온에서 탈아연되는 현상 표면이 깨끗할수록 심하다.
　　　☞ 방지책 : 황동표면에 산화물 피막 형성

(2) 황동의 종류

① 7.3황동 : α 고용체
　　㉠ Cu70%, Zn30% 합금 연성이 풍부하다.
　　㉡ 상온 가공이 가능하며 판, 선, 관 등에 사용됨.
　　㉢ 열간가공은 곤란함.
　　㉣ 강도, 경도를 증가하며 연신율은 작아짐.

ⓜ 용도 : 자동차용 방열기, 탄피, 장식품

② 6.4황동(Muntz metal) : $\alpha+\beta$ 황동

ㄱ Cu 60%, Zn 40%의 합금

ㄴ 강도를 필요로 하는 부분에 사용

ㄷ 고온가공에 용이하다.

ㄹ 용도 : bolt,nut, 대포탄피, 열간단조품 .

ㅁ 인장강도는 크나 연신율이 작아 냉간가공이 나쁘며 500~600℃로 가열시 유연성
이 회복되므로 열간가공에 적당함.

③ 톰백(tombac) Zn 8~20%

ㄱ Cu 80%, Zn 20%의 합금 황금색의 색채(zn소량첨가)

ㄴ 연성이 크므로 장식용, 전기밸브에 사용된다.

ㄷ 5% zn황동 : 화폐 메달

④ 특수황동 : 황동에 Pb, Sn, Si, Fe, Mn, Al 등을 첨가시켜 기계적성질 또는 절삭성을
개량하기 위해서 만든 황동

ㄱ 연황동(lead brass) : (쾌삭황동)

• 황동에 Pb을 3% 정도 첨가

• 황동에 Pb 첨가시 결정경계에 석출하여 강도 연신율 감소

• 절삭성을 양호

☞ 용도 : 강도가 필요하지 않는 시계용 기어 등 정밀가공을 요하는 부품에
사용되고 있다.

ㄴ 주석황동(tin brass)

• 황동에 약 1%의 Sn(주석)을 첨가

• 목적 : 내식성 개량

• 에드미럴티(admiralty brass)황동 : 7.3황동에 주석 1% 첨가

• 네이벌(naval brass) : 6.4황동+주석1%

• 내식성이 양호하므로 스프링 선박 기계용

ㄷ 델타메탈(delta metal) : 철황동

• 6.4황동에 Fe 1~2% 첨가한 것

• 내식성과 강인성이 증가되고 광산 기계, 선박용 기계, 화학기다.

ⓔ 강력황동(high brass)
- 6.4황동에 Mn, Al, Fe, Ni, Sn 등을 첨가 강도를 크게 만든 황동
- 열간 단열성과 내식성이 좋고 강도가 크다.
- 용도 : 주조, 가공용 선박용 프로펠라축 펌프축 피스톤에 적합

《 보충정리 》

종류	성분	명칭	용도
톰백 (tombac)	Cu 95% Zn 5%	gilding metal	동전, 메달용
	Cu 90% Zn 10%	commercial brass	톰백의 대표적인 것으로 다이프드오잉용 메달, 뺏지용
	Cu 85% Zn 15%	red brass	내식성이 크므로 건축, 소켓용
	Cu 80% Zn 20%	low brass	전연성이 좋고 색깔이 아름답다. 악기용
7.3황동	Cu 70% Zn 30%	cartridge brass	가공용 구리 합금의 대표적인 것으로 판, 봉용
6.4황동 문츠메탈	Cu 60% Zn 40%	muntz metal	인장강도가 가장 크며 열교환기, 열간 단조용
연황동 (쾌삭 황동)	6.4황동+pb 1.5~3.0%	(free cutting brass)	피삭성이 좋아 시계의 기어용
애드미럴티 황동	7.3황동+ Sn 1%	admiralty brass	내식성 개량
네이벌 황동	6.4황동+ Sn 1%	naval brass	내식성이 좋아 선반 부품, 열교환기용

(3) 황동의 특징

① 주조성과 가공성이 매우 우수하다.
② 내식성이 우수하다.
③ 압연단조가 가능하다.

④ 기계적 성질이 좋다.

⑤ 인장강도는 Zn 40% 부근에서 최대이다.

3. 청동형 합금(bronze)

(1) 인청동(phosphon bronze)

① Cu-Sn에 0.05~0.5%의 P(탈산제)를 첨가

② 탄성 내마모성 내식성이 좋으므로 가공용 주물용에 사용됨.

③ 유동성이 좋고 경도가 증가한다(P 첨가시).

④ 내마모성과 탄성이 요구된 판, 봉, 선, 펌프부품 기어 선박등

(2)연청동

⑤ 청동에 Pb을 3.0~2.6% 포함된 것

⑥ 베어링으로 사용됨.

⑦ Pb은 Cu와 합금을 만들지 않고 축과 잘 미끄러져 윤활작용을 돕고 청동 부분은 하중을 받치는 역할을 함.

(3) 켈밋(kelmet)

① Cu에 30% Pb를 합금시킨 것

② 납청동에서는 청동부분의 강도가 커서 고속 회전시에는 축이 상하기 쉬우나 이 점을 개량하기 위하여 구리와 납의 합금인 켈밋(kelmet)이라는 베어링 합금을 고속회전부에 붙여 사용

③ 열전도도가 좋고 마찰계수가 작음.

④ 베릴륨청동 : Cu-Cd계, Cu-Ag, Cu-Si, Cu-Mn 등

❖ 오일리스 베어링

구리 주석 흑연 분말을 가압하여 성형하고 700~750℃의 수소기류 중에서 소결하여 만든 소결합금

---

(4) 니켈청동

① 양은(German silver) 또는 백동이라 불리움.

② Ni 15~20%, Zn 20~30% 나머지는 Cu를 함유함.

③ 니켈은 황동의 내식성을 향상시키나 다량의 니켈은 내열성, 강도(스프링 특성 우수)

④ 장식품, 기계부품, 전류 조절용 저항, 내열성 전기접점, 온도 조절용 바이메탈 (Bimetal)

(5) 구리 니켈계 합금

① 구리-니켈 합금에 소량의 규소 첨가

② 탄소합금 또는 콜손(Colson)합금이라 함.

③ 강도 : kg/mm^2

④ 전기 전도도가 높으며 전선 및 스프링용으로 사용

(6) 베릴륨 청동(Be-bronze)

① 2~3%의 베릴륨을 첨가한 합금

② 뜨임 시효 경화성이 있어서 내식성 내열성 내피로성이 좋음.

③ 인장강도 : $133kg/mm^2$

④ 용도 : 베어링 고급스프링

(7) 알루미늄청동

① Al을 8~12% 함유하는 합금

② 기계적 성질, 내식성, 내열성우수

③ 주조성,단조성 용접성이 나빠 Fe, Mn, Ni, Si, Zn 등을 첨가시켜 특수 알루미늄 청동으로 만듦.

④ 560℃에서 $\beta \rightarrow \alpha+\delta$의 공석변태를 하여 서냉취성을 일으킴.

⑤ 서냉취성의 방지 원소 : Mn

⑥ Al청동+Ni, Fe, Mn 등을 첨가 : 특수 Al 청동 제조

(8) 규소청동(Silcon bronze)

① Cu에 탈산을 목적으로 Si(4.7%)를 첨가한 청동
② 4.7% 정도까지 상온에서 구리에 녹아 인장강도증가 내식성 내열성 향상
③ 규소동 : Si량 0.03~0.3%
④ 에버듀류
    ㉠ Si량 3~4% Mn 1~2% 함유
    ㉡ Si량 강력하며 내식성이 강하여 화학 공업용으로 사용
⑤ 실진청동
    ㉠ Si량 3.2~5% Zn량 9~16%
    ㉡ 내식성이 강하고 주조성 우수
    ㉢ 터어빈 날개 선박용부품

(9) 화폐용 청동

① Sn 3~8% 함유
② 주조성을 좋게 하기 위하여 Zn 1%배합
③ Pb 1~3% 함유하면 절삭성 향상됨.

(10) 미술용 청동

① Zn첨가 : 유동성을 좋게 하고 선명한 모양을 나타내기 위하여 첨가
② Pb첨가 : 가공 후 주조성을 쉽게 하도록
③ 동상 : Sn=2~8%, Zn=1~2%, Pb=1~3%, 나머지 Cu
④ 종·방울 : Sn 20%정도(너무 여리지 않을 정도의 단단한 것)

❖ **포금(gun metal)**

- 대포의 몸체를 만들어 사용하였으므로 포금이라 한다.
- Sn 약 10%의 청동에 Zn 약 1~9%을 첨가한 합금을 포금(gun metal)이라 하고 기계부품 밸브콕 등의 주물에 이용된다.

4. 니켈 합금

(1) 니켈

① 물리적 성질

ㄱ 비중 8.9, 용융점 1453℃, 면심입방격자이고 가공성이 풍부

ㄴ 자기변태점 : 353℃

ㄷ Ni은 내식성이 매우 풍부한 금속으로서 공기 중에서 매우 안정

ㄹ 자연균열은 전혀 보이지 않고 물이나 바닷물에 대해서도 안정

ㅁ 염류에 대해서는 산화성이 강한 염류 외에는 상당히 안정

(2) 니켈합금

① Ni-Cu합금

ㄱ 큐우프로 니켈(Cupronickel)

- Ni 20%의 합금
- 가용성이 매우 좋고 내식성 양호
- 용도 : 콘덴서, 튜브 등

ㄴ 콘스탄탄(constantan, ferry, eureka)

- Ni 40~45%합금
- 전기저항이 높고 온도계수가 낮다.
- 내산성, 내열성 가공성이 좋다.
- 콘스탄탄은 철 구리와 쌍을 만들면 그 값이 온도 변화에 대하여 대체로 비례한다.
- 용도 : 온도 측정용 열전대로 쓰인다.

ㄷ 모넬 메탈(momel metal)

- Ni=65~70%, Fe=1.0~3.0%, 나머지는 Cu로 된 합금
- 내식성과 내마모성이 우수하며, 주조와 단련성이 잘되어 화학 공업용으로 널리 사용됨.
- 모넬메탈+Al 2.75% or Si 3~4%를 첨가하면 시효경화가 된다 주로 강도와 내식성이 필요한 부분에 사용됨.

- 용도 : 전기 저항성, 증기터빈의 날개, 스프링 등에 사용함.
- R모넬 : 유황(S)을 0.035%첨가해 피삭성을 개선시킨 것
- K모넬 : A1을 2.75%첨가 강도를 증가시킨 것
- H모넬은 Si량 3%을 첨가시켜 강도를 증가

   ② 어드밴스(constantan)
- Ni : 44%, Cu : 54%, Mn : 1%
- 전기저항의 값이 크며 상온에서의 온도 변화가 있어도 전기변화에 영향이 거의 없다.
- 용도 : 정밀한 전기기계의 저항선

② Ni-Fe합금

  ③ 철에 니켈 10~40%를 첨가한 합금은 열팽창 계수가 대단히 작다.

  ⓛ ⊙합금의 종류 : 인바아, 초인바아, 엘린바아, 플래티나이트 등

  ⓒ 니켈 50~85% 함유 합금

  ⓔ ⓒ합금의 효과 : 약한 자장에서 높은 강도를 얻음.

  ⓜ ⓒ합금의 종류 : 퍼어멀로이, 초퍼어멀로이

③ Ni-Cr합금

  ⊙ 특징 : 내열, 내식 및 전기저항이 크다.

  ⓛ 인코넬(inconel) : Ni+Cr 13~21%+Fe 6.5%

  ⓒ 하이텔로이(hastelloy) : Ni+Cr+Fe+Mo

  ⓔ ⓛ, ⓒ 등은 내식성이 우수하여 내열용으로 사용함.

  ⓜ 크로멜(chromel) : Ni+Cr+소량의 Mn+Si

  ⓗ 크로멜의 용도 : 열전쌍으로 사용

④ 내식용, 내열용 Ni합금

  ⊙ 내식 합금으로 Al 4.5%, Ni 94%의 시효성 합금

  ⓛ 열처리온도 : 590℃

  ⓒ 인장강도 : 125~150kg/㎟

⑤ 인코넬(In conell : Ni-Cr-Fe합금)

 내열 내식합금으로 Ni 72~80%

5. 알루미늄

(1) Al합금의 특징

① 비중 : 2.69
② 용융점 : 660℃
③ 1827년 발견된 Si 다음으로 지구상에 많이 존재함.
④ 광석=보오크사이트를 사용하여 제련
⑤ 주조가 쉽고 금속과 잘 합금되며 냉간 및 열간용이
⑥ 대기중 내식력이 강함.
⑦ 용도
　㉠ Al판 : 자동차 항공기 가정용기 화학용기
　㉡ Al박 : 약품 포장류
　㉢ Al봉 : 전기재료 콘덴서
　㉣ Al분말 : 녹 방지 도료 폭약제조 등

(2) Al의 성질

① 유동성이 작고 수축률이 크며 가스의 흡수와 발산이 많으므로 순수한 Al의 주조는 곤란하다.
② 주조성의 개선방법 : 구리 아연등 합금으로 사용
③ 공기 중 얇은 산화막 형성으로 내부를 보호역활
④ 유기산 : 잘 침식되지 않으므로 화학 공업에 이용
⑤ 무기산 : 염산, 황산 등의 무기산에 약함.
⑥ 알칼리 수용액 : 더욱 약하여 바닷물에는 심하게 침식됨.

(3) 알루미늄의 열처리

① 열처리의 분류
　㉠ 풀림처리(annealing treatment)
　㉡ 시효처리
　　ⓐ 용체화 처리

ⓑ 급냉

ⓒ 뜨임

(4) 알루미늄 합금

① 가공용 알루미늄 합금

종류		특징	용도
내식용 Al합금	Al-Mn계 Al-Mn-Si계 하이드로날륨 (hydronalium)	열처리를 하지 않고 가공 경화시켜 강도를 얻는다.	차량, 선반송전선
		Al-Mg계의 합금으로대표적인 내식성 합금	
고강도용 Al합금	Al-Cu계	시효 경화로 강도를 크게 한다.	항공기, 자동차 보디, 리벳
	듀랄루민 (dralumin)	Al-Cu-Mg-Mn계 합금으로 $CuAl_2$ Mg_2Si 등의 금속간 화합물의 시효 경화에 의하여 강도를 크게 함. 초듀랄민은 듀랄루민에 Mg양을 많게 한 것이다.	
	Al-Zn-Mg	강도 : 50~60kg/㎟, 시효경화로 강도를 크게 한다.	
내열합금	Y합금	Al-Cu-Ni과 Mg의 합금으로 Ni은 재결정 온도를 높게 하고 Cu, Mg은 시효경화성을 갖게 한다.	피스톤, 실린더용
	로오렉스 (Lo-Ex)	Al-Si계에 Cu, Mg, Ni을 1% 첨가한 것이며 열팽창이 적다.	

① 시효경화 : 4.0% 정도의 Al합금을 약 550℃에서 담금질(용체화 처리)한 후 148℃에서 10~14일간 뜨임해서 경도와 강도가 증가하는 것

　㉠ 시효경화(age hardening : 열처리중 시간의 경과와 더불어 성질이 변화되는 현상

　㉡ 자연시효(natural aging) : 대기중 진행

　㉢ 인공시효(artifical aging) : 담금질 재료를 160℃ 정도의 온도에 가열하면 시효현상을 촉진

② 주조용 알루미늄 합금

　㉠ 순수한 Al은 내식성이 강한 반면 강도가 작다.

　㉡ 항공기 자동차 등의 구조재료나 기관 재료는 가볍기 때문에 강력한 Al합금 사용

　　㉮ Al-Cu합금

　　　ⓐ 주조성 내열성 연신율 기계적성질 절삭성 양호

　　　ⓑ 열간에서는 메짐현상 발생과 수축에 의한 균열

ⓒ 용도 : 4% Cu합금-연기관 8%, Cu합금-자동차 부품, 12% Cu합금-자동차 피스톤, 실린더 기화기 방열기등

ⓓ Cu증가와 함께 인장 강도 항복점이 상승하고 연신율이 떨어진다.

ⓔ 라우탈(Lautal) : Cu, 4~5%, Si, 3~5%, Mn 0.5%의 Al합금

㉯ Al-Si합금

ⓐ 실루민(silumin) : 공정형으로 공정점 부근의 성분

ⓑ 주조성은 좋으나 절삭성은 좋지 않고 약하다.

ⓒ 실루민은 주조시 냉각속도가 느리며 Si의 결정이 크게 발달하여 기계적 성질 불량함.

ⓓ 개량처리 : ⓒ항의 대책으로써 주조시 0.05~0.1%의 금속 나트륨을첨가하여 주입하면 Si가 미세한 공정으로 되어 기계적 성질이 개선됨.

ⓔ 실루민 γ = Mg 1% 이하를 첨가하여 시효의 효과를 얻는 방법

ⓕ 로우엑스(Lo-Ex) : 내연기관의 피스톤에 사용

㉰ Al-Mg합금

ⓐ 하이드로날륨(hydronalium)Mg을 함유하는 Al 합금

ⓑ 주조용 : Mg 12% 이하 사용

ⓒ 내식성이 크고 절삭성도 좋은 합금이지만 용해될 때 용탕표면에 생기는 산화 피막 때문에 주조가 곤란하고 내압주물로서 부적당하다.

㉱ 와이 합금(Y-alloy) : 고온 강도가 크다.

ⓐ 영국에서 개발됨.

ⓑ Cu 4%＋Ni 2%＋Mg 1.5%＋Al 92.5%의 합금

ⓒ 열처리 : 510~530℃에서 더운물에 냉각시킨 다음 약 4일간 상온 시효시킴.

ⓓ 인공 시효 처리시 : 100~150℃에서 시행함.

ⓔ 용도 : 내연기관의 실린더 피스톤 실린더헤드

㉲ 다이 캐스트용 Al합금

ⓐ 유동성이 좋은 재료가 필요함.

ⓑ Al과 Al＋Cu계 합금이 사용됨.

ⓒ Mg을 함유하면 유동성이 나빠짐.

ⓓ 인장강도 : 20kg/㎟

③ 단련용 알루미늄 합금

　㉠ 두랄루민

　　ⓐ 단조용 Al의 대표적인 합금

　　　• Cu : 3.5~4.5%　　　　　　• Mg : 1~1.5%

　　　• Si : 0.5%　　　　　　　　• Mn : 0.5~1%

　　ⓑ 주물로는 제조가 어렵다.

　　ⓒ 합금의 특성 : 주물의 결정조직을 열간가공에 의하여 완전히 파괴하고 이것을
　　　고온에서 물에 급냉후 시효변화를 일으킴.

　　ⓓ 용도 : 항공기, 자동차 부품(무게 중요시)

　㉡ 초 두랄루민

　　ⓐ 두랄루민＋Mg 0.5~1.5% 높인것

　　ⓑ 열처리후 시효 경화 완료 인장강도 : 48kg/㎟

　　ⓒ 단조 가공성은 두랄루민보다 약간 저하

　　ⓓ 용도 : 항공기 구조재, 리벳, 기계구조재 등

　㉢ 단련용 Y합금

　　구리와 마그네슘을 함유하기에 시효경화성이있으며 니켈을 함유하기에 300℃에
　　서 점성이 있으며 300~450℃에서 단조할 수 있고 460~480℃에서 압연이 가능
　　하다.

　㉣ 내식성 알루미늄 합금

　　ⓐ 하이드로 날륨 : Al＋Mg계

　　ⓑ 알민(almin) : Al＋Mn계

　　ⓒ 알드레이(aldrey) : Al＋Mg＋Si계

　　ⓓ ⓐ항 : 바닷물과 알칼리에 대한 내식성이 강하고 용접성이 우수하며 인장강도,
　　　피로한도가 온도의 영향을 받지 않는 우수한 재료

　㉤ 복합재(clading)

　　고력 Al은 합금은 강하나 내식성이 나쁘고 내식성이 좋은 합금은 시효성이 없거나
　　또는 적어서 강도가 약하기 때문에 고력 합금의 표면에 내식성이 좋은 합금이나
　　알루미늄판을 붙여 사용할 수 있다. 이것을 클랫(clad)이라 한다. 표제의 두께는
　　5~10% 정도로 압착하여 접착시킨다.

6. 마그네슘

- 비중은 1.74이다.
- Mg의 순도는 99.7~99.9%이다.
- 포함된 불순물은 Al, Fe, Ni, Si, Cu, Ca 등이다.
- Mg의 물리적 성질 중 특이한 점은 실용되는 금속 재료 가운데 가장 가벼운 금속재료이다 (Al에 비해 35%).
- 화학적 성질 중 내식성은 아주 떨어지고 또 산화되기 쉽다. 특히 해수에 대한 내식성이 나쁘다.
- 순도가 높은 Mg은 공기 중에서 상당히 안정된다.
- 내식성을 저하시키는 불순물은 Fe, Cu, Ni 등이다

(1) Mg, 합금

① 합금 원소로는 Al, Zn, Mn, Ag, Ca, Cd, Sn, Cu, Th, Zr, Ce 및 Be 등이다.
② 실용 합금으로서는 Mg-Al계, Mg-Zn계, Mg-R·E계 및 Mg-Th계 합금으로 대별한다.
③ Mg합금은 일반적으로 엘렉트론(Elektron) 또는 도우메탈(Dow metal)이라 한다.
　㉠ Mg-Al합금
- 인장강도 : Al 6%에서 가장 크다.
- 연신율, 다면수축율 : 4% 최고가 된다.
- Al 4~6%가 가장 우수하다.
- 강도를 증가시키고 주조조직을 미세하게 하여 강도를 상승 시키기 위하여 소량의 Mn을 첨가한다.

- 다우메탈(Dow-metal) : Al 7% 이상 함유 425℃로 가열하여 급냉하면 특수 조직이 되어 그 전후의 담금질 한 재료에 비하여 기계적 성질이 좋은 상태

  ⓒ Mg-Al-Zn 합금

- 엘렉트론(Elektron) : 이 합금의 대표적인 것
- 성분 : Mg 90% 이상, Al+Zn 10% 이하
- 이 계는 주조조직의 미세화로 주물용으로 사용함.
- 용도 : 내연기관의 피스톤, 봉, 관, 형봉등

  ⓒ Li을 포함하는 합금

Li의 비중은 Mg보다 훨씬 적으므로 중량 감소 효과도 있으나 이 합금은 내식성이 나쁘며 기계적 성질도 좋지 않다.

(2) Mg의 용해 주조 및 열처리

① 용해-강제 또는 주철제 도가니를 이용
② 주조-사형, 금형, 다이캐스트 등을 이용
③ 열처리

7. 아연합금

(1) 아연(Zn)

  ㉠ 아연은 섬아연광을 원공으로 정련한다.
  ㉡ 방법에는 전해법과 증류법이 있다.
  ㉢ Zn은 침탄도금 또는 전기도금 그 밖에 다이캐트용주물용, 전신용, Al합금, Cu합금 등의 합금성분 등으로 이용된다.
  ㉣ 물리적 성질 : 녹는점, 끓는점이 모두 낮다.
  ㉤ 결정구조 : 조밀육방격자
  ㉥ 재결정온도 : 5~25°로서 낮기 때문에 상온가공이 가능하다.
  ㉦ 자마크계합금 : Al 4%를 포함하는 합금

(2) 아연합금

① 다이캐스트용 아연 합금

　⊙ 주로 Zn-Al합금이 사용된다.

　ⓒ 이 합금에서는 이용되는 Zn의 순도가 대단히 높아야 하고 불순물로서 Fe, Pd, Cd, Sn 등의 허용량 이 미량으로 엄격히 정해져 있다.

아연합금 다이캐스트의 기계적 성질

종류	기호	인장시험		충격치	경도
		인장강도	연신율		
1종	ZDC 1	33	7	16	91
2종	ZDC 2	29	10	14	82

② 침탄도금용

　⊙ Zn : 40~470℃로 유지된 용융 Zn중에 강판, 강선 또는 주철을 담근다.

　ⓒ Zn 중에는 소량의 Al, Sn, Sb, Cd 등을 첨가하여 도금된 Zn표면의 광택이나 결정의 크기, 침탄시 및 Zn의 손실 등을 조절한다.

③ 전신용 합금

　⊙ 전신재는 압연, 압출, 일발 등에 이용한다.

　ⓒ Zn의 순도 : 99.8~99%

　ⓒ 가공범위 온도 : 120~225℃가 적당하다.

　ⓔ 용도 : 일반용, 건전지용, 인쇄용으로 사용된다.

④ 베어링용 합금

　⊙ Sn이나 Pb베어링 합금보다 일반적으로 단단하다.

　ⓒ 청동의 베어링 합금 대신 하중이 큰 베어링용으로 사용한다.

　ⓒ 배빗메탈(Babbit metal) : Sn을 기지로 한 Whitemeta l이라 하며 저속기관의 베어링에 사용한다.

8. 주석 및 납 합금

(1) 주석

① 변태온도 : 18℃
② 백주석 : 18℃ 이상
   ㉠ 강도 : 2~4kg/㎟
   ㉡ 연신율 : 35~40%
   ㉢ 전성이 풍부하고 내식성이 크므로 철에 도금하여 양철을 만든다.
   ㉣ 용도 : 선박, 식기, 장식구, 표면 부식 방지
③ 회주석
   ㉠ 온도 : 18℃ 이하
   ㉡ 회색분말

(2) 활자합금

① Sb 3~20%, Sn 2~10% 나머지는 Pb의 범위
② 경도, 내마모성이 요구되는 곳에 사용

(3) 땜용 합금

① 연납-Sn 61.9%, Pb 38.1%의 공정으로 만든다.
② 경납-연납에 비해 융점이 높다.

9. 희금속

• 희금속이란 地金屬에 함유량이 적은 것
• 함유량이 많아도 현재의 단계로서 산출량이 적은 것을 말한다.

(1) Be 및 그 합금

① 물리적 성질 : 비중1.848, 녹는점 1277℃
② 결정구조 : 조밀육방격자

③ 용도 : 시효성 Cu합금의 합금성분으로서 전기용접용, 점용접용전극, 전극용스프링 등에 Al 및 Mg 합금의 산화 방지용으로 쓰인다.

(2) In 및 그 합금

① 비중이 7.31, 녹는점 156.2℃, 끓는점 2000℃
② 결정구조 : 면심입방격자의 순백색 금속
③ 용도 : 베어링 합금, 땜납용합금, 유리봉착용합금 치과용합금 등 성분

(3) Zr 및 그 합금

① 내식성이 특히 우수하다.
② 600℃ 이상에서 쉽게 열간가공 되고 공기 중에서 산화물이 생성되거나 또는 공기에 의한 오염을 방지하기 위하여 Cu나 Fe로서 피복한다.
③ 용도 : 핵연료 피복제, 원자로재료, 전자관재료 등이다.

(4) Si 및 Ge

반도체 재료, 치과용 합금으로 이용된다.

(5) Cr, Mo, W 및 그 합금

① Mo
  ㉠ Mo는 MoO_2, MoO_3 등의 산화물을 생성하여 상온에서도 산화가 진행되나 500℃ 를 넘으면 격렬하게 된다. N_2, H_2와는 작용하기 힘들다.
  ㉡ C 또는 분해하여 C를 생성하는 화합물로서 Mo_2C, MoC 등의 카아바이드를 만든다.
  ㉢ 산화성의 산인 王水나 HNO_3에 침식된다.
  ㉣ 용도 : 미사일용
② W
  ㉠ W는 상온에서 안정하나 고온에서는 산화물, 탄화물을 만든다.
  ㉡ 산 및 알칼리에 대하여 상당히 안정하다.
  ㉢ 용도 : 카아바이트 공구 X선 관구용이다.

5

용접 · 금속 문제

용접 · 금속 문제 - 2005년 기사

1__ 자심재료인 전기 강판이나 변압기의 철심으로 적합한 것은?

가. Rimmed강   나. Si강

다. Jominy강   라. Emmel강

[해설] 탄소를 극히 낮게 하면 연신율도 있고 압연도 할 수 있으므로 3~5% 규소로 탄소가 낮은 강의 판은 변압기의 철심재료로 쓰이고 있다.

2__ 구상흑연주철의 설명으로 맞는 것은?

가. 저탄소, 저규소의 주철이다.

나. 주방상태에 흑연이 구상으로 정출한다.

다. 흑연의 구상화는 구리, 철을 첨가한다.

라. 인장강도는 20kgf/㎟ 이하이다.

[해설] 흑연을 구상화(Ce0.02%, Mg0.04%)시켜 균열발생을 어렵게 하고 강도 및 연성을 크게 한 주철을 말하며 구상화제에는 Ce-Mg, Fe-Si, Ca-Si, Ni-Mg, Mg-Si-Fe 등이 있다.

3__ Al 청동의 성질을 설명한 것으로 맞는 것은?

가. 인장강도는 Al이 약 11%에서 최대치를 갖는다.

나. 경도와 연신이 15%부근에서 급변하는 것은 경한 $\delta 2$상이 나타나기 때문이다.

다. 항공재료 또는 줄자 등에 사용한다.

라. Ni을 넣으면 처음에는 α상을 증가하나, Ni함량이 감소함에 따라 α상을 확대한다.

[해설] 줄자,시계추, 바이메탈용으로는 Ni-Fe계합금인 인바(invar)를 많이 사용한다.

해답   1. 나   2. 나   3. 가

4_ 냉간 가공하면 금속결정 내부에 전위나 공격자점 같은 결함이 증가함으로서 변화하는 물리적 · 기계적 성질이 아닌 것은?

가. 가공하면 전위의 집적에 의하여 경화한다.

나. 가공으로 금속 내에 공격자점이 증가하면 전기 저항이 증가한다.

다. 가공하면 공격자점의 증가로 밀고가 감소한다.

라. 가공경화에 의해 변태강도는 감소하나 연신은 증가한다.

[해설] 냉강가공(cold working)은 재결정 온도 이하에서 가공하는것으로 연신율, 단면수축률은 감소하고 재료표면에 산화가 안된다.

5_ 열전대선으로 사용되는 합금 중 최고사용온도가 가장 높은 재료는?

가. Chromel-alumel

나. Fe-Constantan

다. Cu-Constantan

라. Pt-Pt, Rh

[해설] 백금-백금로듐(PR)1600℃, 크로멜-알루멜(CA)1200℃, 철-콘스탄탄(IC)900℃, 구리-콘스탄탄(CC)600℃이다.

6_ 황동의 자연균열(season cracking)을 방지하기 위한방법 중 틀린 것은?

가. 도료나 아연도금을 한다.

나. 음력제거 풀림을 한다.

다. Sn이나 Si를 첨가한다.

라. Hg 및 그 화합물을 첨가한다.

[해설] 자연균열은 황동에 공기 중의 암모니아, 기타의 염류에 의해 입간부식을 일으켜 상온가공에 의한 내부응력 때문에 생기며, 방지법으로는 도금 또는 180~260℃로 20~30분 동안에서 저온풀림하며, 자연균열을 일으키기 쉬운 분위기는 암모니아, 산소, 탄산가스, 습기, 수은 및 그 화합물이다.

7_ 0.2% 탄소강의 723℃ 선상에서의 초석 α와 오스테나이트(austenite)의 양은 약 얼마인가?

가. 초석 α 80%, 오스테나이트 20%

나. 초석 α 50%, 오스테나이트 50%

다. 초석 α 20%, 오스테나이트 80%

라. 초석 α 30%, 오스테나이트 70%

해답 4. 라 5. 라 6. 라 7. 가

8_ 서브제로 에 대한 설명 중 맞지 않는 것은?

가. 0° 이하의 온도에서 냉각시키는 조작이다.
나. 마텐자이트변태를 중지시키기 위한 것이다.
다. 마텐자이트변태를 진행시키기 위한 것이다.
라. 심냉처리라고도 한다.

[해설] 서브제로(sub zero-treatment)는 담금질한 강의 경도를 증대시키고 시효변형을 방지하기 위하여 0℃ 이하의 저온에서 처리한 것을 말하며 심냉처리는 담금질 직후 -80℃정도에서 실시하고 심냉처리가 끝나면 곧이어 뜨임작업을 한다.

9_ 납과 주석 합금은 주로 베어링과 활자용으로 많이 사용되고 있다. 베어링합금과 관련이 없는 것은?

가. White metal
나. Lead babbit
다. Tin babbit
라. Delta metal

[해설] 화이트메탈은 주로 베어링합금으로 쓰이는 것으로 주석기(tin base), 납기(lead base), 아연기(zine base) 등의 3종이 있으며, 주석기 화이트메탈은 배빗메탈이라고도한다.

10_순철의 자기 변태와 동소변태를 설명한 것 중 맞는 것은?

가. 동소변태란 결정격자가 변하지 않는 변태를 말한다.
나. 자기변태는 결정격자가 변하는 변태이다.
다. 동소변태점은 A3점과 A4점이고 자기변태점은 768℃이다.
라. 동소변태점은 A1점이고 자기변태점은 923℃이다.

[해설] 동소변태는 어느 온도에 있어서 상의 변화를 일으키는 변태이며, 자기변태는 어느 온도에서 자기, 기타 성질의 변화를 일으키는 변태이다.

11_강의 담금질 시 Ms점 및 Mf점의 온도에 영향을 가장 크게 미치는 것은?

가. 오스테이 나이트 양
나. 소입온도
다. 강의 화학조성
라. 냉각속도

[해설] Ms(마르텐자이트시작점), Mf(마르텐자이트종료점)이며 탄소 또는 그 밖의 원소의 영향에 따라 강하한다.

해답 8. 나 9. 라 10. 다 11. 다

12_ 금속초미립자의 특성이 아닌 것은?

가. 표면적이 커서 촉매로 이용된다.

나. Cr계 합금 초미립자는 빛을 잘 흡수하므로 적외선 흡수 재료로 이용된다.

다. Fe계 합금 초미립자는 금속덩어리보다 자성이 강하므로 자성재료로 이용된다.

라. 저온에서 열 저항이 매우커서 열의 부도체이다.

[해설] 초미립자(ultra fine particles)는 금속, 세라믹스, 플라스틱 등의 지름 100만분의 1mm정도의 아주 미세한 입자, 수개 또는 수천개의 원자로 이루어 지는 초미립자는 원자와 어느 정도의 크기를 가진 물체와의 중간적인 존재로서의 입자모양 재료를 말한다.

13_ 침탄경화 처리 순서로 올바른 것은?

가. 침탄처리 → 저온풀림 → 1.2차 담금질 → 뜨임처리

나. 1.2차 담금질 → 뜨임처리 → 저온처리 → 침탄처리

다. 저온처리 → 침탄처리 → 1.2차 담금질 → 뜨임처리

라. 뜨임처리 → 저온처리 → 침탄처리 → 1.2차 담금질

[해설] 침탄경화는 저탄소강의 표면에 탄소를 침투확산시켜 고탄소강으로 만든 다음 이것을 담금질하여 경화시키는 방법이며, 종류에는 고체침탄법, 액체침탄법, 가스침탄법이 있다.

14_ 레테뷰라이트 조직에 대하여 설명한 것 중 잘못된 것은?

가. 보통 백주철 조직에서 잘 나타난다.

나. α와 Fe_3C의 기계적 혼합물이다.

다. 준 안정계에서 $(L)c \Leftrightarrow [r]E[Fe_3C]F$의 반응이다.

라. 보통 약 1145℃에서 행한다.

[해설] 레뷰라이트(Ledeburite)는 2.0%C의 r-고용체와 6.68%C와의 공정조직으로 주철에 나타난 공정점의 조직이다.

15_ 동(Cu)의 결정구조는 FCC이다. 결정격자가 3.61Å이라면 동의 밀도는? (단, 동의 원자량은 63.57g임.)

가. 약 89.7g/㎤

나. 약 8.97g/㎤

다. 약 4.49g/㎤

라. 약 44.9g/㎤

해답   **12.** 가 **13.** 가 **14.** 나 **15.** 나

16_ 0.4%C 강의 하부임계 냉각속도는 240[℃/sec]이며 상부임계 냉각속도는 600[℃/sec]이다. 만약, 450[℃/sec]로 냉각시키면 조직의 공식은 어떻게 되겠는가?

가. Bainite+Martensite   나. Bainite+Troostite

다. Troostite+Martensite   라. Troostite+Pearlite

17_ 절삭성을 높이기 위한 쾌삭삭황동은 황도에 1.0~3.5%의 어떤 원소를 합금시킨 것인가?

가. P   나. Si

다. Sb   라. Pb

[해설] 쾌삭황동(free cutting brass)에 Pb을 (1.5~3.0%) 첨가하여 절삭성을 좋게 한 황동으로 대량 생산용부품, 시계 기어용과 같은 정밀가공을 요하는 부품에 사용된다.

18_ 재료의 내·외부의 열처리 효과에 차이가 생기는 현상은?

가. 연화풀림   나. 소성변형

다. 질량효과   라. 가공경화

[해설] **질량효과**(mass effect) : 강재의 질량의 대소에 따라서 열처리 효과가 달라지는 비율, 질량효과가 크다는 것은 강재의 크기에 따라 열처리 효과가 크게 달라진다는 것을 뜻한다.

19_ 아연이 대기 중에서 산화되어 얇은 막을 형성하는 내용의 설명 중 틀린 것은?

가. 막은 금속과 대기를 차단한다.   나. 막은 공기 중의 습기를 차단한다.

다. 막은 내부 부식을 방지한다.   라. 막을 토해 점점 부식되어진다.

20_ 티탄의 특징으로 틀린 것은?

가. 초음속 항공기의 보디, 송풍기 날개에 쓰인다.

나. 바닷물에 강하고 용융점이 높다.

다. 비중은 약 4.54이다.

라. 인장강도와 피로 강도가 아주 작다.

[해설] 티탄(Titanium)은 순티탄은 은백색을 띠고 극히 단단하고, 인장강도(56Kg/㎟), 연신율(20%)이다.

해답   **16.** 다   **17.** 라   **18.** 다   **19.** 라   **20.** 라

21_ 피복 아크 용접에서 용접봉의 용융속도를 가장 적합하게 나타낸 것은?

가. 단위 시간당 소비되는 용접봉의 길이 또는 무게
나. 단위시간당 용착되는 용착금속의 총중량
다. 1시간당 소비되는 용접봉의 무게
라. 1일에 소비되는 용접봉의 총 중량

[해설] 용융속도(melting rate)는 단위시간당 소비되는 용접봉의 길이 또는 무게로써 나타내는데 실험결과에 의하면 아크전압과는 관계가 없다.

22_ 신규 충전된 용해 아세틸렌용기 전체 무게가 45kgf이고 사용 후의 공병의 무게가 40kgf이었다면 1kgf/㎠에서 사용한 가스 량은 약 몇 ℓ 정도인가?

가. 1800ℓ
나. 3600ℓ
다. 4525ℓ
라. 7000ℓ

[해설] C = 905(전체의 무게-사용 후 공병의 무게) = 905(45-40) = 4525

23_ 다음 중용접물의 일반적인 변형 교정방법이 아닌 것은?

가. 얇은 판에 대한 점수축법
나. 절단에 의한 성형과 재용접하는 방법
다. 가열 후 해머질하는 법
라. 형재에 대한 곡선 냉각법

[해설] 변형교정방법에는 형재에 대한 직선수축법, 피이닝법, 로울러에 거는 법이 있다.

24_ 점 용접의 특징이 아닌 것은?

가. 표면이 평평하다.
나. 재료가 절약된다.
다. 산화 및 변질부분이 적다.
라. 전기를 사용하지 않는다.

[해설] 점용접(Spot welding)은 저항열을 이용하여 용접하는 방법이다.

해답　21. 가　22. 다　23. 라　24. 라

25_ 맞대기 용접을 할 때 모재의 영향을 방지하기 위하여 홈 표면에 다른 종류의 금속을 표면 피복 용접하는 것을 의미하는 용접용어는?

가. 버터링
나. 심용접
다. 앤드탭
라. 덧살

[해설] 버터링(buttering)은 그르브 면의 한쪽 또는 양쪽을 모재와 다른 용접금속으로 오버레이 용접하는 것을 말한다.

26_ 서브머지드 아크 용접법에 대한 다음 설명 중 틀린 것은?

가. 용접 와이어에는 피복이 되어 있지 않으며, 용제에 의한 야금작용으로 용접금 속의 물질을 양호하게 할 수 있다.
나. 용접시 발생한 잔류응력을 완화하기 위하여 풀림처리를 한다.
다. 피복 금속 아크 용접법 보다 용입이 얕으나 전자세 용접에 적용되므로 능률적 이다.
라. 아크는 입상 플럭스에 잠겨 있으나 와이어에 대전류를 흘려줄 수 있고 열에너 지의 손실도 적다.

[해설] 서브머지드(submerged arc welding)는 용접속도와 용착속도가 빠르며, 용입이 깊고 작업능률이 수동에 비하여 판 두께 12mm에서 2~3배, 25mm에서 5~6배, 50mm에서 8~12배 정도가 높으며 전 자세 용접은 불가능하고 아래 보기 전용자동용접법이다.

27_ 용접 시 발생하는 잔류 응력 발생방지 및 발생한 잔류응력을 완화나 제거하기 위한 법이 아닌 것은?

가. 잔류응력의 억제를 위하여 지그 등을 활용한 구속 용접이다.
나. 용접시 발생한 잔류응력을 완화하기 위하여 풀림처리를 한다.
다. 잔류응력의 발생을 억제하기 위한 수단으로 스킵법을 사용한다.
라. 잔류응력의 제거방법에는 노내풀림, 국부풀림, 피닝 저온응력완화법 등이 있다.

[해설] 잔류응력을 경감법으로 용착금속량의 감소, 용착법(비드배치법) 선정, 용접순서 선정, 적당한 포지셔너의 이용, 적당한 예열 등이 있다.

해답 **25.** 가 **26.** 다 **27.** 가

28_ 피복 아크 용접법에 대한 설명 중 틀린 것은?

가. 용접 장비가 간단하다.　　　　나. 전자세용접이 가능하다.

다. 옥외 용접이 가능하다.　　　　라. 보호가스가 필요하다.

[해설] 피복아크용접(SMAW)에서는 용접봉심선이 용융되면서 피복제가 연소하면 나오는 가스로 용융금속을 보호한다.

29_ 미그용접에 가장 적합한 용적이행 방식은?

가. 단락이행　　　　　　　　　　나. 스프레이 이행

다. 입상이행　　　　　　　　　　라. 글러블러 이행

[해설] 미그용접에서 가장 많이 사용되는 스프레이 이행(spray transfer mode)은 용융이행상채는 아크 기류중에서 용가재가 고속으로 용융되어 미세입자의 용적으로 분사되어 모재에 용착된다.

30_ 용접 시 변형과 잔류응력을 용접시공조건에 의해서 감소시키는 방법으로 틀린 것은?

가. 용접 후 용접금속부의 변형을 교정하는 가우징법

나. 용접전에 변형방지대책을 강구하는 억제법, 역변형법

다. 용접시공에 의한 대칭법, 후진법, 스킵법

라. 용접 중 모재의 입열을 막아 변형을 방지하는 도열법

[해설] 변형교정방법에는 얇은 판에 대한 점 수축법, 가열 후 해머질 하는 법, 절단에 의한 성형과 재용접하는 방법, 형재에 대한 직선수축법, 피이닝법, 로울러에 거는 방법이 있다.

31_ 용접봉 용제의 종류에 따라서 용접금속의 충격치가 다르다. 다음 중 그 값이 가장 우수하게 나오는 계는 어느 것인가?

가. 일미나이트계　　　　　　　　나. 산화철계

다. 티타니아계　　　　　　　　　라. 저수소계

[해설] 저수소계용접봉(Low hydrogen electrode)는 타용접봉에 비해 수소의 함량이 1/10정도이며, 내균열성이 좋은 용접봉이다.

해답　28. 라　29. 나　30. 가　31. 라

32_ 산소-아세틸렌 절단에서 표준 드래그의 길이는 보통판 두께의 얼마 정도가 가장 적합한가?

가. 1/2

나. 1/3

다. 1/4

라. 1/5

[해설] 드래그 길이(drag length)는 주로 절단속도, 산소소비량 등에 의하여 변화하며 절단면 말단부가 남지 않을 정도의 드래그를 표준 드래그를 표준 드래그 길이라고 하는데 보통 판 두께의 20% 정도이다.

33_ 불활성가스 금속 아크용접에서 사용되는 용접전원 특성으로 가장 적합한 것은?

가. 수하특성 또는 상승특성

나. 정전압특성 또는 상승특성

다. 정전류특성 또는 상승특성

라. 아크부특성 또는 상승특성

[해설] 미그용접은 피복아크용접과 다른 상승특성이 있으므로 이특성에 적합한 정전압특성 또는 상승특성의 직류용접기가 사용되고 있다.

34_ 용접부분의 뒷면을 따내든지 U형, H형의 용접 홈을 가공하기 위하여 깊은 홈을 파내는 가공에 가장 적합한 것은?

가. 가스 가우징

나. 스카핑

다. 분말 절단

라. 플라즈마 절단

[해설] 가우징(gas gouging)은 용접부분의 뒷면을 따내든지 홈(U, H형)가공하기 위한 가공법을 말하며 일명 가스파내기라고도 한다.

35_ 내용적이 40인 산소용기의 압력계에 90기압이 나타났다면 프랑스식 팁 300번으로 이론적으로 몇 시간 용접할 수 있는가? (단, 산소와 아세틸렌의 혼합비는 1:1이다.)

가. 3시간

나. 6시간

다. 12시간

라. 24시간

[해설] $40 \times 90 = 3600/300 = 12$시간

해답   **32.** 라   **33.** 나   **34.** 가   **35.** 다

36_ 용접기의 정격 사용율이 40%이고, 정격2차 전류가 400A일 때 실제 용접전류가 300A를 사용한 경우 허용 사용율은 약 몇 %인가?

가. 53.3%   나. 60%

다. 71.1%   라. 75%

[해설] 허용 사용률(%) = (정격2차 전류)^2/(실제의 용접전류)^2 X 정격사용률 = (400)^2/(300)^2 X 40 = 71%

37_ 다음 중 가스 용접에서 용제를 사용하지 않고서도 용접을 가장 양호하게 할 수 있는 금속인 것은?

가. 연강   나. 구리 합금

다. 주철   라. 알루미늄

[해설] 연강은 용제를 사용하지 않아도 용접성이 좋으며, 구리합금(붕사, 염화리튬), 주철(탄산나트륨, 붕사, 중탄산나트륨), 알루미늄(염화나트륨, 염화칼륨, 염화리튬, 플루오르화칼륨, 황산칼륨) 등은 용제를 사용한다.

38_ 아크용접에서 피복용접봉을 사용하는 이유로 가장 적합한 것은?

가. 용접전압을 떨어뜨린다.

나. 용착금속의 성질을 양호하게 한다.

다. 소비 전력을 적게 한다.

라. 용접기의수명을 길게 한다.

[해설] 용접봉심선이 용융되면서 피복제가 연소하여 대기중의 산소, 질소를 차단하여 산화질화를 방지하고 아크의 안정미치 용착금속의 성질을 양호하게 한다.

39_ 불활성 가스 아크용접에서 청정작용의 효과를 가장 많이 얻을 수 있는 용접조건이 아닌 것은?

가. 헬륨가스 + 직류정극성   나. 헬륨가스 + 직류역극성

다. 알곤가스 + 직류정극성   라. 알곤가스 + 직류역극성

[해설] 알루미늄표면에 산화알루미늄을 제거하는 작용을 청정작용이라 한다.

해답   36. 다   37. 가   38. 나   39. 가

40__ 가스 용접 시 역화의 원인이 될 수 없는 것은?

가. 용접팁의 조임 불량 시
나. 용접토치가 냉각되었을 경우
다. 토치의 팁 끝에 이물질이 부착 시
라. 아세틸렌가스의 압력이 낮을 때

[해설] 역화(back fire)현상은 팁끝이 모재에 닿아 순간적으로 팁 끝이 막히거나 팁의 과열 사용가스의 압력이 부적당할 때 팁속에서 폭발음이 나며 불꽃이 꺼졌다가 다시 나타나는 현상을 말하며 방지대책으로는 아세틸레가스를 차단, 팁을 물로 식히고, 토치의 기능 점검, 발생기의 기능을 점검, 안전기에 물을 넣고 다시 사용한다.

해답   **40.** 나

용접 · 금속 문제 – 2006년 기사

1_ 주조성이 좋고 크리프 특성이 좋아 제트엔진(Jet engine) 등의 구조용 재료로 가장 많이 사용되는 합금은?

가. Al합금

나. Mg합금

다. Ni합금

라. Zn합금

[해설] 마그네슘합금에 Mg+Al+Zn계 엘렉트론이 대표로 내연기관의 피스톤에 많이 사용되며, 주물로서 비강도는 알루미늄 금소보다 우수하므로 항공기, 자동차 부품, 전기기기 등에 쓰인다.

2_ 내마모성이 필요한 곳에 널리 사용되는 것으로 표면은 단단하고 내부는 인성이 있는 주철재료로 압연용 롤, 차륜 등의 내마모 기계부품에 이용하는 주철은?

가. 칠드주철

나. 흑심가단주철

다. Al주철

라. Ni주철

[해설] 칠드주철은 용융상테에서 금형에 주입하여 접촉면을 백주철로 만든 것으로 표면은 경도가 커서 내마모성이 있으면 서도 내부는 유연하여 내충격성이 있는 주물로서 용도는 각종 용도의 롤러, 기차바퀴 등에 많이 쓰인다.

3_ 알루미늄 합금의 종별 기호 다음에 첨부하는 질별기호 중 담글질 후 인공 시효 경화시킨 것을 나타내는 기호는?

가. To

나. T2

다. T6

라. T10

[해설] 알루미늄의 열처리기호에는 F(제품 그대로), O(풀림한 재질), H(가공 경화한 재질), W(담금질 처리 후 경화가 진행 중인 재료), T2(풀림한 재질 : 주조품에만 사용), T3(담금질 처리 후 상온가공 경화를 받은 재질), T4(담금질 처리 후 상온 시효가 완료된 재질), T5(담금질 처리를 생략하고 인공시효를 시킨 재료), T6(담금질 처리 후 인공시효 경화시킨 재료), T7(담금질 처리 후 안정화 처리를 받은 재료), T8(담금질 처리 후 상온 가공 경화, 인공 시효한 재료), T9(담금질 처리 후 인공 시효하여 상온 가공 경화를 받은 재질), T10(고온 가공에서 냉각한 다음 냉간 가공하고 다시 인공 시효 경화 처리한 재료)

해답 1. 다 2. 가 3. 다

4_ BCC 결정 구조에서 격자 정수를 a라 할 때 근접원자간거리는?

가. $(\sqrt{2})a$

나. $2a$

다. $(\sqrt{3/2})a$

라. $(\sqrt{3})a$

해설 BCC(체심입방격자)로 입방체의 8개에 구석에 1개씩의 원자와 입방체 중심에 1개의 원자가 있는 것을 단위포로한 결정격자를 말한다.

5_ 청동의 주성분은?

가. Cu+Mu

나. Cu+Zn

다. Cu+Sn

라. Cu+Fe

해설 청동은 구리와 주석의 합금으로 황동보다 내식성이 좋고 내마모성과 주조성이 우수하여 무기, 불상, 기계부품, 선박용, 미술공예에 사용된다.

6_ 스프링강의 가장 좋은 결정 조직은?

가. 페라이트(ferrite)

나. 시멘타이트(cementite)

다. 미디움펄라이트(midum pearlite)

라. 오스테나이트(austenite)

해설 페라이트와 시멘타이트의 혼합조직이다.

7_ 가스침탄법에 관한 설명 중 틀린 것은?

가. 가스로는 천연가스, 도시가스 및 프로판가스 등을 사용할 수 있다.

나. 표면의 광택을 유지하면서 처리할 수 있다.

다. 작업이 간단하고, 침탄이 균일하게 되며 표면 탄소 농도의 조절이 가능하다.

라. 침탄성 가스가 분해되면서 생긴 석출탄소가 침탄되며 이때 생긴 CO_2는 침탄성을 향상시킨다.

해설 가스침탄법(gas carburizing)은 침탄온도은 1000~1200℃가 많이 사용되며 침탄깊이와 시간은 900~950℃에서 3~4 시간으로 1mm정도이며 침탄촉매로 쓰이는 원소는 Ni이다.

해답 4. 다 5. 다 6. 다 7. 라

8_ 침탄 후 시행하는 열처리로서 1차 담금질의 목적은?

가. 침탄층의 경화　　　　　　　　　　나. 중심부의 연화
다. 침탄층의 조직 미세화　　　　　　　라. 중심부 조직 미세화

[해설] 침탄경화과정은 침탄처리 → 저온처리(구상화) → 1차담금질(조대입자미세화) → 2차담금질(표면경화) → 뜨임처리
(기계적성질개선)

9_ 강에서 Cold shortness의 원인이 되며 고스트라인을 일으켜 파괴의 원인이 되는 것은?

가. C　　　　　　　　　　　　　　　나. P
다. S　　　　　　　　　　　　　　　라. Mn

[해설] 저온취성은 고스트라인, 청열취성을 일으키는 원소는 인(P)이다.

10_재료가 영구히 파괴되지 않는 응력 중 최대의 것은?

가. 크리프 한도　　　　　　　　　　나. 항복응력
다. 에릭센값　　　　　　　　　　　　라. 피로한도

[해설] 피로한도(fatigue limit) 영구적으로 재료가 파괴되지 않는 응력 중에서 최대의 하중값이다.

11_Al을 주성분으로하는 합금에 대한 설명으로 틀린 것은?

가. Al에 Cu, Si, Mg등을 첨가하면 기계적 성질이 우수해진다.
나. 시효처리하여 기계적 성질을 개선할 수 있다.
다. 항공기, 자동차 부품 등 경량부품에 널리 사용된다.
라. Al도 변태점이 있기 때문에 강에서처럼 열처리에 따라 기계적 성질을 크게 변
화시킬 수 있다.

[해설] 온도의 증가에 따라 강도 감소, 열율이 증대(400~500℃에서 극대)된다.

해답　8. 라　9. 나　10. 라　11. 라

12_ 열팽창 계수가 대단히 적고, 내식성이 좋으므로 측량척, 바이메탈 등에 사용되는 합금은?

가. Fe-36% Ni(Invar)

나. Cu-20% Ni(Cupronickel)

다. Cu-60% Ni(Monel metal)

라. Fe-78.5% Ni(Permalloy)

[해설] 인바(invar)는 Ni(36%)+C(0.2%)+Mn(0.4%)의 Fe-Ni계 합금으로 내식성이 우수하며 줄자, 시계추, 바이메탈용에 사용된다.

13_ 철강조직 중에서 확산(擴散)을 수반하는 상변화에 의하여 생성된 조직이 아닌 것은?

가. 펄라이트

나. 베이나이트

다. 마텐자이트

라. 트루스타이트

[해설] 마르텐자이트(martensite) 침상조직으로 부식저항이 크고 경도와 인장가도가 대단히 크며 취약하다.

14_ 강을 침탄 이후 침탄부를 경화시키기 위한 조작 방법으로 가장 적합한 것은?

가. Ac1 온도 이하에서 가열 후 수중에서 담금질

나. Ac1 온도 이상에서 가열 후 수중에서 담금질

다. 풀림(annealing)

라. 뜨임(tempering)

[해설] 침탄과정은 침탄처리 → 저온처리 → 1차담금질 → 2차담금질 → 뜨임처리 순서로 한다.

15_ 다음 합금원소 중에서 강의 경화능을 감소시키는 합금원소는 무엇인가?

가. Co

나. Si

다. Mn

라. Cr

[해설] 경화능(hardenability)을 향상시키는 원소는 B, Mn, Mo, Cr이 있고 질량효과가 작으면 경화능이 크며 담금질성을 나쁘게 하는 것은 S, V, Co, W, Cd, Pb 등이다.

해답　**12.** 가　**13.** 다　**14.** 나　**15.** 가

16_ 색상이 미려하고 연성이 커서 장식용으로 많이 쓰이는 아연이 5~20% 포함된 구리합금은?

가. 포금
나. 델타메탈
다. 문쯔메탈
라. 톰백

해설 톰백(Tombac)은 Zn5~20%의 저아연합금으로 전연성이 좋고 색이 금에 가까우므로 모조금, 박으로 하여 금대용으로 사용된다.

17_ Ni 4~8%의 martensite 조직의 것으로 보통 Cr을 첨가해서 백주철로 사용하는 주철은 무엇인가?

가. 칠드(chilled) 주철
나. 가단 주철
다. Ni-hard 주철
라. 미해나이트(meehanite) 주철

해설 내마모성주철 Ni+Cr주철이 대표이며, Martensite 주철로 HB600~700이다.

18_ 구리의 성질을 설명한 것 중 맞는 것은?

가. 결정주조는 상온에서 BCC이다.
나. 전기와 열의 부도체이다.
다. 화학적 저항력이 작아서 부식이 잘 된다.
라. 구리 중의 불순물은 냉간가공보다 열간가공 시에 큰 영향을 미친다.

해설 구리는 염수에 부식되고 또 암모늄에 침식되며, 수소메짐이 발생한다.

19_ 강에서 첨가원소 W(텅스텐)이 미치는 효과에 대한 설명 중 틀린 것은?

가. Fe 중에 용해되어 결정입자를 미세화 하며 강한 복탄화물을 형성한다.
나. W은 강의 경도를 증가시키며 경화효과는 Cr 강보다 양호하다.
다. W은 잔류 자기 유지력이 크므로 영구자석용에 적당하다.
라. 저온 강도가 크므로 고온재료에 사용하기 곤란하다.

해설 텅스텐의 융점이 3410℃이다.

해답 16. 라 17. 다 18. 다 19. 라

20_ 강의 담금질(Hardenability)을 측정하는 시험은?

가. 초단파시험

나. 자기이력시험

다. 전자유도시험

라. 죠미니시험

[해설] 담금질성은 일정한 담금질 조건일때 담금질에 의해 경화되는 깊이를 측정하는 시험방법으로 조미니 시험법을 많이 사용한다.

21_ 용접부에 생기는 잔류 응력을 제거하려면 다음 중 어떤 처리를 하면 가장 좋은가?

가. 풀림을 한다.

나. 불림을 한다.

다. 담금질을 한다.

라. 뜨임을 한다.

[해설] 잔류응력을 제거하는 방법으로 용착금속량의 감소, 용착법(비석법), 용접순서의 설정, 적당한 포지셔너,적당한 예열, 후열(풀림) 처리한다.

22_ 맞대기 이음에 있어서 용접이 진행됨에 따라서 간격이 벌어진다든지, 좁혀진다든지 하는 변형에 가장 적합한 용어는?

가. 회전변형

나. 세로굽힘 변형

다. 좌굴변형

라. 각변형(가로굽힘 변형)

[해설] 용접변형의 분류는 면 내의 수축변형(횡수축, 종수축, 회전변형), 면 외의 변형(횡굽곡, 종굽곡, 좌굴변형)이 있으며 맞대기 이음에서 회전변형이 많이 발생한다.

23_ 용접부에서 구조상의 용접 결함이 아닌 치수상의 결함인 것은?

가. 균열

나. 용접부 크기의 부적당

다. 용합 불량

라. 비금속 개재물

[해설] 용접결함(weld defect)을 분류하면 치수상 결함, 구조상 결함, 성질상 결함 등으로 분류되며 치수에 영향을 미치는 결함은 용접부 크기 부적당, 변형(뒤틀림, 수축)이다.

해답　20. 라　21. 가　22. 가　23. 나

24_ 아크전압이 20V, 아크전류는 150A, 용접속도가 15cm/min일 때 용접 입열은 몇 Joule/cm 인가?

가. 12,000
나. 24,000
다. 2,000
라. 45,000

[해설] 용접입열(weld heat input)이란 외부에서 용접부에 주어지는 열량으로 H = 60EI/V = 12000J/Cm

25_ 다음 중 저항용접이 아닌 것은?

가. 프로젝션(projection)용접
나. 플라스마(plasma)용접
다. 퍼커션(percussion)용접
라. 플래시(flash)용접

[해설] 저항용접은 저항열을 이용하여 용접하는 방법으로 맞대기이음(플래시, 업셋, 퍼카션), 겹치기(점, 심, 돌기)가 있다.

26_ 알루미늄 합금용접에 일반적으로 불활성가스 아크용접을 하는 이유로 가장 적합한 것은?

가. 팽창계수가 적기 때문이다.
나. 비열 및 열전도도가 크므로 단시간에 용접온도를 높여야 한다.
다. 고온강도가 나쁘며 용접변형이 작기 때문이다.
라. 비중이 가볍기 때문이다.

[해설] 알루미늄의 용접성이 대단히 불량하다. 그 이유는 비열과 열전도도가 크고, 용융점이 산화알루미늄(2050℃), 순수알루미늄(660℃), 알루미늄의 비중이 산화알루미늄의 비중보다 가볍고, 용접 후의 변형이 크며, 용융응고시에 수소가스를 흡수하여 기공발생되기 쉽다.

27_ 산소-아세틸렌 용접불꽃의 설명으로 틀린 것은?

가. 중성 불꽃에서는 산소와 아세틸렌의 공급량이 같다.
나. 환원 불꽃은 아세틸렌의 공급이 너무 많을 때이다.
다. 산화 불꽃은 산소의 공급량이 과다할 때이다.
라. 온도가 가장 높은 불꽃은 탄화 불꽃이다.

[해설] 중성불꽃(1:1불꽃), 산화불꽃(산소과잉불꽃), 탄화불꽃(아세틸레잉불꽃)이 있다.

해답 24. 가 25. 나 26. 나 27. 라

28_ 브레이징 이음매 부분에 미리 솔더를 놓고 가열하여 행사는 브레이징으로 정의되는 용접 용어는?

가. 침적 브레이징(dip brazing) 나. 단계적 브레이징(step brazing)

다. 예치 브레이징(preplaced brazing) 라. 면 메김 브레이징(face- brazing)

[해설] 브레이징(Brazing)은 모재를 용융시키지 않고 용가재만을 녹여 접합하는 방법이다.

29_ 일반적인 연강용 피복 아크 용접봉의 피복제 역할이 아닌 것은?

가. 용착금속의 응고와 냉각속도를 빠르게 한다.

나. 용착금속(Weld Metal)의 탈산 및 정련작용을 한다.

다. 용융점이 낮은 적당한 점성을 가진 가벼운 슬래그(slag)를 만든다.

라. 중성 또는 환원성 분위기를 만들어 대기 중 산소나 질소의 침입을 방지하고 용 착금속을 보호한다.

[해설] 용착금속의 냉각속들 느리게 하고 용착금속을 보호한다.

30_ 탄산가스 아크용접에 와이어 팁과 모재 사이(돌출길이)가 길 때 생기는 중요한 결함에 대한 설명으로 가장 적합한 것은?

가. 스패터가 적어진다. 나. 슬랙 혼입이 생기기 쉽다.

다. 언더컷이 생기기 쉽다. 라. 용입 불량이 생기기 쉽다.

[해설] 와이어 돌출길이를 길게 하면, 아크불안정, 스패터 많이 발생, 용입이 얕아지고, 차폐효과가 나빠지므로 기공발 생, 용융속도가 크게 된다.

31_ 탄산가스 아크용접 시 전진법에 비교하여 후진법을 설명한 것으로 가장 올바른 것은?

가. 용입이 비교적 얕다. 나. 용접비드 높이가 비교적 높다.

다. 스패터 발생이 전진법보다 많다. 라. 용접 비드 폭이 비교적 넓다.

[해설] 후진법(back step method)은 노즐 때문에 용접선을 볼 수가 없어 정확한 용접 실행이 어렵고, 덧살이 높고 비 드 폭이 좁으며, 용입이 깊고, 스패터 발생이 적고, 안정된 용접비드형상을 얻기가 곤란하다.

해답 **28.** 다 **29.** 가 **30.** 다 **31.** 나

32_ 주철 모재에 연강봉의 용접봉을 사용하면 반드시 파열이 생기는데 그 원인과 가장 관계가 적은 것은?

가. 탄소의 함유량이 다르기 때문
나. 강의 주철의 용융점이 다르기 때문
다. 강의 주철의 팽창계수가 다르기 때문
라. 전기 전도도가 다르기 때문

33_ 정격 2차 전류가 300A, 정격 사용율이 40%인 아크 용접기에서 200A로 용접시의 허용 사용율은?

가. 17.8[%]
나. 60[%]
다. 90[%]
라. 100[%]

[해설] 허용사용률(%) = (정격2차전류)^2/(실제용접전류)^{2}x정격사용률(%) = $(300)^2/(200)^2$x40(%) = 90%

34_ 스테인레스 가의 TIG 용접과 MIG 용접에 관한 일반적인 설명으로 틀린 것은?

가. 보호가스로는 알곤가스를 사용한다.
나. 직류 정극성을 사용하면 깊은 용입을 얻을 수 있다.
다. 3㎜ 이하의 박판에는 TIG 용접보다 MIG용접이 더 많이 사용된다.
라. 피복 아크용접 시 일반적으로 역극성이 사용된다.

[해설] 3mm 이하 판 두께에서는 알곤용접이 효과적이고 그 이상 두께에서는 MIG 용접으로 하는 것이 좋다.

35_ KS 피복아크 용접봉 기호 중 저수소계 용접봉인 것은?

가. E 4301
나. E 4303
다. E 4316
라. E 4326

[해설] 저수소계용접봉(hydrogen electrode)은 타용접봉에 비해서 수소의 함량이 1/10정도이며 내균열성이 우수한 용접봉이다.

해답 32. 라 33. 다 34. 다 35. 다

36_ 불활성가스 텅스텐 아크 용접기로 알루미늄을 용접할 경우 전극봉의 돌출길이가 보호 효과나 작업성에 중요한 영향을 미치는데, 다음 이음 중 아르곤 보호가스량이 가장 많이 필요로 하는 이음은?

가. T형 필렛용접 시 전극의 돌출길이를 6.5mm로 용접하였다.

나. 맞대기용접 시 전극의 돌출길이를 5mm로 용접하였다.

다. 모서리용접 시 전극의 돌출길이를 1.5~3mm로 용접하였다.

라. 겹치기용접 시 전극의 돌출길이를 6.5mm로 용접하였다.

[해설] 전극돌출길이는 아래보기용접(4~5mm), 모서리용접(2~3mm), 수평필렛용접(5~6mm) 적당하다.

37_ 직류 아크의 전압분포에 대한 설명으로 올바른 것은?

가. 아크발생 중 전압강하는 양극의 전 구간에서 일정하다.

나. 아크길이는 전류세기와 비례한다.

다. 아크기둥의 전압강하는 피복제의 종류와 관계없다.

라. 아크길이를 일정하게 하면 전압은 전류의 증가에 따라 약간 증가한다.

[해설] 양극전압강하는 전극 면이 극히 짧은 길이의 공간에 일어나는 전압강하로서 그 값은 주로 전극 물질의 종류로 따라 결정되며 아크길이나 아크전류에는 거의 관계없이 일정하다.

38_ 다음 그림에서와 같이 모서리 이음, T이음 등에서 볼 수 있는 결함으로 가의 내부에 모재 표면과 평행하게 층상으로 발생하는 결함은?

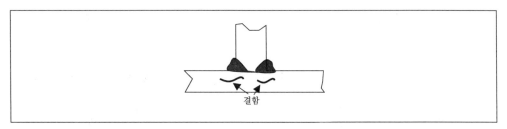

결함

가. 라멜라 테어(Lamellar tea) 　　나. 토 균열(Toe crack)

다. 라미네이션(Lamination)　　　 라. 루트 균열(Root crack)

[해설] 주로 열영향부에 생기는 결함으로 저온균열이며 원인은 수소가 그 원인이다.

해답　　**36.** 다　**37.** 라　**38.** 가

39_ 피복 아크용접에서의 아크길이와 아크전압과의 관계 설명으로 가장 적합한 것은?

가. 아크 길이가 길어져도 아크 전압은 일정하다.

나. 아크 길이가 길어지면 아크 전압은 증가한다.

다. 아크 길이가 짧아지면 아크 전압은 증가한다.

라. 아크 길이와 아크 전압은 서로 관계가 없다.

[해설] 아크길이(arc length)가 길어지게 되면 전류는 감소하지만 전압은 증가하고 스페터가 많이 발생하고 기공도발생한다.

40_ 피복 아크 용접봉 피복제의 작용 설명으로 올바른 것은?

가. 용융점이 높이 점성의 슬랙을 만든다.

나. 용접금속의 응고 및 냉각속도를 빠르게 한다.

다. 슬랙의 제거를 어렵게 하여 깨끗한 용접면을 만든다.

라. 용접금속에 합금원소를 첨가하여 기계적 성질을 좋게 한다.

[해설] 피복제역할은 산화질화방지, 아크의안정, 냉각속도를 느리게 하고, 합금원소첨가, 탈산정련작용한다.

41_ Mg-Al계 합금에 소량의 Zn과 Mn을 첨가한 마그네슘 합금은?

가. 에렉트론(elektron)합금

나. 헤스테로이(hastelloy)

다. 모넬(monel)

라. 자마크(zamak)

[해설] 엘렉트론이 대표이고 Mg90% 이상이고 Al+Zn이 10% 이하이며 내연기관 피스톤에 많이 쓰인다.

42_ 강 내에 존재하는 황(S)에 의하여 나타나는 취성현상을 어떤 취성이라 하는가?

가. 고온취성

나. 뜨임취성

다. 청열취성

라. 저온취성

[해설] 적열취성 황이 많은 강에서 가열하며 s용해되어 강의 결정 사이의 응집력을 파괴하고 고온에서 단조 압연시 균열이 생긴다.

해답 **39.** 나 **40.** 라 **41.** 가 **42.** 가

43_ 고강도 알루미늄 합금인 두랄루민의 주요 구성 원소는?

가. Al-Cu-Mn-Mg   나. Al-Ni-Co-Mg

다. Al-Ca-Si-Mg   라. Al-Zn-Si-Mg

[해설] 두랄루민(duralumin)의 조성은 Al+Cu(4%)+Mg(0.5%)+Mn(0.5%)이며 시효경화 처리한 대표적인 합금이며 용도는 항공기, 자동차등 무게를 중요시하는 재료에 사용한다.

44_ 로우엑스(Low-Ex) 합금의 설명으로 옳은 것은?

가. 내마모성이 좋다.

나. 열팽창 계수가 크다.

다. 고온 강도가 낮다.

라. 합금조성은 Al-1%Si-12%Cu-15%Mg-1.8%Ni이다.

[해설] 로우엑스합금의 조성은 Ni(2.0-2.5%), Cu(1.0%), Mg(1.0%), Si(12-1%)를 첨가한 Na처리한 합금으로 내열성이 우수하며, 열팽창계수, 비중이 작고, 내마모성이 좋고 고온강도가 크며 피스톤용에 쓰인다.

45_ 순철의 평행상태도에서 온도가 상승함에 따라 γ-Fe $\leftrightarrows$ δ-Fe로 바뀔 때의 변태를 무엇이라 하며, 이때의 온도는 몇 ℃인가?

가. A_1 변태, 약 723℃   나. A_2 변태, 약 768℃

다. A_3 변태, 약 910℃   라. A_4 변태, 약 1400℃

[해설] 동소변태라고 하며 그 온도는 1400℃이다.

46_ Al-Mg-Si계 합금의 시효석출 과정으로 옳은 것은?

가. GP영역 → θ 안정상 → θ' 중간상 → 과포화고용체

나. 과포화고용체 → GP영역 → θ' 중간상 → θ 안정상

다. θ 안정상 → θ' 중간상 → GP영역 → 과포화고용체

라. θ' 중간상 → θ 안정상 → 과포화고용체 → GP영역

해답   **43.** 가   **44.** 가   **45.** 라   **46.** 나

47_ 강의 표면에 Al을 침투시켜 내 Scale 성을 증가시키는 것을 목적으로 하는 표면경화처리는?

가. 크로마이징

나. 실리콘나이징

다. 보로나이징

라. 칼로라이징

> **해설** 금속침투법(Metallic cementition)에는 세라다이징(Zn침투 : 내식성), 크로마이징(Cr침투 : 내식성,경질), 켈러라이징(Al침투 : 고온산화방지, 내열성), 실리코나이징(Si침투 : 내식, 내열성), 보로나이징(B침투 : 내식성, 경질) 등이 있다.

48_ 다음의 원소들 중에서 응고할 때 수축하지 않고 오히려 팽창하는 원소는?

가. Bi

나. Sn

다. Al

라. Cu

49_ 금속초미립자의 특성으로 옳은 것은?

가. 금속초미립자는 융점이 금속덩어리보다 낮다.

나. 저온에서 열저항이 매우 커서 열의 부도체이다.

다. 활성을 강하나 화학반응은 일으키지 않는다.

라. Fe계 합금 초미립자는 금속덩어리보다 자성이 약하다.

> **해설** 초미립자(Ultra fine particles)는 금속, 세라믹스, 플라스틱 등의 지름 100만분의 1mm에서 1만분의 1mm정도 아주 미세한 입자 수개 또는 수 천개의 원자로 이루어진 것

50_ 다음은 스테인리스강에 대한 설명으로 틀린 것은?

가. Cr과 Ni은 스테인리스강의 기본적인 합금원소이다.

나. 오스테나이트계 스테인리스강은 자성이 강하다.

다. 조직에 따라서 오스테나이트계, 마텐자이트계 및 페라이트계 스테인리스강으로 분류한다.

라. 탄화물(Cr23C6)은 오스테나이트 입계에 석출 하여 입계부식의 원인이 된다.

> **해설** 오스테나이트계스테인리스강은 자성이없고 부식에 강하다.

해답 **47.** 라 **48.** 가 **49.** 가 **50.** 나

51_ Fe-C 평형 상태도에서 공정 조직을 무엇이라 하는가?

가. 페라이트(Ferrite)
나. 펄라이트(Pearlite)
다. 레데뷰라이트(Ledebulite)
라. 오스테나이트(Austenite)

[해설] 2.0%C의 r-고용체와 6.68%C의 시멘타이트와의 공정조직으로 주철에 나타난 공정점의 조직이다.

52_ 함유 베어링(oilless bearing)의 제조방법으로 옳은 것은?

가. 전착법(電着法)
나. 박야금법(薄冶金法)
다. 분말야금법(紛末冶金法)
라. 일방향응고법(一方向凝固法)

[해설] 분말야금법(powder metallurgy)은 금속분말을 가압 성형하여 굳히고, 가열하여 소결함으로써 목적하는 형태의 금속제품을 얻는 방법이다.

53_ 특수강인 엘린바(elinvar)를 설명한 것 중 옳은 것은?

가. 열팽창계수가 아주 크다.
나. 규소계 합금 금속이다.
다. 구리가 다량 함유되어 있어 전도율이 좋다.
라. 초음파 진동소자, 계측기기, 전자장치 등에 사용한다.

[해설] 엘린바는 Fe52%+Ni36%+Cr12% 합금으로 상온에서 탄성계수가 거의변하지 않으며, 정밀기계, 시계태엽용에 사용한다.

54_ 고망간강(하드필드강)이 내마모성을 갖는 주요 원인으로 옳은 것은?

가. 고탄소, 고망간에 의하여 강력한 페라이트 조직을 갖기 때문이다.
나. 오스테나이트가 마텐자이트로 변태하여 고온에서 크리프 저항이 대단히 크기 때문이다.
다. 고탄소에 의하여 마모성이 강한 탄화물(MgC)이 형성되기 때문이다.
라. 가공경화가 가능한 오스테나이트 단상조직을 갖기때문이다.

[해설] 고망간강은 Mn(10~14%)함유하며 조직은 Austenite 이고, 인성이 높아 내마성이 우수하며, 고온취성이 생기므로 1000~1100℃에서 수인법으로 quenching하고 용도는 분쇄기, 로울러에 쓰인다.

해답 **51.** 다 **52.** 다 **53.** 라 **54.** 라

55_ BCC 금속의 한변에 길이가 a, 단위격자의 소속 원자 수가 2, 배위수가 8, 근접원자간 거리가 $\frac{\sqrt{3}}{2}a$일 때 충진율(%)은?

가. 56%

나. 68%

다. 74%

라. 82%

해설 체심입방격자(BCC)는 입방체8개구석에 각 1개씩의 원자와 입방체 중심에 1개의 원자가 있는 것을 단위포로 한 결정격자를 말한다.

56_ 다음 중 표면경화법에 속하지 않는 것은?

가. 노말라이징

나. 고주파 담금질

다. 침탄법

라. 질화법

해설 표면경화법에는 물리적인 방법(화염경화법, 고주파경화법, 하아드페이싱, 쇼트피이닝), 화학적인 경화법(침탄법, 질화법, 청화법, 침유법, 금속침투법)이 있다.

57_ 냉간가공(cold working)에 대한 설명으로 옳은 것은?

가. 항복점연신을 나타내는 강을 항복점 이상으로 냉간 가공하게 되면 항복점과 항복점연신이 없어진다.

나. 전위밀도가 감소하여 강도가 약해진다.

다. 냉간가공으로 생긴 잔류응력이 재료 내에 압축응력으로 작용하면 피로강도가 나빠진다.

라. 냉간가공은 재결정온도 이상에서 가공한 것을 말한다.

해설 소성가공에는 재결정 온도 이하에서 하는 가공을 상온가공, 재결정 온도 이상에서 하는 가공을 열간가공이라고 한다.

58_ 내식성 알루미늄합금에 어떤 원소가 첨가되면 내식성을 악화시키지 않고 소량만으로도 강도를 개선할 수 있는가?

가. Fe

나. Ni

다. Cu

라. Mg

해답   55. 나 56. 가 57. 가 58. 라

59_ 비정질합금(非晶質合金)의 특성으로 옳은 것은?

가. 고온에서는 결정화하여 전혀 다른 재료가 된다.

나. 균질한 재료이고, 결정이방성이 있다.

다. 전기저항이 작고, 온도의 의존성이 크다.

라. 강도는 낮고, 연성은 크며, 가공경화를 일으킨다.

[해설] 비정질합금은 금속을 기체나 액체의 상태로 부터 결정구조를 갖지 않을 정도의 급냉 응고 시키기 위하여 진공 중에서 진공증착법, 액체급냉법이 행해지고 있다.

60_ 다음 중 경화능을 향상시키는 원소의 영향이 큰 순서대로 나열된 것은?

가. Cu > Mn > B > Cr

나. Cr > Cu > B > Mn

다. B > Mn > Cr > Cu

라. Mn > Cr > Cu > B

[해설] 경화능이란 일정한 담금질 조건일 때 담금질에 의해 경화되는 깊이를 말하며 담금질 향상원소는 B, Mn, Mo, Cr이 있고 질량효과가 작으면 경화능이 크다.

61_ 진공 중 용접하므로 불순 가스에 의한 오염이 적고 활성금 속의 용접 및 용융점이 높은 텅스텐, 몰리브덴의 용접이 가능한 것은?

가. 가스 용접

나. 플라즈마 아크 용접

다. 잠호 용접

라. 전자 빔 용접

[해설] 전자빔 용접(electron beam welding)은 고진공중에서 고속의 전자빔을 모아서 그 에너지를 접합부에 조사하여 그 충격열을 이용하는 용접법이다.

62_ 철분절단에서 철분은 몇 메시(mesh)정도를 사용하는가?

가. 약 20

나. 약 50

다. 약 200

라. 약 1000

[해설] 철분절단에서 200메시 정도의철분 또는 이것에 알루미늄분말을 배합한 미세분말을 공급하고 철분의 연소열로 절단부의 온도를 높여 산화물을 용융제거하는 절단방법이다.

해답   59. 가   60. ?   61. 라   62. 다

63_ 가스용접에서 스테인리스강, 스텔라이트, 모넬메탈 등의 용접에 사용되며, 금속 표면에 침탄 작용을 일으키기 쉬운 가스 불꽃은?

가. 아세틸렌 과잉불꽃
나. 중성불꽃
다. 약한 산화 불꽃
라. 산소 과잉 불꽃

[해설] 가스용접에서 불꽃의 종류에 따라 중성불꽃(연강), 산화불꽃(황동), 탄화불꽃(스텔라이트, 스테인리스강, 모네메탈)이 있다.

64_ 피복 아크 용접봉의 피복제 주요 역할이 아닌 것은?

가. 아크의 발생을 쉽게 하고 안정시킨다.
나. 용착 금속의 탈산 정련 작용을 한다.
다. 모재의 수분 제거 작업을 한다.
라. 슬래그를 제거하기 쉽게 하고, 파형이 고운 비드를 만든다.

[해설] 피복제의 역할은 산화질화방지, 급냉방지, 합금원소의 첨가, 어려운 용접자세를 쉽게 해 주고, 전기절연작용을 한다.

65_ 피복 금속 아크 용접봉의 용융속도에 관한 설명으로 맞는 것은?

가. 용융속도는 아크 전류에 반비례한다.
나. 용융속도는 아크 전류에 비례한다.
다. 용융속도는 아크 전압에 반비례한다.
라. 용융속도는 아크 전압에 비례한다.

[해설] 용융속도(melting rate)는 단위시간당 소비되는 용접봉의 길이 또는 무게로써 나타내며 용융속도는 전류에만 비례하고, 용접봉의 지름에는 관계없다.

66_ 내용적 40ℓ의 산소용기에 140kgf/㎠의 산소가 들어있다. 1시간당 350ℓ를 사용하는 토치를 쓰고 이때의 혼합비가 1:1의 중성화염이면 이론적으로 약 몇 시간이나 사용하겠는가?

가. 16
나. 20
다. 32
라. 46

[해설] 40 × 140 = 5600/350 = 16시간

| 해답 | 63. 가 | 64. 다 | 65. 나 | 66. 가 |

67 서브머지드 아크 용접에 사용되는 와이어(wire) 표면에 구리 도금하는 이유로 가장 적합한 것은?

가. 콘택트 팁과 전기적 접촉을 좋게 하고 녹이 발생하는 것을 방지한다.
나. 용착 금속의 균열을 방지하기 위해서이다.
다. 용접 속도를 증가시키기 위해서이다.
라. 비드 형상을 좋게하기 위해서이다.

[해설] 와이어 표면은 접촉팁과의 전기적접촉을 원활하게 하기 위하여 구리 도금을 하며 녹방지 역할도 한다.

68 용접 후 수축변형을 최소화하기 위한 방법이 아닌 것은?

가. 용접시간을 최소화 한다.
나. 용접 패스 수를 최소화 한다.
다. 중심축을 기준으로 용접부를 균형되게 한다.
라. 각 패스의 용접길이를 길게 하면서 용접을 계속 한다.

[해설] 용접 후 수축변형을 방지하기 위하여 용접길이를 짧게하는 것이 좋다.

69 제품의 한 쪽 또는 양 쪽에 돌기를 만들어 이 부분에 용접 전류를 집중시켜 압접하는 용접 법은?

가. 프로젝션 용접   나. 액동 용접
다. 업셋 용접   라. 퍼커션 용접

[해설] 전기저항용접(electric resistance welding)은 저항열을 이용해서 용접하는 방법으로 맞대기이음 용접(플래시, 업셋, 퍼카션), 겹치기이음용접(점, 심, 돌기용접)이 한 쪽 또는 양 쪽에 돌기를 내어 용접하는 프로젝션 용접법이다.

70 오스테나이트계 스테인리스강을 1시간 정도 가열하여 고용화 처리하여 급냉할 때 가장 적합한 고용화 처리 온도는?

가. 약 700~750℃   나. 약 750~850℃
다. 약 850~920℃   라. 약 1000~1050℃

[해설] 용체화 처리는 1050℃가 적당하고 유지시간은 25mm/h이다.

해답   67. 가   68. 라   69. 가   70. 라

71_ 다음 산소용기에 각인되어 있는 기호 중 TP가 의미하는 것은?

가. 내압시험압력

나. 최고충전압력

다. 용기중량

라. 내용적

[해설] 산소용기의 각인에는 용기제작사명, 제조업자의 기호 및 제조번호, 내용적(V), W(용기중량), 내압시험압력(TP), 최고충전압력(FP)이 각인되어 있다.

72_ 다음 용접방법 중 저항 용접법인 것은?

가. 심 용접

나. 테르밋 용접

다. 스터드 용접

라. 경납 땜

[해설] 전기저항용접(electric resistance welding)은 저항열을 이용해서 용접하는 방법으로 맞대기이음 용접(플래시, 업셋, 퍼카션), 겹치기이음용접(점, 심, 돌기용접)이 있다.

73_ 아크 용접에서 직류 용접기의 정극성에 대한 설명으로 가장 적합한 것은?

가. 모재의 용입이 얕다.

나. 용접봉의 녹음이 빠르다.

다. 비드폭이 넓다.

라. 용접봉을 (−)극, 모재를 (+)극에 연결한다.

[해설] 정극성(DCSP)은 모재(+), 용접봉(−)로 전원연결하고, 용입이 깊고, 비드폭이 좁으며, 용접봉녹음이 느리고, 용접속도가 느리고, 후판용접할 때 적당하다.

74_ 교류 용접기를 사용할 때 무부하 전압이 80V, 아크 전압이 30V, 아크 전류가 300A 라면 역률은 약 몇 %인가? (단, 내부손실 4KW임.)

가. 36

나. 54

다. 90

라. 150

[해설] 역률(%) = 출력(KW)/입력(KW)X100 = 9+4/24X100 = 54%

해답   **71.** 가   **72.** 가   **73.** 라   **74.** 나

75_ 용접전류가 200A, 아크 전압은 25V, 용접속도는 10cm/min일 때 용접길이 1cm 당의 용접 입열은 몇 Joule/cm인가?

가. 4800 　　　　　　　　　　　나. 20000

다. 30000 　　　　　　　　　　　라. 40000

> **해설** 용접입열(weld heat input) = 200×25×60/10 = 30,000j/Cm

76_ 용접 후 용접변형을 교정하기 위한 방법이 아닌 것은?

가. 피닝법

나. 역변형법

다. 얇은 판에 대한 점 수축법

라. 후판에 대한 가열 후 압력을 주어 수냉하는 법

> **해설** 변형교정방법에 롤러에 의한 법, 절단에 의한 성형과 재용접, 형재에 대한 직선수축법 등이 있으며, 역변형법은 용접하기 전에 변형을 미리 예측하여 반대쪽으로 각 (2~3도) 주어 용접하는 방법이다.

77_ 산소-아세틸렌 가스 절단 시 절단조건으로 설명이 잘못된 것은?

가. 모재 중 불연소물이 적을 것

나. 슬랙의 유동성이 좋고 쉽게 이탈할 것

다. 모재의 연소온도가 용융온도보다 높을 것

라. 슬랙의 용융속도가 모재의 용융속도보다 낮을 것

> **해설** 스테인리스강, 같은 고합금강등은 불연소물이나 산화물의 용융온도가 슬래그의 용융접보다 낮기 때문에 일반적 인 가스절단방법으로는 절단이 곤란하다.

78_ 용접에 의한 변형을 적게 하기 위하여 띄엄띄엄 용접한 다음 냉각된 용접부 사이를 용접하 는 것을 뜻하는 것은?

가. 슬롯 용접 　　　　　　　　　　나. 필렛 용접

다. 단속 용접 　　　　　　　　　　라. 스킵 용접

> **해설** 스킵법(skip method)은 비석법이라고도 하며 잔류응력을 최소화 할 수 있는 용착법이다.

해답 　75. 다　76. 나　77. 라　78. 라

79_ 불활성 가스 아크 용접법에 대한 설명 중 틀린 것은?

가. 불활성 가스 아크용접에서는 불활성 가스의 연소열을 이용한다.
나. TGI 용접에서는 텅스텐 전극을 사용한다.
다. MIG 용접에서는 금속 전극을 사용한다.
라. 불활성 가스로서는 Ar, He 등이 사용된다.

[해설] 불활성가스용접(inert gas welding)은 아르곤, 헬륨가스와 같은 고온에서도 금속과 반응하지 않은 불활성가스 분위기 속에서 텅스텐전극봉 또는 와이어와 모재와의 사이에서 아크를 발생하여 그 열로 용접하는 방법이다.

80_ 아크 용접기의 구비조건에 대한 설명으로 틀린 것은?

가. 역률은 나쁘고 효율은 좋아야 한다.
나. 사용 중에 온도 상승이 작아야 한다.
다. 전류 조정이 용이하고 일정한 전류가 흘러야 한다.
라. 아크 발생과 유지가 용이하고 아크가 안정되어야 한다.

[해설] 일반적으로 역률이 높으면 효율이 좋은 것으로 생각되나 역률이 낮을수록 좋은 용접기이며 역률이 높은 것은 효율이 나쁜 용접기이다.

81_ 다음 설명 중 틀린 것은?

가. 슬립면은 전위가 이동하는 면으로 원자 밀도가 가장 조밀한 면이다.
나. 슬립방향은 전위가 이동하는 방향으로 원자 밀도가 가장 조밀하다.
다. 슬립계란 슬립면과 슬립방향의 조합이다.
라. 면심입방정의 슬립계의 수는 48개이다.

[해설] 슬립(slip)은 재료에 외력을 작용할 때 어떤 방향으로 결정이 미끄러져 이동하는 현상이며 면심입방정은 미끄러지는 면이 (111:면)이며 방향은 (110:방향)이다.

해답   79. 가 80. 가 81. 라

82_ 강의 담금질에 따른 용적변화가 가장 큰 조직은?

가. 마르텐자이트 나. 펄라이트

다. 오스테나이트 라. 페라이트

[해설] 마르텐자이트(martensite)은 침상조직으로 부식저항이 크고 경도와 인장강도가 대단히 크며 취약하다.

83_ Y- 합금에 대한 설명으로 옳은 것은?

가. Al-Zn 합금에 소량의 Mg과 Mn을 첨가한 내열성합금이다.

나. Al-Cu 합금에 소량의 Mg과 Ni를 첨가한 내열성합금이다.

다. Al-Si 합금에 소량의 Mg과 Pb을 첨가한 내열성합금이다.

라. Al-Fe 합금에 소량의 Mg과 Sn을 첨가한 내열성합금이다.

[해설] Y합금은 대표적인 내열용 알루미늄합금이며 내열기관, 실린더, 피스톤, 실린더 헤드에 쓰인다.

84_ 실루민합금에 대한 설명으로 옳지 않은 것은?

가. Al-Si계 합금으로서 규소가 약 10~14%정도 함유되어 있다,

나. 시효경화성으로 열처리 효과가 크다.

다. 극소량(0.05~0.1%)의 Na, Si 등을 첨가하면 조직이 미세하게 된다.

라. 개량처리 때의 Na량은 Mg%가 많을수록 적게 Si%가 높을수록 많게 한다

[해설] 실루민(silumin)은 알펙스라고도 하며 Al-Si계의 대표이며 개질처리하며 경도가 낮고 인성이 크고 절삭성은 나쁘다.

85_ 티타늄의 기계적 성질로 틀린 것은?

가. 불순물에 의한 영향이 크다.

나. 300℃ 근방에서 강도저하가 있다.

다. 소성변형에 대한 제약을 받지 않는다.

라. 전신재에서 접합조직에 따라 이방성이 나타난다.

[해설] 티탄늄(titanium)의 기계적 성질은 인장강도 56kg/㎟, 비중(3.6), 항복49kg/㎟, 연신율 20%이다.

[해답] 82. 가 83. 나 84. 나 85. 다

86_ 그림 Al-4%Cu 합금의 시효시간에 따른 경도변화를 나타내고 있다. 다음 설명 중 틀린 것은?

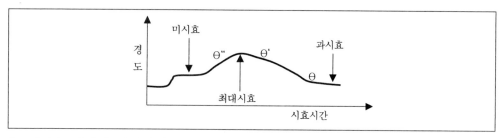

가. θ''상은 기지와 정합계면을 이루고 있다.

나. θ상은 평형상으로 기지와 부정합계면을 이루고 있다.

다. 미시효 조건에서는 전위가 석출물을 자르고 이동할 수 있다.

라. θ상이 석출한 조건에서는 전위가 석출물을 자르고 지나갈 수 있다.

87_ 불꽃시험 중 유선의 관찰대상이 아닌 것은?

가. 색깔   나. 길이

다. 밝기   라. 비중

[해설] 불꽃검사방법에는 그라인더 불꽃검사법, 분말 불꽃검사법, 메입시험, 페렛트시험 등이 있다.

88_ 철강 있어서 열간취성의 원인이 되는 원소는?

가. 탄소   나. 길이

다. 황   라. 망간

[해설] 열간취성(hot shortness)은 적열취성이라고도 하며 황의 원인으로 발생되는 취성이다.

89_ 강의 경화능 시험법으로 옳은 것은?

가. 조미니시험   나. 초음파 탐상시험

다. 설퍼프린트시험   라. 자분탐상시험

[해설] 강의 경화능(담금질성)은 일정한 담금질 조건일 때 담금질에 의해 경화되는 깊이를 측정을 알고자 할 때 조미니 시험을 많이 사용한다.

해답 86. 라 87. 라 88. 다 89. 가

90_ 모넬 메탈을 설명한 것 중 옳은 것은?

가. Ni에 Al을 첨가하여 주조성을 높인 합금이다.

나. Ni(60~70%)에 Cu를 첨가하여 내식성, 내마모성을 향상시킨 합금이다.

다. R-monel은 소량의 Si를 넣어 강도를 향상시키고 절삭성을 개선한 합금이다.

라. 일명 백동이라 하며 가공성과 절삭성을 개선한 합금이다.

해설 모넬메탈은 Ni(65~70%)+Fe(1~3%)+Cu(나머지)계 합금으로 화학공업용이다.

91_ Al 합금의 열처리에서 사용되는 T6처리란?

가. 담금질한 후 인공시효   나. 감금질한 후 뜨임

다. 다금질한 후 노말라이징   라. 담금질한 후 풀림

해설 알루미늄의 열처리기호에는 F(제품 그대로), O(풀림한 재질), H(가공 경화한 재질), W(담금질 처리 후 경화가 진행 중인 재료), T2(풀림한 재질 : 주조품에만 사용), T3(담금질 처리 후 상온가공 경화를 받은 재질), T4(담금질 처리 후 상온 시효가 완료된 재질), T5(담금질 처리를 생략하고 인공시효를 시킨 재료), T6(담금질 처리 후 인공시효 경화시킨 재료), T7(담금질 처리 후 안정화 처리를 받은 재료), T8(담금질 처리 후 상온가공경화, 인공시효한 재료), T9(담금질 처리 후 인공시효하여 상온가공경화를 받은 재질), T10(고온가공에서 냉각한 다음 냉간가공하고 다시 인공시효 경화처리한 재료)

92_ 주철은 현미경 조직에서 탄소의 분포상태에 따라 분류하게 된다. 이때 현미경 주직으로 관찰될 수 없는 조직은?

가. 백주철   나. 회주철

다. 반주철   라. 흑주철

해설 현미경 조직으로 탄소의 분포상태에 따라 회주철, 백주철, 반주철로 나눈다.

93_ 0.8%의 공석강을 마퀜칭 처리하였을 경우 나타나는 조직은?

가. 투루스타이트   나. 베이나이트

다. 레데뷰라이트   라. 마텐자이트

해설 Marquenhing(마퀜칭)은 수중 담금질 한 것보다 다소 경도가 낮으나 내외부가 거의 동시에 martensite 조직으로 변한다.

해답   **90.** 나   **91.** 가   **92.** 라   **93.** 라

94_ 오스테나이트계 스테인리스강의 입계부식 방지 대책으로 옳은 것은?

가. Cr탄화물을 100~200℃로 가열하여 오스테나이트기지에 용체화처리 후 서냉한다.
나. 탄소량을 0.1% 이상 높게 유지한다.
다. Cr찬화물의 입계석출을 억제시키기 위하여 0.2% 이상의 P를 첨가한다.
라. Ti, Nb의 안정화 원소를 첨가하여 안정화시킨다.

[해설] 입계부식방지대책은 탄소량을 극히 소량으로 하여 탄화물의 형성을 억제하며 Ti, Nb, V, 등의 원소 첨가, 안정화 처리(850~950℃로 2~4시간 유지 후 공냉한다), 용체화 처리는 1050℃까지 가열하여 25mm/h 유지한다.

95_ 철과 강의 5대 주요 불순 중 옳은 것은?

가. C, Cr, Mn, S, P
나. C, Si, Ni, S, P
다. C, Si, Mn, S, P
라. C, Si, Mn, Cu, P

96_ 구상 흑연 주철의 구상화 처리 시 페딩현상을 방지하기 위한 조치방법으로 옳은 것은?

가. Mg처리 용탕의 방치 시간을 짧게 한다.
나. 미량의 Mg으로도 구상화에는 문제가 없다.
다. 불순물이 많은 용탕에서는 잔류 Mg량을 적게 한다.
라. Mg 처리 용탕을 주형에 주입되기 전 시간을 되도록 오래 유지한다.

[해설] 구상화제는 Ce, Mg, Fe-Si, Ca-Si, Ni-Mg 등이 있으며 종류는 시멘타트형, 퍼얼라이트형, 페라이트형이 있다.

97_ 금속재료 경도시험 방법 중 압입에 의한 것이 아닌 것은?

가. 쇼어경도 시험방법
나. 비커스경도 시험방법
다. 로크웰경도 시험방법
라. 브리넬경도 시험방법

[해설] 쇼경도(HS, shore hardness) 하중을 충격적으로 가했을 때 반발하여 튀어 오른 높이로 경도를 측정하는 방법이다.

해답   94. 라 95. 다 96. 가 97. 가

98_ WC분말과 Co분말을 압축성형하여 약 1,400℃로 소결시키면 매우 단단한 금속이 되어 바이트와 같은 공구에 이용되는 금속은?

가. 초경합금

나. 고속도강

다. 화이트메탈

라. 엘렉트론합금

[해설] 초경합금(cemented carbide)은 공구 등에 사용되는 초경질 합금으 총칭이며 금속의 탄화물 분말을 소성해서 만든 경도가 대단히 높은 합금이다.

99_ 다음 중 노말라이징의 목적으로 틀린 것은?

가. 내부 응력 제거

나. 결정립 미세화

다. 취성증대

라. 주조 및 과열조직의 개선

[해설] 노말라이징(normalizing)은 목적은 주조, 가열조직을 미세화, 내부응력제거, 피삭선개선, 결정조직, 물리적, 기계적 성질 표준화된다.

100_ 80. Fe-C 상태도에서의 0.6% C의 탐소강의 경도를 계산하면 얼마인가? (단, ferrite의 He는 90, Pearlite의 Hb는 200이다.)

가. 162.5

나. 172.5

다. 182.5

라. 192.5

[해설] 압연된 강의평균강도(σ B = 20+100×C(탄소함유량) = Kg/㎟, 인장강도와 HB의 관계는 HB = 2.8㎟σ B) 이다.

101_ 모재는 전혀 녹이지 않고 모재보다 용융점이 낮은 금속을 녹여 표면장력으로 접합하는 것은?

가. 용접

나. 압접

다. 납땜

라. 저항용접

[해설] 납땜(brazing/soldering)은 모재를 녹이지 않고 용가재만을 녹여 접합하는 방법으로 원리는 모세관현상, 젖음, 확산을 이용하여 접합하는 방법이다.

해답 **98.** 가 **99.** 다 **100.** 나 **101.** 다

102_ 용접전류 300A 아크전압 35V 아크길이 3㎜ 용접속도 20㎝/min의 용접 조건으로 피복 아크용접을 실시할 경우 아크가 단위길이 1cm당 발생하는 전기적 에너지는?

가. 7560joule/㎝

나. 9450joule/㎝

다. 15750joule/㎝

라. 31500joule/㎝

[해설] 외부에서 용접부에 주어지는 열량을 용접입열(weld heat input)이라고 하며 H = 60EI/V = J/Cm이다.

103_ 다음 중 가스의 연소열을 이용하여 용접하는 것은?

가. 원자수소 용접

나. 산소 아세틸렌 용접

다. 일렉트로 슬랙용접

라. 탄산가스 아크 용접

[해설] 가스의 연소열을 이용하여 용접하는 방법으로 산소 아세틸렌 용접이며 불꽃의 종류에는 산화불꽃, 중성불꽃, 탄화불꽃이 있다.

104_ 강의 용착 금속 결합 중 은점발생의 가장 큰 원인이 되는 가스로 가장 접합한 것은?

가. O_2

나. N_2

다. CO_2

라. H_2

[해설] 은점(fish eye)의 발생원인은 기공 또는 틈, 비금속 개재물의 주위에 수소가 모여서 취화를 일으켜 외력에 의핵 그 부분만이 늘어나지 않고 파단되기 때문에 발생한다.

105_ 서브머지드 아크용접에서 용접부에 생기기 쉬운 결합으로 기공은 비드중앙에 발생하는 일이 많다. 방지대책으로 적합하지 않은 것은?

가. 후럭스를 잘 건조하여 습기를 제거한다.

나. 용접심선과 이음부의 녹, 기름, 수분, 습기 등을 제거한다.

다. 콤포지션을 잘 건조하여 습기를 제거한다.

라. 용접속도를 증가시켜 용융금속 응고를 빠르게 한다.

[해설] 용접와이에 구리도금을 하는 이유는 녹을 방지하고 전기적 접촉을 원활하게 하여 양호한 용접부를 얻기 위함이다.

해답   102. 라   103. 나   104. 라   105. 나

106_ 원형판 전극 사이에 피용접물을 끼워 전극에 압력을 가하며 전극을 회전시켜 연속적으로 점용접을 반복하는 용접법은?

가. 스포트 용접　　　　　　　　나. 프로젝션 용접법
다. 심 용접법　　　　　　　　　　라. 플래시 버트 용접법

[해설] 전기저항용접으로 심용접방법이며 파이프, 켄젝작에 많이 이용되며 기밀, 수밀, 유밀이 우수한 용접법이다.

107_ 다음 중 전기 저항용접의 종류에 속하지 않는 것은?

가. 업셋 용접　　　　　　　　　　나. 퍼커션 용접
다. 포일심 용접　　　　　　　　　라. 테르밋 용접

[해설] 전기저항용접은 저항열(H = 0.24I2Rt)을 이용하여 용접하는 방법이며, 저항용접의 분류는 이음형상에 따라 맞대기이음(플래시, 업셋, 퍼카션), 겹치기이음(점, 심, 돌기용접)이 있다.

108_ 용접홈의 안의 용접 또는 필릿용접 시 전류가 너무 낮아 아크열이 홈의 일부분까지 충분히 용융시키지 못했을 때 생기는 결함은?

가. 오버 랩　　　　　　　　　　　나. 용입불량
다. 언더 컷　　　　　　　　　　　라. 슬래그 혼입

[해설] 용입부족(incomplete penetration)은 용접전류가 낮을 때, 용접속도가 빠를 때, 운봉각도가 부적당할 때 발생하는 결함이다.

109_ 다음 중 불활성 가스 아크용접에서 청정작용이 가장 강력한 것은?

가. He 가스로서 DCSP　　　　　나. He 가스로서 DCRP
다. Ar 가스로서 DCSP　　　　　라. Ar 가스로서 DCRP

[해설] 알루미늄을 용접할 때 알루미늄표면에 산화알루미늄(융점 2050℃)을 벗겨내는 작용을 청정작용(cleaning action)이라고 한다.

해답　106. 다　107. 라　108. 나　109. 라

110_ 교류 아크 용접기에서 AW300이란 표시가 뜻하는 것은?

가. 2차 최대 전류 300A   나. 정격 2차 전류 300A

다. 최고 2차 무부하 전압 300A   라. 정격 사용률 300A

[해설] 용접기 용량을 나타내는 것으로 정격2차전류를 나타낸다.

111_ AW300의 아크 용접기로 200[A]의 용접전류를 사용하여 10시간 용접했다. 이 경우 허용 사용율은 약 몇 %인가? (단, 용접기의 정격 사용율은 45%이다.)

가. 101.2   나. 837

다. 61.4   라. 614

[해설] (정격2차전류)^2/(실제의 용접전류)^2×정격사용률(%) = 101.25%

112_ 용접시 발생하는 잔류응력이 구조물에 미치는 영향이 아닌 것은?

가. 취성파괴   나. 피로강도

다. 부식   라. 재결정 온도

[해설] 잔류응력은 응력이 집중되어 취성파괴 및 부식 등을 발생시키는 요인이 된다.

113_ 피복금속 아크 용접부에서 정극성에 관한 설명으로 옳은 것은?

가. 용접봉의 용융이 늦고 모재의 용입이 깊어진다.

나. 용접봉 용융 속도가 빠르고 모재의 용입이 얕아진다.

다. 용접봉의 용융 속도에는 극성과는 관계없다.

라. 용접봉의 용융속도, 용입 모두 극성과는 관계가 없다.

[해설] 직류용접에서 극성을 이용하여 용접을 하며 직류정극성(DCRP)의 특징은 용입이 깊고 비드폭이 좁고 용접봉의 녹음이 느리며, 전원연결은 용접봉(-), 모재(+)로 연결하여 용접하는 방법이다.

해답   110. 나   111. 가   112. 라   113. 가

114_ 수중절단에 가장 많이 사용하는 가스는?

가. 수소

나. 아르곤

다. 헬륨

라. 탄산가스

[해설] 수중절단(under water cutting)은 물에 잠겨있는 침몰선 해체, 교량의 교각제조, 댐, 항만 등의 공사에 사용되며 아세틸렌은 수중에 사용할 경우 압력이 높아지면 폭발의 위험이 있기 때문에 수소가스가 많이 사용된다.

115_ 다음 중에서 대전류 용접이 가능하고 열효율이 가장 높은 용접은?

가. 피복 아크 용접

나. 서브머지드 아크 용접

다. 불활성 가스 아크 용접

라. 탄산 가스 아크 용접

[해설] 서브머지드 아크용접(submegred arc welding)은 대전류를 이용하며, 용제(flux)속에서 용접이 진행되어 용접이 되어지는 상황을 전혀 확인할 수 없다고 하여 잠호 용접이라고 한다.

116_ 아세틸렌 가스에 포함하고 있는 불순물의 영향이 아닌 것은?

가. 석회 분말은 용착금속을 약하게 하고 역류 역화의 원인이 된다.

나. 인화수소, 황하수소는 용접부의 강도를 저하시키고 용접장치를 부식시킨다.

다. 질소 등 기타 불순물은 아세틸렌 불꽃의 온도를 높혀 작업능률을 향상시킨다.

라. 인은 결정립의 미세화를 저지시킨다.

[해설] 아세틸렌가스는 순수한 것은 무미, 무취이며, 용접용 아세틸렌 가스는 불순물(인화수소, 황화수소, 유화수소 등)이 포함되어 있어 악취가 난다.

117_ 가스용접 작업시 역화에 대한 대책으로 틀린 것은?

가. 아세틸렌을 차단한다.

나. 팁을 물로 식힌다.

다. 토치의 기능을 점검한다.

라. 안전기에 물을 빼고 다시 사용한다.

[해설] 역화(back fire)은 토치의 취급이 잘못될 때 순간적으로 불꽃이 토치의 팁 끝에서 빵빵 또는 탁탁 소리를 내면서 불길이 들어 갔다가 곧 정상이 되든가 완전히 불길이 꺼지는 현상을 말한다.

해답 114. 나 115. 가 116. 라 117. 가

118_ TIG용접에서 알루미늄 후판의 용접 전원으로 가장 적합한 것은?

가. ACHF 전원

나. DCSP 전원

다. DCFP 전원

라. 모든 전원이 적합

[해설] 알루미늄은 표면에 산화 알루미늄을 제거해야만 용접이 가능하므로 고주파 교류를 사용하는 것이 좋다.

119_ 1차 입력 전원이 24.2[KVA]인 피복 아크용접기를 1차 전원전압 220[V]에 접속하고자 할 경우 퓨즈용량으로 가장 적합한 것은?

가. 220[A]

나. 200[A]

다. 110[A]

라. 100[A]

[해설] 24.2kVA/220V = 24200/220 = 110A

120_ 가스용접 중에 모재가 용융 상태로 되면 공기 중의 산소나 질소가 접촉되어 산화 및 질화 작용이 대단히 심하게 되는데, 다음 금속 중에서 가스용접 할 때 용제를 사용하지 않아도 되는 용접금속은?

가. 주철

나. 연강

다. 구리합금

라. 알루미늄

[해설] 연강은 용제를 사용하지 않아도 용접이 가능하며 주철(탄산나트륨15%, 붕사15%, 중탄산나트륨70%), 구리합금(붕사75%, 염화리튬25%), 알루미늄(염화나트륨30%, 열화칼륨45%, 염화리튬15%, 프루오르화칼륨7%, 황산칼륨3%) 용제를 사용한다.

해답   118. 가   119. 다   120. 나

용접 · 금속 문제 – 2007년 기사

1_ 다음 중 Cu-Zn합금에 관한 설명으로 옳은 것은?

가. α의 결정형은 면심입방격자이며, β의 결정형은 체심입방격자이다.
나. 공업용 사용하는 황동은 Zn이 최대 60% 이상 함유 한다.
다. 황동에서는 α, β, γ, δ, ε, η, θ의 7개 상이 상태도에 나타난다.
라. Cu에 Zn이 35%를 넘으면 β상이 나오므로 경도와 강도가 낮아진다.

[해설] $r+\beta$상(체심입방격자)이고, 아연함유는 30%가 최대이며 인장강도는 Zn(45%)부근 최대, 아연의 함량에 따라 동적색, 황색이며 연하고 인성이 크며 주조품에서 풀림 쌍정이 일어난다.

2_ 베어링용 합금 중에서 고하중 고속전용 베어링으로 적합하며 주석계 화이트 메탈이라 불리우는 합금은?

가. 오일나이트(oilite)   나. 바이메탈(bimetal)
다. 반메탈(bahn metal)   라. 베밋메탈(babbit metal)

[해설] 배밋메탈은 주석, 안티몬 및 구리를 주성분으로 할 경우 화이트 메탈로 불리우며 용도는 주로 내연기관용 베어링, 고온고압에 잘 견디고 점성이 강하며 고속, 고하중용 베어링 재료로 사용한다.

3_ 6 : 4 황동에 Sn을 넣은 것으로 복수기판, 용접봉 등에 이용되는 것은?

가. Admiralty metal   나. Naval brass
다. Albrac bronze   라. hard brass

[해설] 네이벌황동은 4-6Sn을 첨가한 황동을 말하며 Sn이 함유되어 있기 때문에 강도가 커짐과 동시에 내식성이 커져서 함선의 축, 기어, flange, 볼트 등에 쓰인다.

해답 1. 라 2. 라 3. 나

4_ 가공용 알루미늄합금의 질별 기호로 틀린 것은?

가. F : 제조한 그대로의 것   나. O : 노멀라이징한 것
다. H : 가공경화한 것   라. T : 열처리한 것

[해설] O는 풀림한 재질(압연한 것에만 사용한다.)

5_ 오스테나이트계 스테인리스강의 응력 부식균열을 방지하기 위한 대책으로 틀린 것은?

가. 고 Ni의 재료를 사용한다.
나. 음극방식(양금으로는 Al을 용사한다)을 한다.
다. 압축응력을 없애기 위해 담금질 열처리한다.
라. 사용환경 중의 염화물 또는 알칼리를 제거한다.

[해설] 응력부식균열(stress corrosion cracking)은 재료, 인장응력이 존재, 부식환경의 3가지 요인이 상호작용하여 발생한다.

6_ 재료에 어떤 일정한 하중을 가하고 어떤 온도에서 긴 시간동안을 경과함에 따라 그 스트레인을 측정하여 각 종 재료의 역학적 양을 결정하는 시험은?

가. 피로시험   나. 전단시험
다. 인장시험   라. 크리프시험

[해설] 크리프(creep)시험은 고온에서 시간의 경과에 따라서 외력에 비례한 만큼 이상의 변형이 일어나는 현상을 creep 현상이라고 한다.

7_ 100배로 확대된 다결정 금속재료의 내부조식 사진에서 평방인치당 결정립자의 수가 128개일 때 이 금속 재료의 ASTM 결정입도는?

가. 2   나. 4
다. 6   라. 8

[해설] 결정입도(grain size)는 오테나이트의 결정 입도를 나타내려면 서냉법, 담금질법, 침탄법, 고온산화법 등이 있고 ASTM의 표시법에서는 배율 100을 확대($25mm)^2$했을 때, 즉 $625mm^2$에서 입자의 수 1개를 입도 번호 1로 하고 있다.

[해답] **4.** 나 **5.** 다 **6.** 라 **7.** 라

8_ 다음 중 주철을 접종처리하는 가장 큰 이유는?

가. 기지조직을 조대화하기 위해서

나. 흑연형상의 개량을 방지하기 위해서

다. 결정의 핵생성을 촉진하고 조직 및 성질을 개선하기 위해서

라. 주철에서 chill화를 촉진하기 위해서

[해설] 접종(inoculation)은 흑연의 핵을 미세화고, 균일하게 분포하도록 하기 위하여 규소나 Ca-Si분말을 첨가하여 흑연의 핵 생성을 촉진시키는 방법이며 접종제에는 C, Si, Ca, Al이 있다.

9_ 원단면적이 20㎡인 시편을 최대하중 3000kg으로 인장하였을 때, 파단직전의 단면적이 18㎡이었다. 이때의 단면수축율은 약 얼마인가?

가. 10%   나. 11%

다. 12%   라. 13%

[해설] 단면수축율(%) = 20-18/20×100 = 10%

10_ 주조용 알루미늄 합금과 그에 따른 명칭이 틀린 것은?

가. Al-Cu-Mg-Ni 합금 : 두랄루민   나. Al-Si계 합금 : 실루민

다. Al-Mg계 합금 : 하이드로날륨   라. Al-Si-Cu계 합금 : 라우탈

[해설] Al-Cu-Mg-Ni 합금은 내열용합금으로 Y합금이라 하며, Al-Cu-Mg-Mn합금은 두랄루민이다.

11_ 다음 열전대 중 가장 높은 온도를 측정할 수 있는 것은?

가. 백금-백금 · 로듐   나. 철-콘스탄탄

다. 크로멜-알루멜   라. 구리-콘스탄탄

[해설] 백금-백금 · 로듐(1600℃), 크로멜-알루멜(1200℃), 철-콘스탄탄(900℃), 구리-콘스탄탄(600℃)

해답   8. 다   9. 가   10. 가   11. 가

12_ 다음 중 탄소강에서 상온취성의 원인이 되는 화합물은?

가. FeS

나. Fe$_3$C

다. Fe$_3$P

라. MnS

[해설] 상온취성은 P가 많은 강에서 P는 Fe$_3$P로 결정입자를 조대화시키고 경도 인장강도는 증가시키나 연신율을 감소시키고 특히 상온에서 충격값이 감소되며 냉간가공시 균열이 생긴다.

13_ 다음 그림과 같은 열처리 방법은?

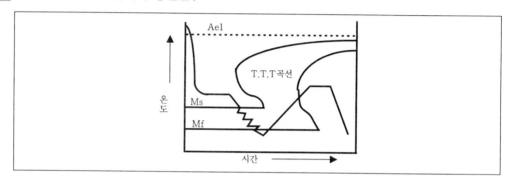

가. Austempering

나. Marquenching

다. Ausforming

라. Martempering

[해설] MS점보다 약간 낮은 온도의 염욕에 담금질하여 강의 내외부가 동일한 온도로 될 때까지 항온 유지(φ25 둥근막대 약 5분간)한 후 수냉(유냉)한 방법이다.

14_ 다음 중 마텐자이트 변태에 대한 설명으로 틀린 것은?

가. 마텐자이트는 고용체의 단일상이다.

나. 오스테나이트와 마텐자이트 사이에는 일정한 방위관계가 있다.

다. 탄소강 및 질소강의 마텐자이트는 각각 C 및 N을 치환형으로 고용한 FCC 또는 CBT구조를 가지며, 확산 변태한다.

라. 마텐자이트 변태를 하면 표면기복이 생기며, 협동적 원자운동에 의한 변태이다.

[해설] 마르텐자이트의 변태는 부피가 팽창하며 탄소를 과포화하게 고용된 준안정 상태의 체심입방격자구조이며 가장 경하고 탄소량이 많아지면 취약하며 강자성체이며 오스테나이트보다 밀도가 작기 때문에 마르텐 자이트로 변하면서 팽창한다.

해답 **12.** 다 **13.** 나 **14.** 다

15_ 다음 중 탄소강에 합금원소를 첨가하는 목적으로 가장 관계가 먼 것은?

가. 합금원소에 의한 기지의 고용강화를 위해서
나. 내식성 및 내마모성을 향상시키기 위해서
다. 미려한 표면 광택을 내기 위해서
라. 고온 및 저온의 기계적 성질을 개선하기 위해서

16_ 순철을 850℃로 가열하였을 때 근접원자간 거리와 원자(Fe)충전율의 변화로 옳은 것은?

가. 길이는 증가하고, 충전율도 증가한다.
나. 길이는 증가하고, 충전율은 감소한다.
다. 길이는 감소하고, 충전율은 증가한다.
라. 길이는 감소하고, 충전율도 감소한다.

17_ Mg 합금이 구조재료로 사용될 때의 특성이 아닌 것은?

가. 기계가공이 좋고 아름다운 절삭면이 얻어진다.
나. 감쇠능이 주철보다 커서 우수한 소음 방지 구조재료로 사용된다.
다. 고온에서 매우 활성적이고, 분말이나 절삭설은 발화의 위험이 있다.
라. 소성가공성이 좋아 상온변형이 쉽다.

[해설] 마그네슘의 비중은 1.74이며 고온에서 발화하기 쉽고 염수에 대단히 약하며 내산성이 나쁘고 내알카리성에 강하며 마그네슘에 아연20% 첨가하면 융점이 내려간다. 부물로서 비강도는 알루미늄금속보다 우수하다.

18_ 다음 중 니켈 및 니켈 합금에 대한 설명으로 틀린 것은?

가. 내식성이 나쁘다.
나. 열간 및 냉간가공이 쉽다.
다. 가공성이 좋아 선, 관 등을 만든다.
라. Cu에 10~30%Ni을 함유한 합금을 백동이라 한다.

[해설] 내식성이 좋고 은백색의 금속이며 내산성이 강하고 전연성이 있으며 아황산 가스를 품는 공기 중에 심하게 부식된다.

해답　**15.** 다　**16.** 다　**17.** 라　**18.** 가

19_ 온도가 일정한 조건의 3원계 금속 상태도에서 3상으로 공존할 때의 자유도는 얼마인가?

가. 0

나. 1

다. 2

라. 3

[해설] 자유도(dogree of freetom)은 상율에 잇어서 하나의 불균일계의 경위 존재하는 상의 종류와 수를 변화시키지 않고 상호독점하여 그의 값을 변할 수 있는 변수의 수를 말하며 그 식은 $F = n+2-P$(F자유도, n은 성분수, P 상의 수)이다.

20_ Fe–C 평형 상태도에는 3가지의 불변반응이 존재한다. 다음 중 존재하지 않는 불변반응은?

가. 공정반응

나. 공석반응

다. 포정반응

라. 포석반응

[해설] 포석방응 (peritectoid reaction)은 포정반응에서 용융대신에 고용체가 생길 때 반응이다.
즉, 고용체+고상(B) ⇄ 고상(A)

21_ 주철용과 동 및 동합금용 피복아크용접봉의 설명 중 잘못된 것은?

가. 구리용으로는 탈산 구리 용접봉이 사용된다.

나. 동합금용으로는 구리합금 용접봉이 사용된다.

다. 주철용으로 주철 또는 니켈합금을 심선으로 사용한다.

라. 주철용 용접봉은 습기가 많은 곳에 보관하여도 무방하다.

[해설] 용접봉의 보관은 통풍이 잘되고 건조한곳에 보관하는것이 좋다.

22_ 주철용접 시공시의 주의사항 설명 중 잘못된 것은?

가. 가능한 한 직선 비드를 배치한다.

나. 가는 직경의 용접봉을 사용한다.

다. 비드 배치는 길게 한 번에 끝낸다.

라. 용입을 너무 깊게 하지 않는다.

[해설] 비드배치는 짧게해서 여러 번하는 것이 좋다.

해답   **19.** 나 **20.** 라 **21.** 라 **22.** 다

23_ 용해 아세틸렌 취급 시 주의사항으로 틀린 것은?

가. 용기 저장시에는 반드시 세워두지 말고 눕힐 것
나. 운반 시 용기는 40℃ 이하를 유지하고 반드시 캡을 씌울것
다. 저장 장소는 통풍이 양호할 것
라. 사용 후에는 반드시 0.1kgf/cm² 정도의 잔압을 남겨 둘 것

[해설] 용기는 세워서 사용하고 뉘어서 사용하면 아세톤이 유출 될 염려가 있다.

24_ 가스용접에서 전진법과 비교한 후진법의 설명으로 옳은 것은?

가. 열 이용률이 나쁘다   나. 용접속도가 빠르다
다. 비드 모양이 보기 좋다.   라. 용접 변형이 크다

[해설] 후진법은 열이용률이 좋고 용접속도가 빠르며, 비드모양이 거칠고 용접변형이 적다.

25_ 불활성가스 금속 아크용접에서 와이어 송급기구 중 작은 지름의 연한 와이어에 가장 적합한 것은?

가. 푸시식   나. 풀식
다. 푸시 풀식   라. 더블 푸시식

[해설] 와이어 송급방식에는 푸시식(puch type), 풀식(pull type), 푸시풀식(push pull type)이 있다.

26_ 탄산가스 아크용접의 장점으로 틀린 것은?

가. 솔리드 와이어를 이용한 용접법에서는 용제를 사용할 필요가 없다.
나. 용접봉 갈아 끼는 시간이 없어 용접작업 시간을 길게 할 수 있다.
다. 가시 아크이므로 시공이 편리하다.
라. 일반적으로 바람의 영향을 크게 받지 않는다.

[해설] 일반적으로 바람의 영향을 크게 받으므로 풍속 2m/sec 이상이면 방풍막을 설치하고 용접해야 한다.

해답 **23.** 가 **24.** 나 **25.** 나 **26.** 라

27_ 탄산가스 아크용접 용극식에서 일반적으로 사용되는 보호 가스가 아닌 것은?

가. $CO_2 + O_2$

나. $CO_2 + Ar$

다. $CO_2 + N_2$

라. $CO_2 + Ar + O_2$

[해설] 용극식사용되는 보호가스는 순CO_2, 혼합가스법(CO_2-O_2, CO_2-CO, CO_2+Ar+O_2), CO_2 용제법 등이 있다.

28_ 다음 중 다층 쌓기에 이용되는 용착법이 아닌 것은?

가. 빌드업버

나. 케스케이드법

다. 스킵법

라. 전진 블록법

[해설] 다층용접에는 빌드업법, 케스케이드법, 전진블록법이 있으며 스킵법은 용착방법이다.

29_ KS D 7004에서 규정된 연강용 피복아크용접봉 E4316에서 16이 타나내는 뜻은?

가. 용접봉의 최저 인장강도

나. 용접봉의 심선의 종류

다. 용접봉의 피복제의 계통

라. 용접봉의 호칭 지름

[해설] 피복아크용접봉기호에서 E(전기용접봉이라는 뜻), 43(최저 인장강도), 16(피복제계통)이다.

30_ 양호한 가스절단을 얻기 위한 조건 설명으로 틀린 것은?

가. 드래그가 가능한 한 작을 것

나. 슬랙의 이탈이 양호할 것

다. 절단면 표면의 각이 예리할 것

라. 드래그 홈이 높고 노치 등이 있을 것

[해설] 절단면이 평활하며 드래그의 홈이 작고 노치등이 없고, 경제적인 절단이 이루어져야 한다.

해답   27. 다   28. 다   29. 다   30. 라

31_ 서브머지드 아크 용접장치에서 전극현상에 따른 종류가 아닌 것은?

가. 와이어 전극

나. 테이프 전극

다. 대상 전극

라. 대차 전극

[해설] 서브머지드 아크용접장치에서 전극 형상에 의한 분류 (와이어 전극, 테이프 전극, 대상 전극), 전극의 수에 의한 분류(다전극, 단전극), 주행장치에 의한 분류(대차주행방식, 측면보주행방식, 보방식, 머니 플레이터방식) 등이 있다.

32_ 용접 구조물의 용접순서는 수축변형에 크게 영향을 미칠뿐만 아니라 잔류응력 및 수축응력에도 영향을 미친다. 용접 순서의 일반적인 원칙이 아닌 것은?

가. 수축향이 큰 것은 먼저 용접하고 수축량이 적은 것은 나중에 용접한다.

나. 좌·우는 될 수 있는 대로 동시에 대칭이 되도록 용접한다.

다. 수축은 자유롭게 일어날 수 있도록 고려한다.

라. 긴 용접부는 끝단에는 중앙부로 동시에 용접한다.

[해설] 긴 용접부는 중앙에서 밖으로 향하도록 동시에 용접하는 것이 좋다.

33_ 다음 그림과 같은 수평자세 V형 홈 이음 용접에 있어서 언더컷은 어느 부분을 말하는가?

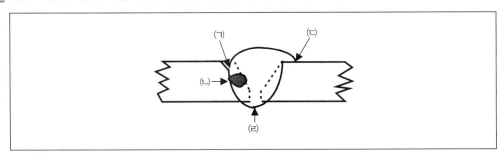

가. (ㄱ)

나. (ㄴ)

다. (ㄷ)

라. (ㄹ)

[해설] 언더컷(under cut)은 용접전류가 높을 때 용접속도가 빠를 때, 운봉각도가 부적당할 때 발생한다.

34_ 가동철심형 아크 용접기의 특성 설명으로 틀린 것은?

가. 광범위한 전류 조정이 어렵다.

나. 미세한 전류 조정이 어렵다.

다. 누설자속의 가감으로 전류를 조정한다.

라. 중간 이상 가동철심을 빼내면 누석자속의 영향으로 아크가 불안정하게 되기 쉽다.

[해설] 가동철심형(moving core arc welder)은 누설자속을 가감하여 전류조정, 현재에 가장 많이 사용, 미세전류조정 이 가능하며 광범위한 전류조정은 어렵고, 변압기원리를 이용한 용접기이다.

35_ 측면 필릿용접 시 각장을 h로 나타낼 때 이론적인 목두께 ht를 구하는 식으로 옳은 것은?

가. ht = h cos 45°

나. ht = h cos 30°

다. ht = h cos 60°

라. ht = h cos 90°

[해설] 이론 목 두께(theoretical throat thickness) : 필릿용접의 가로 단면에 내접하는 2등변삼각형의 루트(두 변의 교점)부터 빗변까지의 수직거리를 말한다.

36_ 피복아크 용접봉에 사용되는 피복제 성분 중 아크 안정의 기능을 가지는 것은?

가. 페로크롬

나. 페로망간

다. 산화니켈

라. 큐산칼륨

[해설] 아크안제로는 산화티탄, 규산나트륨, 석회석, 규산칼륨 등이 주로 사용되며 아크열에 의하여 이온화 되어 아크 전압을 강화시키고 이에 의하여 아크를 안정시킨다.

37_ 아크 쏠림방지 대책이다. 다음 설명 중 틀린 것은?

가. 직류용접으로 할 것

나. 접지점은 용접부에서 멀리 할 것

다. 짧은 아크를 사용 할 것

라. 용접부가 길 경우 후퇴 용접법을 사용 할 것

[해설] 아크쏠림(magnetic blow)는 용접봉에 아크가 한 쪽으로 쏠리는 현상을 말하며 방지대책으로는 교류용접을 할 것, 보조판을 사용할 것, 접지점을 2개를 사용할 것

해답   34. 나   35. 가   36. 라   37. 가

38_ 피복제 및 심선 중에 첨가하는 탈산제에 해당하지 않는 것은?

가. P
나. Mn
다. Si
라. Al

해설 탈산제는 규소철, 망간철, 티탄철 등이 철합금 또는 금속망간, 알루미늄 등이 사용되며 용융금속 중에 침투한 산화물을 제거하는 탈산정련작용을 한다.

39_ 다음 용접법 중에서 저항 용접에 해당 되는 것은?

가. 테르밋 용접
나. 원자수소 용접
다. 전자 빔 용접
라. 플래시 용접

해설 저항용접방법에는 맞대기저항용접(플래시, 업셋, 퍼카션용접) 겹치기저항용접(점, 돌기, 심)이 있다.

40_ 티그 용접기 토치부품에서 가스 노즐의 재질은 일반적으로 다음 중 어느 것이 가장 적합한가?

가. 세라믹
나. 연강
다. 텅스텐
라. 고합금강

해설 가스노즐(gas nozzle)은 세라믹 노즐 또는 가스캡이라고 부르고 재질은 세라믹(ceramic) 또는 동 제품을 만들어 지며 용접물의 재질 , 용접전류, 이음형태 사용가스 등에 따라 적당한 노즐을 선책하여야 한다.

해답 38. 가 39. 라 40. 가

 MEMO ....

용접 · 금속 문제 – 2005년 산업기사

1_ 전기저항 점 용접할 때 용접전류의 강약에 따라 용접결과에 큰 영향을 미치게 되는데 보기 그림 (C)는 어떤 용접전류 상태를 나타낸 것인가?

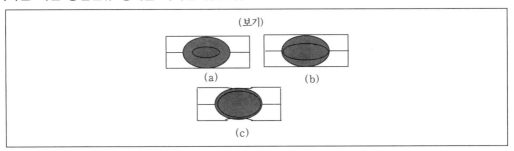

가. 용접전류가 클 때 　　　　　　　　나. 용접전류가 알맞을 때
다. 용접전류가 적을 때 　　　　　　　라. 용접전류가 아주 적을 때

[해설] 전기저항용접의 3대 요소는 가압력, 전류의 세기, 통전시간이며 전류가 높을 때 너깃(nugget)이 크게 된다.

2_ 다음 용착법 중 잔류응력을 최소화할 경우에 가장 적합한 용착법인 것은?

가. 후진법 　　　　　　　　　　　나. 전진법
다. 대칭법 　　　　　　　　　　　라. 스킵법

[해설] 스킵법(skip method)은 일명 비석법이라고도 하며, 용접길이를 짧게 나누어 간격을 두면서 용접하는 방법이다.

3_ 용접부를 특수 헤머로 연속적으로 타격하여 표면층애 소성변형을 주어 용착부의 인장응력을 완화하는 효과가 있으며 용접변형의 경감이나 용접금속의 균열방지를 위한 작업은?

가. 피닝 　　　　　　　　　　　　나. 플라즈마
다. 가우징 　　　　　　　　　　　라. 핸드실드

[해설] 피닝은 변형방지, 잔류응력제거 등에도 유용하게 사용된다.

해답 　1. 가 　2. 라 　3. 가

4_ 용접부의 변형 및 수축 등에 의하여 발생되는 잔류응력을 제거하기 위한 열처리 방법은?

가. 풀림

나. 불림

다. 뜨임

라. 담금질

[해설] 풀림(annealing) 용접부의 잔류응력을 제거하고 조직 개선, 담금질 효과가 향상 된다.

5_ 고진공의 상태에서 용접하여 용접비드의 폭이 매우 좁고 용입이 깊은 용접법은?

가. 확산용접

나. 전자빔용접

다. 마찰용접

라. 저항스폿용접

[해설] 전자비임용접(electron beam welding)은 고진공 중에서 고속의 전자 비임을 모아서 그 에너지를 접합부에 조사하여 그 충격열을 이용하는 용접법이다.

6_ 다음 중 용접법의 분류에서 압접에 해당되면 전기저항 용접으로 분류되는 것은?

가. MIG용접

나. 저항용접

다. 스터드용접

라. 심용접

[해설] 압접(pressure welding)에는 전기저항용접, 단접, 고주파용접, 마찰용접, 초음파용접, 냉간압접이 있다.

7_ 용접 후 일어나는 용접변형을 교정하는 방법이 아닌 것은?

가. 노 내 풀림법

나. 박판에 대한 점 수축법

다. 가열 후 해머링하는 방법

라. 절단에 의하여 교정하고 재 용접하는 방법

[해설] 노내풀림법은 잔류응력을 제거하는 방법이고 용접변형교정방법에는 피이닝, 형재에 대해 직선수축법, 로울러에 거는 방법이 있다.

해답 4. 가 5. 나 6. 라 7. 가

8_ 다음 중 강재의 표면의 흠이나 개재물 탈탄층 등을 제거하기 위하여 될 수 있는 대로 얕게 그리고 타원형 모양으로 표면을 깍아내는 가공방법인 것은?

가. 스카핑 나. 가스 가우징
다. 스택 절단 라. 분말 절단

[해설] 스카핑(scarfing)은 강재표면의 흠이나 개재물, 탈탄층 등을 제거하기 위하여 될 수 있는 대로 얕게 그리고 타원형 모양으로 표면을 깍아내는 가공법이다.

9_ 산소봄베의 용량이 45L이고 처음 압력이 130기압이었고 1기압 상태에서 사용 후에 100기압으로 되었다면 1기압 상태에서 사용한 산소량은 몇 L인가?

가. 300L 나. 1350L
다. 1500L 라. 3000L

[해설] 130−100 = 30×45 = 1350L

10_ 다음 중 언더컷이 생기는 주요원인과 가장 관계가 적은 것은?

가. 부적당한 용접봉을 사용할 때 나. 용착부가 급냉될 때
다. 운봉 속도가 적당치 않을 때 라. 용접전류가 너무 높을 때

[해설] 언더컷(under cut)는 아크길이가 길때 용접봉의 선택불량 등이며 노치형결함으로 응력이 집중되어 크랙이 발생하여 파괴가 일어난다.

11_ 금속의 공통되는 특성 중 틀린 것은?

가. 열과 전기의 양도체이다. 나. 비중이 크고 금속적 광택을 갖는다.
다. 이온화하면 음이온이 된다. 라. 소성변형이 있어 가공하기 쉽다.

[해설] 금속의 일반적 특징은 상온에서 고체이며, 결정체이며, 전서와 연성이 풍부하고 강도·경도가 크고, 결정 내부의 구조를 변경시킬 수도 있으며, 생성된 결정핵이 성장하여 수지상 결정을 만든다.

해답 8. 가 9. 나 10. 라 11. 가

12_ 응용금속의 단위체적 중에 생성한 결정핵의 수, 즉 핵 발생 속도를 N 결정 성장 속도를 G로 나타낼 때 틀린 것은?

가. G가 N보다 빨리 증대할 때는 소수의 핵이 성장해서 응고가 끝나기 때문에 결정립이 큰 것을 얻게 된다.

나. N의 증대가 G보다 현저할 때는 핵 수가 많기 때문애 미세한 결정이 된다.

다. G와 N이 교차하는 경우 조대한 결정립과 결정립과 미세한 립의 두 가지 구역으로 나타난다.

라. G와 N이 교차하는 경우 미세한 결정이 된다.

[해설] 용융금속의 단위체적 중에 생성한 결정핵의 수 즉, 핵 발생 속도를 N, 결정 성장 속도를 G로 나타내어 결정립의 크기를 S와의 관계를 보면 $S = f \cdot G/N$으로 나타낸다.

13_ 분말 야금법으로 소결기계 부품을 만드는 공정은?

가. 원료분말제조 → 혼합 → 예비소결 → 압축성형 → 재압축 → 본소결

나. 원료분말제조 → 예비소결 → 혼합 → 압축성형 → 재압축 → 본소결

다. 원료분말제조 → 압축성형 → 예비소결 → 재압축 → 혼합 → 본소결

라. 원료분말제조 → 혼합 → 압축성형 → 예비소결 → 재압축 → 본소결

[해설] 분말야금(powder metallurgy)은 금속분말을 가압성형하여 굳히고, 가열하여 소결함으로써 목적하는 형태의 금속 제품을 얻는 방법이다.

14_ 고 기능성 박막제조방법이 아닌 것은?

가. 전공증착법　　　　　　　　　나. 스파터링법

다. 이온 플레이팅　　　　　　　　라. 질화법

[해설] 스파트링법(spattering)은 진공 방전을 진공 용기 속에서 하여 그속의 얇은 막을 피접착면에 생기게한 방법이며, 질화법은 표면경화처리방법이다.

15_ 철강 중 원소 중 5대원소라고 하는 원소군은?

가. B, N, Li, Be, He　　　　　　나. Cu, Mo, W, V, Ni

다. Ag, Cd, In, Sn, Pb　　　　　라. C, Si, P, S, Mn

해답　　**12.** 라　**13.** 라　**14.** 라　**15.** 라

16_ 실용 Ni-Cu합금이 아닌 것은?

가. 콘스탄탄

나. 모넬메탈

다. 백동

라. 슈퍼인바

해설 Ni-Cu합금의 특징은 전기저항이 크고, 내열성이 크고, 고온에서 경도 및 강도가 저하되며, 내식성이 크고 산화도가 적으며 종류에는 백동, 콘스탄탄, 문쯔메탈이 있으며, 슈퍼인바는 니켈+철합금이다.

17_ 미해나이트 주철의 설명이 맞는 것은?

가. 백주철을 풀림처리에서 탈탄시켜 제조한 주철

나. 백주철이 될 쇳물에 CaSi를 첨가하여 미세한 흑연을 균등히 석출시킨 주철

다. 12~35%의 Cr을 포함하여 내식성 내열성 및 내마모성이 뛰어난 주철

라. 용융금속에 Mg, Ce, Mg-Cu 등을 첨가하여 흑연이 구상화한 주철

해설 미하나이트주철(meehanite cast iron)은 접종에 의해 만들어진 고급주철로서 바탕조직은 퍼얼라이트로 흑연은 미세하게 분포되어 있다.

18_ 체심입방격자(BCC)의 단위격자내의 원자 충진율은?

가. 74%

나. 68%

다. 62%

라. 54%

해설 입방체의 8개 구석에 각 1개씩의 원자와 입방체 중심에 1개의 원자가 있는 것을 단위포로 한 결정격자를 말한다.

19_ 열전대의 재료가 아닌 것은?

가. 크로멜-알루멜

나. 철-콘스탄탄

다. 백금-백금로듐

라. 하스텔로이-구리

해설 크로멜-알루멜(1600℃), 크로멜-알루멜(1200℃), 철-콘스탄탄(900℃), 구리-콘스탄탄(600℃)

해답　16. 라　17. 나　18. 나　19. 라

20_ 다음 중 소성가공이 아닌 것은?

가. 주조   나. 단조
다. 압출   라. 인발

[해설] 소성가공에는 상온가공은 재결정온도 이상에서 냉간가공은 재결정온도 이하에서 가공하는 것이다.

해답   20. 가

용접·금속 문제 - 2006년 산업기사

1_ 다음 용접방법 중 가스용접에 속하는 것은?

가. 탄산가스 아크용접
나. 산소수소 용접
다. 플라즈마 용접
라. 원자수소 용접

해설 가스용접(gas welding)에는 산소 아세틸렌 용접, 공기 아세틸렌 용접, 산소수소 용접이 있다.

2_ 아크용접 극성인 정극성과 역극성이 모두 올바른 것은?

가. DCSP : 용접봉(+)극, 모재(-)극, DCRP : 용접봉(+)극, 모재(-)극
나. DCSP : 용접봉(-)극, 모재(+)극, DCRP : 용접봉(+)극, 모재(-)극
다. DCSP : 용접봉(+)극, 모재(-)극, DCRP : 용접봉(-)극, 모재(+)극
라. DCSP : 용접봉(-)극, 모재(+)극, DCRP : 용접봉(-)극, 모재(+)극

해설 정극성의 특징은 용입이 깊고, 비드폭이 좁고, 용접봉 녹이 느리고, 용접속도가 느리고 후판용접 시 효과적이며 역극성은 반대로 생각하면 된다.

3_ 용접균열의 형성 원인을 크게 분류하면 금속학적 요인과 역학적 요인으로 구분할 수 있다. 다음 중 금속학적 요인이 아닌 것은?

가. 용접시의 가열 냉각으로 생긴 열응력
나. 열 영향에 따라서 모재의 연성이 저하되는 것
다. 용융 시 침입하였다가 또는 확산하는 수소의 영향에 의하여 취하(brittle)되는 경우
라. 인, 유황, 주석, 동 등의 유해한 불순물의 포함

해설 역학적요인으로는 용접시 가열, 냉각으로 생긴 열 응력, 강의 변테에 따른 체적 변화, 구조적으로 기인되는 용접부 내부·외부의 힘의 작용, 용접 불량이다.

해답 1. 나 2. 나 3. 가

4_ 용접 시 발생한 변형을 교정하는 일반적인 방법이 아닌 것은?

가. 박판에 대한 직선 수축법

나. 가열 후 해머질하는 방법

다. 절단하여 정형(整形)후 재 용접하는 방법

라. 후판에 대하여 가열 후 압력을 가하고 수냉 하는 방법

[해설] 변형교정방법에는 박판에 대하여 점수축법, 형재에 대한 직선수축법, 피이닝법이 있다.

5_ 정격 2차 전류가 450A인 아크용접기준 290A의 용접 전류를 사용하여 용접할 경우 이 용접기의 허용 사용율은? (단, 용접기의 정격 사용율은 50%로 본다.)

가. 약 98%

나. 약 109%

다. 약 115%

라. 약 120%

[해설] 허용사용률(%) = (정격2차전류)^2/(실제 용접전류)^2×정격사용률(%) = $(450)^2/(290)^2×50(\%)$ = 120.39

6_ 아크 용접의 용접부에 기공이 생기는 원인과 가장 관계가 적은 것은?

가. 아크에 수소 또는 일산화탄소가 너무 많을 때

나. 용착부가 급냉될 때

다. 용접봉에 습기가 많을 때

라. 용접 속도가 느릴 때

[해설] 기공(blow hole)은 응고온도에서 액체와 고체의 용해도 차에 의해서 생기며 용접금속내무에 존재하는 것을 기공이라 한다.

7_ 용접결함 중 은점(銀占)이 생기는 주원인과 가장 관계가 있는 것은?

가. 산소

나. 수소

다. 질소

라. 탄소

[해설] 은점(fish eye)은 수소가원이며 수소기고에 의한 수소취화 인장시험 후 파면에 물고기 눈 모양처럼 은백색을 띠게 된다.

해답   **4.** 가 **5.** 라 **6.** 라 **7.** 나

8_ 압접의 종류가 아닌 것은?

가. 점용접
나. 단접
다. 고주파용접
라. 불활성 가스용접

[해설] 압접(pressure welding)에는 전기저항용접, 냉간압접, 단접, 초음파용접, 마찰용접, 가스압접 등이 있다.

9_ 가스용접(산소 아세틸렌 용접)시 아세틸렌이 과잉일 때 발생되는 불꽃은 어느 것인가?

가. 중성불꽃
나. 탄화불꽃
다. 산화불꽃
라. 카바이드 불꽃

[해설] 불꽃의 종류는 중성불꽃(1:1), 탄화불꽃(아세틸렌과잉불꽃), 산화불꽃(산소과잉불꽃)이 있다.

10_ 불활성가스 금속아크 용접의 장점이 아닌 것은?

가. 수동피복 아크용접에 비해 용착율이 높아 고능률적이다.
나. TIG용접에 비해 전류 밀도가 높아 용융속도가 빠르다.
다. 3mm 이하 박판 용접에 적합하다.
라. 각종 금속 용접에 다양하게 적용할 수 있어 응용범위가 넓다.

[해설] 전류 밀도가 매우 높아 아크용접의 4~6배, TIG용접의 2배정도며 능률이 높아 3mm 이상의 두께의 알루미늄에 사용하고 스테인리스강, 구리합금 등에도 이용된다.

11_ 결정 중에 존재하는 점결함(point defect)이 아닌 것은?

가. 원자공공(vacancy)
나. 격자간 원자(interstitial atom)
다. 전위(dislocation)
라. 치환형 원자(substutional atom)

[해설] 격자결함에는 점결함(원자공공, 격자간의 원자, 치환형원자), 면결함(적층결함, 결정립경계), 선결함(전위), 체적결함(주조결함) 등이 있다.

해답   8. 라   9. 나   10. 다   11. 나

12_구리합금 중 공석변태를 하여 서냉 취성이 심한 합금은?

가. 문쯔메탈
나. 알루미늄청동
다. 연청동
라. 인청동

[해설] 격자결함 Cu에 Al을 2~3첨가한 합금은 강도(46Kg/㎟)가 높고, 비중(8.5)이 낮으며 내식성도 우수하다.

13_자기변태에 대한 설명으로 틀린 것은?

가. 어떤 온도에서 자성이 변화가 나타난다.
나. 점진적 연속인 변화가 나타난다.
다. 큐리점점 말한다.
라. 결정격자의 모양이 변화한다.

[해설] 격자결함자기변태는 어느 온도에 있어서 상의 변화를 일으키는 변태를 말하며 결정격자의 모양이 변화는 것은 동소변태이다.

14_초내열강(초합금=super alloy)의 합금 원소는?

가. Ni, Co, Cr 등
나. Pb, Mn, Zn 등
다. Cs, Cu, Hg 등
라. Al, Mg, Sn 등

[해설] 격자결함초내열합금은 초고 온도(500℃ 이상) 사용에 견디는 합금으로 Co를 주체로 해서 만든 비타륨, 하이네스 25, Ni-Cr을 주체로 한 인코넬X, 니모닉, Fe를 바탕으로 해서 이것에 Cr, Ni을 첨가한 팀겐합금 등이 주종이다.

15_전자부품의 솔더링(soldering)으로 가장 많이 사용하고 있고 약 450도 이하의 융점을 갖는 합금은?

가. Cu-Sn계 합금
나. Sn-Pb계 합금
다. Cu-Pb계 합금
라. Ni-Cr계 합금

[해설] 격자결함솔더링은 모재를 녹이지 않고 solder를 용융시켜 접합하는 방법이다.

해답   12. 나 13. 라 14. 가 15. 나

16_ 금속의 합금화에서 치환형 고용체가 되기 위한 조건 중 맞는 것은?

가. 두 원자 반지름 차이가 약 15% 이상이면 좋다.
나. 서로 다른 결정구조를 가지는 것이 좋다.
다. 전기 음성도 차이가 많이 날수록 좋다.
라. 같은 원자가를 가지면 좋다.

[해설] 격자결함치환형고용체는 녹아 들어가는 원자가 모체 원자와의 불규칙으로 치환한 것으로 용질, 용매원자가 크기의 차가 15% 이하 이내일 때 이루어진다.

17_ 슬립(slip)에 대한 설명 중 잘못된 것은?

가. 체심입방정의 주요 슬립방향은 [111]이다.
나. 원자밀도가 최대인 방향으로 슬립이 일어난다.
다. 슬립계가 많은 금속일수록 소성변형이 쉽다.
라. 육방정계에 속하는 금속이 가장 가공하기 쉽다.

[해설] 격자결함재료에 외력을 작용할 때 어떤 방향으로 결정이 미끄러져 이동하는 현상으로 육방정계 속하는 금속이 가장 가공이 곤란하다.

18_ 특수강에 첨가되는 특수원소의 특성이 아닌 것은?

가. Ni-인성증가, 저온충격저항 증가   나. Cr-내마모성, 내식성 증가
다. Si-전기특성, 내열성 양호   라. Mn-뜨임취성, 고온강도 방지

[해설] 격자결함 Mn의 영향은 탈탄제 및 적열취성을 방지하며 고장력강, 강인강 등의 합금원소에 사용되며 시멘타이트를 안정하게 하고 크롬보다 담금질성이 크며 탄소강의 공석점으로 망간이 첨가되면 저탄소, 저온쪽으로 이동한다.

19_ 40~50% Co, 15~33% Cr, 10~20% W, 2~5%C로 된 주조경질 합금은?

가. 고속도강   나. 스텔라이트
다. 합금공구강   라. 다이스강

[해설] 격자결함경질 주조합금 공구 재료이며 주조상태로 사용하는 합금이다.

해답 16. 라 17. 라 18. 라 19. 나

20_ 수소 저장용 합금의 기능과 용도를 설명한 것 중 틀린 것은?

가. 촉매작업(암모니아 합성)

나. 수소분리 및 정제(수소의 순도 99.999%)

다. 열 에너지의 저장 및 수송(태양 장기 축열 시스템, 냉온방용)

라. 저온, 저압에서 수소저장 → 저압수소 발생(케미컬 엔진)

21_ 다음 KS 용접 도시기호 중 플러그나 슬로트 용접기호는?

가. ⊓

나. ▽

다. ○

라. ◿

[해설] 두부재를 겹쳐 놓고 한 쪽 부재에 둥근모양 또는 좁고 긴 홈을 뚫어 그 곳에 용착금속을 채우는 용접법이다.

22_ 용접부를 X-Ray 사진검사 방법으로 검사시 발견할 수 없는 용접 결함은?

가. 기공

나. 균열

다. 잔류응력

라. 슬랙섞임

[해설] x-ray 필름상에 기공은 검은, 균열은 날카로운 선, 슬래그 혼입은 기공보다 덜 진한 타원형 형태로 나타난다.

23_ 본 용접에 있어서 다음 그림과 같은 용착법은?

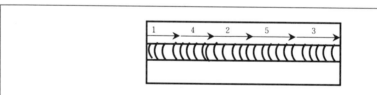

가. 대칭법

나. 후퇴법

다. 전진법

라. 스킵법

[해설] 비석법 또는 뜀용접이라고도 하며 잔류응력을 완화시키는 용착법으로 많이 선정하고 있다.

해답   **20.** 라 **21.** 가 **22.** 다 **23.** 라

24_ 텅스텐 아크절단 시 사용하는 극성으로 가장 적합한 것은?

가. DCSP

나. DCRP

다. AC

라. DC

[해설] 직류정극성을 이용하여 절단하는 것이 좋으며 전원 연결은 모재가(+), 전극이(–)로 연결하여 절단하는 것이 효과적이다.

25_ 탄산가스 아크 용접의 특징으로 틀린 것은?

가. 피복 아크 용접에 비해 용입이 깊다.

나. 슬래그 섞임이 발생하여 용접 후 처리가 어렵다.

다. 피복 아크 용접에 비해 용접 속도가 빠르다.

라. 비트 외관이 피복 아크 용접에 비해 약간 거칠다.

[해설] 보호가스로 이산화탄소가스를 사용하여 용접하는 아크용접의 일종으로 용접 후 처리가 비교적 쉽다.

26_ 용접부의 변형 교정법 중 열을 사용하지 아니하고 외력으로써 소성변형이 일어나게 하는 것은?

가. 형재(刑材)에 대한 직선 수축법

나. 박판에 대한 점 수축법

다. 피닝(peening)법

라. 국부 풀림법

[해설] 특수 해머로 용접부를 타격하여 교정하는 방법을 피닝(peening)이라고 한다.

27_ 피복 아크용접에 관한 일반적인 특성 설명으로 올바른 것은?

가. 피복 아크용접에서 피복제의 주된 역할은 냉각속도를 빠르게 한다.

나. 피복 아크용접에서 직류 정극성은 역극성보다 비드 폭이 좁다.

다. 탄산가스 아크용접은 피복 아크용접보다 용착속도가 늦다.

라. 직류 정극성은 (+)극에 용접봉은, (–)극에는 모재로 회로를 구성한다.

[해설] 극성을 이용한 직류용접에서 직류정극성은 용입이 깊고, 비드폭이 좁으며, 용접봉의 녹음이 느리고 주로 후판 용접할 때 많이 사용한다.

해답 **24.** 가 **25.** 나 **26.** 다 **27.** 나

28_ 무부하 전압 80V, 아크 전압 30V, 아크 전류 300A 내부손실 4kW라 하면 이때 효율은 몇 %인가?

가. 69

나. 54

다. 90

라. 80

[해설] 효율(efficiency) = 출력(kw)/입력(kw)×100 = 9.0+4/24×100 = 54%

29_ 심용접의 종류 중 심부의 겹침을 모재 두께 정도로 하여 겹쳐진 폭 전체를 가압하여 결합하는 방법은?

가. 맞대기 심 용접

나. 매시 심 용접

다. 포일 심 용접

라. 다전극 심 용접

[해설] 전기저항열을 이용하는 저항용접의 방법으로 매시 심 용접(mash seam welding)이다.

30_ 플래시 용접법의 특징이 아닌 것은?

가. 가열범위가 좁고 열영향부가 좁다.

나. 용접면에 산화물의 개입이 적다.

다. 용접면의 끝맺음 가공을 정확하게 할 필요가 없다.

라. 용접시간이 길고 소비 전력이 많다.

[해설] 플래시용접(flash welding)으로 장접으로 용접강도가 크고 업셋량도 적고 모재의 가열범위가 적으며 전력소모가 적다.

31_ 니켈과 그 합금에 관한 설명으로 틀린 것은?

가. 니켈은 비중이 약 8.9이고 백색을 나타낸다.

나. 니켈은 도금용 소재로 사용된다.

다. 니켈은 인성이 풍부한 금속이다.

라. 36% Ni-Fe 합금은 퍼멀로이(permalloy)로서 열팽창 계수가 크다.

[해설] 퍼멀로이는 Fe+Ni(니켈이 78.5%, 나머지 Fe) 투자율이 높고 약한 자장으로 큰 투자율을 갖는다.

해답 28. 나 29. ? 30. 라 31. 라

32_ 쾌삭강(free cutting steel)의 피삭성(被削性)을 향상시키는 원소가 아닌 것은?

가. Pb   나. S

다. Ca   라. Mn

[해설] 쾌삭강에는 황쾌삭강, 납쾌삭강, 흑연쾌삭강이 있으며 망간의 황의 해로부터 방지하는 역할을 한다.

33_ 금속의 변태점을 측정하는 방법에 해당되는 것은?

가. 현미경 조직 검사법   나. 침투탐상시험법

다. 인장 시험법   라. 열 분석법

[해설] 변태점 측정하는 방법에는 시차열분석법, 열팽창법, 전기저항법, 자기분석법, 열분석법이 있다.

34_ 액체상태의 금속이 응고할 때 과냉각의 정도에 따라 생성되는 핵의 크기와 그 수로 옳은 것은?

가. 과냉각의 정도가 클수록 생성되는 핵의 크기는 크고, 그 수는 감소한다.

나. 과냉각의 정도가 클수록 생성되는 핵의 크기는 작고, 그 수는 증가한다.

다. 과냉각의 정도가 클수록 생성되는 핵의 크기는 크고, 그 수는 증가한다.

라. 과냉각의 정도가 클수록 생성되는 핵의 크기는 작고, 그 수는 감소한다.

[해설] 융체 또는 고용체가 응고온도선 또는 용해 온도선 이하로 냉각하여도 액체 또는 고용체로 계속되는 현상이며, 과냉도가 클수록 핵의 크기가 크고 그 수는 증가한다.

35_ Fe-C 상태도에서 공석점의 자유도는? (단, 압력은 대기압으로 일정하다.)

가. 0   나. 1

다. 2   라. 3

[해설] 자유도(dogree of freetom)는 상율에 있어서 하나의 불균일계의 경우에 존재하는 상의 종류와 수를 변화시키지 않고 상호 독점하여 그의 값을 변할 수 있는 변수의 수를 말하며 식은 $F = n+2-P$(n은 성분수, P는 상의 수, F는 자유도)

해답   **32.** 라   **33.** 라   **34.** 나   **35.** 가

36_ 복합재료 소재 중 섬유 강화 금속은?

가. GFRP

나. CFRP

다. FRM

라. ACM

[해설] 섬유강화금속(fiber reinforced metals) : 강도가 큰 섬유로 금속을 강화한 복합재료이다.

37_ 금속은 일정한 온도에서 전기저항이 0이 되는 형상을 나타낸다. 이 상태를 무엇이라고 하는가?

가. 전도율

나. 비정질

다. 전기전도

라. 초전도

[해설] 초전도(superconductivity)는 어떤 종류의 물체의 전기저항이 절대영도(-273℃)에 가까운 어떤 온도 이하에서 불연속적으로 0이 되는 현상을 말한다.

38_ 정련된 용강을 레들 중에서 Fe-Mn, Fe-Si, Al 등으로 완전 탈산시킨 강괴는?

가. 킬드강

나. 림드강

다. 세미킬드강

라. 캡드강

[해설] 강괴의 종류에는 탈산정도에 따라 킬드강(완전 탈산강), 세미킬드강(중간 탈산강), 림드강(불완전 탈산강)이 있다.

39_ 다음 중 분말야금법의 공정 순서로 옳은 것은?

가. 원료분말제조 → 혼합 → 압축성형 → 예비소결 → 재압축 → 본소결

나. 원료분말제조 → 본소결 → 예비소결 → 혼합 → 재압축 → 압축성형

다. 압축성형 → 예비소경 → 원료분말제조 → 혼합 → 재압축 → 본소결

라. 압축성형 → 원료분말제조 → 예비소결 → 본소결 → 재압축 → 혼합

[해설] 분말야금(powder metallurgy)은 금속분말을 가압 성형하여 굳히고, 가열하여 소결함으로써 목적하는 형태의 금속 제품을 얻는 방법이다.

해답　**36.** 라　**37.** 라　**38.** 가　**39.** 가

40_ 변형 전과 후의 위치가 면을 경계로 하여 대칭이 되는 것과 같은 변형은?

가. 슬립변형

나. 탄성변형

다. 연성변형

라. 쌍정변형

[해설] 쌍정(twin) 변형 전과 후의 위치가 어떤 면을 경계로 대칭을 이룬 것으로 조밀육방격자(HCP), 체심입방격자(BCC) 금속이나 특히 충격적인 하중이나 낮은 온도에서 변형할 때 많이 나타나며, 쌍정이 일어나기 쉬운 금속으로는 Sn, Bi, Sb 등이 있다.

해답   **40.** 라

용접 · 금속 문제 – 2007년 산업기사

1_ 아래 보기와 같은 특성을 갖는 교류 아크 용접기로 가장 적합한 것은?

〈보기〉
- 가변 저항의 변화로 용접 전류를 조정한다.
- 전기적 전류 조정으로 소음이 없고 기계 수명이 길다.
- 조작이 간단하고 원격 제어가 된다.

가. 가동철심형 　　　　　　　　　나. 탭 전환형
다. 가동 코일형 　　　　　　　　　라. 가포화 리액터형

[해설] 용접사와 용접기가 거리가 멀리 떨어져 있을 때 용접전류, 전압조정이 용이한 용접기이다.

2_ 다음 중 용착금속 보호 방식에 따른 피복제의 종류가 아닌 것은?

가. 슬래그 생성식 　　　　　　　　나. 가스 발생식
다. 반가스 발생식 　　　　　　　　라. 아크 안정식

[해설] 용착금속(deposited metal)보호 방식에는 슬래그생성식, 가스발생식, 반가스발생식이 있다.

3_ 전기용접봉의 기호 E4301에서 43은 무엇을 나타내는가?

가. 피복제의 종류 　　　　　　　　나. 용착금속의 최소인장강도
다. 용접자세 종류 　　　　　　　　라. 아크 용접시의 사용전류

[해설] 용접봉기호에서 E(전기용접봉이라는 뜻), 43(최저인장강도), 0,1(피복제계통)이다.

해답　1. 라　2. 라　3. 나

4. 저항용접에서 점용접의 품질에 영향을 미치는 요인 중 가장 큰 요소가 아닌 것은?

가. 통전시간
나. 용접전류
다. 프라즈마
라. 가압력

[해설] 전기저항용접의 3대 요소는 가압력, 전류의 세기, 통전시간이다.

5. 정격전류 200A, 정격사용률 50%인 아크 용접기로 실제 150A의 전류로 용접할 때의 허용 사용률은?

가. 약 67%
나. 약 78%
다. 약 89%
라. 약 98%

[해설] 허용사용률 = (정격2차전류)^2/(실제용접전류)^2×정격사용률(%) = 89%

6. 일반적으로 가스용접에서 가장 많이 이용하는 가스는?

가. 수소-산소
나. 산소-아세틸렌
다. 질소-산소
라. 수소-아세틸렌

[해설] 가스용접에는 산소아세틸렌용접, 산소수소용접, 산소프로판용접, 공기 아세틸렌용접이 있다.

7. 용접후 피닝을 하는 주목적은 무엇인가?

가. 도료를 없애기 위해서
나. 용접 후 잔류 응력을 제거하기 위해서
다. 응력을 강하게 하고 변형을 적게 하기 위해서
라. 모재의 균열을 검사하기 위해서

[해설] 특수해머로 용접부를 소성변형시켜 용착금속부에 남아 있는 잔류응력을 제거하는 방법이다.

해답   4. 다 5. 다 6. 나 7. 나

8_ 다음 중 저항 용접에 속하지 않는 것은?

가. 프로젝션 용접　　　　　　　　　　나. 스터드 용접
다. 점 용접　　　　　　　　　　　　　라. 심 용접

[해설] 저항용접에는 프로젝션용접, 점용접, 심용접, 플래시, 업셋, 퍼카션용접이 있다.

9_ 테르밋 반응과 관계가 없는 것은?

가. 알루미늄과 FeO　　　　　　　　　나. 알루미늄과 Fe_2O_3
다. 알루미늄과 Fe_3O_4　　　　　　　라. 알루미늄과 Cr_2O_3

[해설] 테르밋용접(Thermit welding)은 미세한 알루미늄분말과 산화철의 혼합물 을 도가니에 넣고 첨가제인 과산화 바륨 마그네슘 등의 혼합물을 넣어 성냥 등으로 점화하면 강력한 발열반응을 일으켜 약 2800℃ 정도의 열로 용접한다.

10_ 용접구조 설계상의 주의 사항이 아닌 것은?

가. 용접하기 쉽도록 설계할 것
나. 용접 길이는 가능한 길게 할 것
다. 용접 이음은 한곳에 집중하지 말 것
라. 결함이 생기기 쉬운 용접은 피할 것

[해설] 용접선이 긴 경우는 용접길이를 가능한 한 짧게 하는 것이 좋다.

11_ 다음 중 Al-Mg 합금에 대한 설명으로 틀린 것은?

가. Al에 약 10%Mg을 품는 합금을 Hydronalium이라 한다.
나. α고용체와 β상이 450도에서 공정을 만든다.
다. 고온에서 Mg고용도가 높아지므로 약 400도에서 풀림하면 강도와 연신이 좋아진다.
라. Al-Mg합금의 용탕은 산화가 잘되지 않기 때문에 산화물이 들어가도 상관없다.

[해설] 알만(alman)은 내식 알루미늄의 하나 Mg을 1~1.5%첨가한 것으로 내식성을 순알루미늄과 다르지 않으며, 성형 용접도 용이하나 가공상태에서 경도가 매우 높다.

해답　8. 나　9. 라　10. 나　11. 라

12_ 비정질합금의 일반적인 특성에 대한 설명 중 틀린 것은?

가. 전기저항이 크다.

나. 열에 강하며, 가공경화를 일으킨다.

다. 구조적으로는 장거리의 규칙성이 없다.

라. 균질한 재료이고, 결정이방성이 없다.

[해설] 비정질합금은 결정체에 비해서 버정질체는 보자력이 작고 실온에서 전기저항이 2~3배 크며 저항의 온도계수가 적어 수소취성이 생기기 쉽다.

13_ 다음 설명 중 틀린 것은?

가. 톰백은 Zn이 5~20% 함유한 것으로 금박의 대용으로 사용된다.

나. 문쯔메탈은 6:4 황동으로 열교환기나 열간 단조용으로 사용된다.

다. 쾌삭 황동에서는 절삭성을 좋게 하기 위해 Pb을 첨가한다.

라. 5:6 황동에는 Zn을 1%로 첨가한 황동을 네이벌 황동이라고 한다.

[해설] 네이벌황동(naval brass)은 4~6% Sn을 첨가한 황동을 말하며, Sn이 함유되어 있기 때문에 강도가 커짐과 동시에 내식성이 커져서 함선의 축, 기어, 볼트 등에 쓰인다.

14_ 동소변태에 대한 설명 중 틀린 것은?

가. 고체 내에서 원자배열의 변화에 의해서 생긴다.

나. 결정격자의 형상이 변하기 때문에 나타난다.

다. 동소변태 A4의 온도는 약 1400도에서 일어난다.

라. 점진적이고 연속적인 변화에 의해 생긴다.

[해설] 동소변태는 일정한 온도에서 급격히 비연속적으로 발생한다.

해답 12 나 13. 라 14. 라

15_X-선 회절 시험에서 사용되는 브래그의 법칙을 정의한 식으로 옳은 것은? (단, d : 결정의 면간 거리, λ : 파장, θ : 반사각도, n : 정정수)

가. $n\lambda = 2d \cos \theta$

나. $n\lambda = 2d \sin \theta$

다. $nd = 2\lambda \cos \theta$

라. $nd = 2\lambda \sin \theta$

[해설] X-선을 격자면에 입사시키면 X-선은 각각 면에 투과되어 반사를 일으키는데 각원자로부터 나오는 반사선이며 이 식은 브러그법칙이다.

16_Bravais의 결정격자 중 조밀육방격자내의 원자 충진율과 배위수로 각각 옳은 것은?

가. 68%-12개

나. 74%-12개

다. 68%-8개

라. 74%-8개

[해설] 정육각형을 6개의 정삼각형으로 나누면 그 정삼각주의 6개 꼭지점에 원자가 있고 또 하나 건너 삼각기둥 중심에 1개의 원자가 있으며 인접된 2개의 정삼각주를 합한 것이 단위포가 된다.

17_브라베이스 격자 중 단사정계의 축 길이와 사이각의 관계로 옳은 것은?

가. $a=b=c$ $\alpha=\beta=\gamma=90$

나. $a\neq b\neq c$ $\alpha=\gamma=90$ $\beta\neq90$

다. $a=b\neq c$ $\alpha=\beta=90$ $\gamma=120$

라. $a=b\neq c$ $\alpha=\beta=\gamma=90$

[해설] 가(입방정계), 나(단사정계), 다(육방정계), 라(정방정계)

18_다공질 재료에 윤활유를 흡수시켜 계속해서 급유하지 않도록 제조된 합금으로 대부분이 분말 야금법으로 제조되는 베어링용 합금은?

가. 함유 베어링

나. 주석계 화이트 메탈

다. 두라나 메탈

라. 아연계 화이트 메탈

[해설] 분말야금(powder metallurgy) : 금속분말을 가압성형하여 굳히고, 가열하여 소결함으로써 목적하는 형태의 금속제품을 얻는 방법이며, 금속 기타의 표면 개재물을 제거하여 다른 금속이나 기타의 물질을 완전히 밀착시키는 방법으로 함침법(impregnation)이라고 한다.

19_ 500-600도까지 가열해도 뜨임 효과에 의해 연화되지 않고 고온에서도 경도의 감소가 적은 것이 특징이며 18%W-4%Cr-1%V-0.8-0.9%C의 조성으로 된 강은?

가. 다이스강

나. 스테인리스강

다. 게이지용강

라. 고속도 공구강

[해설] 고속도공구강(SKH)은 담금질후 뜨임하면 HRC 약 65가 되며, 단속절삭에 견디는 강인성을 갖고 자경성이 있고, 고속절삭시 온도 상승에 상당한 600℃정도에서 연화하지 않는다.

20_ 18-8 스테인리스강에 대한 설명 중 틀린 것은?

가. Cr18% Ni8%를 함유한다.

나. 페라이트 조직으로 강자성이다.

다. 입계부식 방지를 위해 Ti를 첨가한다.

라. 내식, 내충격성, 기계가공성이 우수하다.

[해설] 오스테나이터 스테인리스 내식성이 좋으며 자성이 없다.

해답 **19.** 라 **20.** 나

비파괴검사문제집 3 - 침투(PT)탐상검사

발 행 일 ｜ 2013년 10월 5일

공　　저 ｜ 김만순 · 박재원
발 행 인 ｜ 박승합
발 행 처 ｜ 도서출판 골드
등　　록 ｜ 제3-163호(1988.1.21)
주　　소 ｜ 서울시 용산구 갈월동 11-50
전　　화 ｜ 02-754-1867, 0992
팩　　스 ｜ 02-753-1867
홈페이지 ｜ http://www.enodemedia.co.kr

정가 32,000원

ISBN　978-89-8458-173-9-94550
　　　　978-89-8458-170-8-94550 (세트)